La famille du lac

du lac

Tome 1 - Fabi

Guy Saint-Jean Éditeur
3440, boul. Industriel
Laval (Québec) Canada H7L 4R9
450 663-1777
info@saint-jeanediteur.com
www.saint-jeanediteur.com

• • • • • • • • • • • • • • • •

Données de catalogage avant publication disponibles à Bibliothèque et Archives nationales du Québec et à Bibliothèque et Archives Canada

• • • • • • • • • • • • • • • •

Nous reconnaissons l'aide financière du gouvernement du Canada par l'entremise du Fonds du livre du Canada (FLC) ainsi que celle de la SODEC pour nos activités d'édition. Nous remercions le Conseil des arts du Canada de l'aide accordée à notre programme de publication.

Gouvernement du Québec — Programme de crédit d'impôt pour l'édition de livres — Gestion SODEC

© Guy Saint-Jean Éditeur inc., 2017

Édition : Isabelle Longpré
Révision : Isabelle Pauzé
Correction d'épreuves : Johanne Hamel
Conception graphique de la page couverture : Olivier Lasser
Mise en pages : Christiane Séguin
Photographie de la page couverture : Depositphotos/Alekcey

Dépôt légal — Bibliothèque et Archives nationales du Québec, Bibliothèque et Archives Canada, 2017
ISBN : 978-2-89758-255-5
ISBN EPUB : 978-2-89758-256-2
ISBN PDF : 978-2-89758-257-9

Imprimé et relié au Canada

1re impression, février 2017

Guy Saint-Jean Éditeur est membre de
l'Association nationale des éditeurs de livres (ANEL).

GILLES CÔTES

La famille du lac

Tome 1 - Fabi

Guy Saint-Jean
ÉDITEUR

Arbre généalogique

LA FAMILLE MARTEL

Aristide – Marie-Jeanne
(1892-)   (1890-)

Georges	Yvonne	Lucienne	Émilien	Aldéric	Blanche	Fabi	Francis	Héléna
(1911-)	(1913-)	(1914-1918)	(1915-1918)	(1916-1932)	(1917-1918)	(1918-)	(1919-)	(1921-)

CHAPITRE 1

À l'est de La Tuque, Lac Wayagamac, printemps 1940

Fabi posa ses truites sur la rive entre deux pierres. Les doigts maculés de sang, elle tira le couteau de son étui. Elle prit le plus gros poisson d'une main ferme, ventre vers le haut. Sans hésiter, elle l'éventra de l'anus jusqu'aux ouïes. La femelle était remplie d'œufs. Elle planta son poignard dans la terre et, de ses doigts recourbés, arracha les entrailles. Elle projeta l'amas d'organes dans le lac. La loutre s'en régalerait. Puis elle gratta de son ongle tout le long de la colonne vertébrale en lavant la truite à l'eau claire. Elle fit de même pour les trois autres poissons. Elle réserverait celle avec le ventre rouge et rose pour Marie-Jeanne, notre mère. Nous prendrions les deux d'égale grosseur et la plus costaude irait à notre père, Aristide, qui avait déjà entamé sa dure journée de travail.

Ma sœur se rinça les mains et enfonça ses doigts dans le lit de petites roches arrondies. Elle les fit miroiter sous la lueur du jour. Ses perles de lac. Elle ne se lassait jamais de les regarder, de les caresser, de les déplacer. Comme le Wayagamac le faisait patiemment, jour après jour, depuis la nuit des temps.

Elle enfila les truites sur une branche d'aulne, les gueules béantes accolées l'une à l'autre. Elle trempa la brochette une dernière fois et récupéra son couteau. Déjà, elle voyait le nez rond de la presqu'île surgir de la brume. Un gros rocher noir qui entrait dans l'eau comme un dos d'hippopotame et se cassait brusquement sur une fosse profonde et sombre. Elle regarda longuement dans cette direction et s'attarda plus que de coutume. Sa chemise à carreaux battant sur son pantalon, ses cheveux bruns retenus sur la nuque par un peigne de bois, le pied posé sur un rocher comme une conquérante, ma sœur avait fière allure. Elle était une icône pour la jeune femme que j'étais et qui ne connaissait rien du monde. Puis elle se retourna et me fit un signe de la main. Je vis sur son visage que quelque chose avait changé. Mais je ne savais pas encore jusqu'à quel point.

෩

La graisse de porc rissolait dans le poêlon de fonte. Près de l'évier, les truites enfarinées et salées attendaient côte à côte. Marie-Jeanne s'activait dans son tablier brodé. De la table aux portes d'armoires, du vaisselier jusqu'au poêle à bois, la petite femme rayonnait dans son univers favori. Elle lançait des ordres à la ronde, Fabi, pour les bûches, Héléna, pour les couverts, mais il n'y avait plus personne pour les chambres ni pour le balai. Yvonne et Francis travaillaient à la ville. Lui à la laiterie, elle comme femme de ménage chez un contre-maître de l'usine de papier. Ma sœur aînée n'était plus là pour me reprendre et m'encourager. Mon frère me manquait pour ses pitreries. La ville les avait pris et ne les rendrait pas. Yvonne avait sa chambre dans la belle maison des Paterson, sur la rue des Anglais, près de l'usine. Francis dormait chez Géraldine, la sœur préférée de ma mère.

Mon père tira la porte-moustiquaire, qui se rabattit d'un claquement. Il sentait la sueur et le copeau. Une odeur qu'il transportait avec lui à toute heure du jour. Dès l'aube, il fendait les rondins avec détermination. Une corvée qui s'étirait tout l'été, l'hiver étant réservé à abattre le bois debout. Jusqu'à l'automne, il trimait comme un forçat pour remplir notre réserve et celle du club.

Il actionna la pompe de l'évier, qui obéit dans un couinement familier. Après avoir frotté ses mains rudes sur le pain de savon, il s'essuya à même sa che-mise. Puis il prit sa place habituelle au bout de la table.

Marie-Jeanne rajouta une motte de graisse sur sa platée de truites. Une bonne odeur de grillade envahit la petite maison de bois. Comme à l'habitude, le déjeuner était consistant. Nos journées étaient bien remplies et nous devions les affronter le ventre plein.

— Tu dois avoir faim, mon homme, dit-elle en retournant les poissons, dont la peau dorée devenait croustillante.

— Envoye, Marie-Jeanne. Ça presse! Faut que j'aille porter du bois au camp numéro 2. Même en me dépêchant, m'a revenir à la noirceur.

Le camp numéro 2 se trouvait tout au fond d'une baie, pas très loin du grand chalet principal que nous appelions pompeusement le pavillon. Pour s'y rendre, les gars du club avaient défriché un chemin assez large pour qu'une charrette puisse y passer. De notre maison, il y avait trois kilomètres, un ruisseau à traverser, une savane et un coteau à pic à franchir. Tout seul, mon père devrait trimer dur pour y transporter les bûches. J'espérais une invitation. Mes chances étaient minces, car Marie-Jeanne projetait de faire du pain.

Fabi entra avec une grosse brassée de bois, qu'elle déposa dans la boîte près du poêle.

— Ça sent bon icitte! Tu nous fais-tu des œufs avec ça, m'man? J'ai faim.

Mon père n'aimait pas que ma sœur se comporte de cette façon, qu'elle demande comme un homme. Il lui jeta un regard noir. Son front protubérant se couvrit de rides que soulignaient des sourcils touffus.

— Tu viens avec moé aujourd'hui. Tu vas m'aider pour le bois.

— C'est ben correct, répondit-elle, en passant sa jambe par-dessus le dossier de la chaise, comme le lui avait appris Francis.

Elle me piqua un clin d'œil et un sourire dans le même mouvement. Je restai de glace par crainte d'une remarque cassante de la part d'Aristide.

— J'les ai toutes pognées près du grand chicot. L'eau était comme un miroir, à matin. Pas de vent! J'ai croisé la barge à moteur de monsieur Brown. Son frère, Matthew, s'en allait pêcher avec trois Américains au bout du lac. J'pense qu'ils sont arrivés tard hier soir. Ils avaient pas l'air trop réveillés.

Marie-Jeanne posa sur la table un grand plat rempli de truites et de patates bouillies. Elle accompagna le tout de pain et d'une omelette, qui dépassait le rebord du poêlon de fonte. Mon père se servit le premier, suivi de Marie-Jeanne et de Fabi. Je pris la dernière en salivant. Chacun mangea avec appétit, après qu'Aristide eut brièvement remercié le Seigneur pour le déjeuner.

Pendant plusieurs minutes, nous mastiquâmes en silence. Nous n'avions pas l'habitude de tenir de longues discussions durant les repas. Le nez dans nos assiettes, nous connaissions notre chance de manger à notre faim. Même si la guerre générait des emplois à la ville, tous n'en profitaient pas. Mais il nous semblait quand même que les pires années étaient derrière nous. Ces années de misère qui avaient suivi la crise de 1929. Si seulement le conflit dans les vieux pays pouvait ne pas s'éterniser. On parlait de conscription et nous avions peur pour Francis et pour Georges, mon frère aîné. Même si le gouvernement fédéral avait promis de ne pas l'imposer, la crainte persistait. Ce ne serait pas la première fois qu'un gouvernement briserait ses promesses. Georges en serait probablement dispensé, il voyait à peine d'un œil. Pour Francis, le boute-en-train, rien ne pourrait l'éviter. On préférait ne pas y penser.

Fabi fut la première à briser le silence.

— Matthew Brown m'a offert de quoi, à matin.

— Hein! s'exclama Marie-Jeanne, surprise que le gérant de l'usine à papier interpelle sa fille.

— Ben oui, il m'a offert une *job*!

Mon père leva la tête et laissa retomber le squelette de son poisson dans l'assiette. Ses lèvres étaient luisantes de graisse. Il prit une gorgée de thé noir, qui descendit avec un bruit qui rappelait l'eau refluant dans la pompe quand on cessait de l'actionner. Ma mère était debout.

— Tu vas pas t'en aller travailler à' *shop* toujours?

— Ben non, y veut que je sois guide pour le restant de l'été. Jos Pitre est ben malade. Il s'est pas remis de sa pneumonie de l'hiver passé. Il a été obligé de retourner à l'hôpital Saint-Joseph.

— C'est pas une *job* pour toé, dit mon père d'une voix autoritaire.

— Ben voyons donc, p'pa, je connais le lac comme le fond de ma poche. J'ai fait tous les portages, du p'tit Wayagamac jusqu'au lac Long. Il m'a dit que j'serais ben payée.

— On a besoin de toé icitte! Prépare-toé, on a du bois à transporter.

Fabi comprit qu'il ne servait à rien de discuter plus longtemps. Mon père était déjà près de la porte, le chapeau sur la tête.

Marie-Jeanne me fit signe de débarrasser la table. Fabi prit soin de me piquer un autre clin d'œil avant d'aller rejoindre Aristide.

⚮

Plus tard, alors que je sarclais le jardin, près du poulailler, je les entendis discuter. Mes doigts arrachaient les mauvaises herbes et enlevaient les pierres comme ma mère me l'avait montré. Je n'avais pas besoin de me concentrer, mes mains connaissaient le travail par cœur. J'enfonçais la vieille truelle dans le sol durci et je brassais les tiges pour dégager les racines. J'avais beau m'appliquer, la terre en retenait toujours un morceau, qui repousserait dans quelques jours.

— Vous comprenez rien, l'père. Je pourrais rapporter de l'argent. Une piastre par jour plus le *tip*. Vous l'savez que je suis travaillante. Je pourrais vous aider pareil.

— C'est pas une *job* pour une femme!

— Si c'est ça qui vous inquiète, j'suis pus une enfant. J'sais me défendre.

— Oublie ça, Fabi! Tu iras pas besogner pour les Brown.

— Vous travaillez ben pour eux autres, vous!

— Moé, c'est moé. J'ai une famille. Pis j'travaille pas pour la famille Brown, j'leur rends service. Mon *boss*, c'est la Ville!

— Ben moé, crisse, j'travaille pour personne! Pis à l'âge que j'ai, j'suis capable de décider!

— Contente-toé de charger la charrette, pis laisse-moé les décisions! J'vais aller chercher notre manger pour à midi. Pis avise-toé pus de sacrer après moé!

Aristide sortit du hangar, sans même regarder dans ma direction. Mon cœur battait à tout rompre. C'était la première fois que j'entendais ma sœur blasphémer. Elle avait son caractère et ne se laissait pas marcher sur les pieds. Mais ses sautes d'humeur étaient plutôt silencieuses, face à mon père. Grognements, gestes d'impatience et fuite vers le lac la plupart du temps. Elle nous revenait apaisée. À quelques reprises, je l'ai suivie. Je l'ai vue marcher de long en large, parmi les trembles et les bouleaux, sur la rive du Wayagamac, au-delà de la pointe. Elle parlait aux plantes, aux rochers et au vent du large, jusqu'à laisser réduire sa colère à néant. Puis elle s'assoyait près de l'eau et libérait ses cheveux, qu'elle brossait à l'aide de son peigne de bois. J'aurais voulu la serrer dans mes bras, mais le lac s'en était déjà occupé et j'aurais eu l'impression d'être de trop.

Je me dépêchai de finir ma tâche, car l'heure du départ approchait. Fabi et Aristide avaient rempli la charrette sans échanger un seul mot. Je sarclais en y mettant tout mon cœur. Peut-être que mon père me demanderait de l'accompagner s'il voyait que j'avais bien travaillé. Je redoublai d'ardeur quand je le vis revenir avec un gros sac de toile en bandoulière. Fabi vérifiait l'attelage en caressant notre cheval. Marie-Jeanne sortit sur la galerie en s'essuyant à même son tablier. Je fis quelques pas en direction de la charrette. Aristide s'y installa droit comme un « I ». Fabi comprit immédiatement mon manège.

— Veux-tu venir, la sœur ? On aura pas de trop d'une autre paire de bras.

Mon père allait s'opposer lorsque la voix de Marie-Jeanne nous cria :

— Emmenez-la ! Ça va y faire du bien. J'vais m'arranger toute seule avec le pain. Pis revenez pas trop tard !

J'attendis le petit coup de tête d'Aristide avant de me précipiter vers la charrette. Marie-Jeanne préférait que je les accompagne. De cette façon, il risquait moins d'y avoir de la chicane.

— Veux-tu faire un bout sur Ti-Gars ? Il aime ça quand c'est toi qui le mènes.

Fabi me lisait comme un livre ouvert. Elle m'aida à grimper sur son dos. Lorsque je me retournai, je crus voir un vague sourire sur le visage de mon père. Il connaissait mon affection pour notre cheval. Quand j'étais toute petite, il me hissait sur son dos quand nous allions aux champs. À dix-neuf ans bien sonnés, j'éprouvais toujours le même plaisir.

— Hi ha ! criai-je en frappant du plat de la main les côtes du cheval.

Ti-Gars se mit en marche comme si de rien n'était, alors que la charrette grinçait sous le poids de deux cordes de bois. Ma mère nous fit un signe de la main quand nous passâmes près de la galerie. Je sens encore aujourd'hui l'odeur du cheval et celle de la forêt qui montaient jusqu'à moi dans la chaleur du jour, comme une bouffée de bonheur véritable.

Résidence Clair de lune, Trois-Rivières, hiver 2002

— Encore le nez dans tes écritures, Héléna? On commence une partie de 500. Viens-tu?

La minuscule tête de madame Lafrenière émerge de l'entrebâillement de la porte comme si rien ne la soutenait.

Héléna a envie de lui rappeler de frapper avant d'entrer, mais elle se dit qu'il est possible qu'elle n'ait rien entendu. La lecture de son manuscrit lui demande toute sa concentration, et les jointures d'Huguette Lafrenière ont autant d'impact que des bâtons d'allumette.

— Avec qui tu joues?

— Avec madame Gervais pis Roméo Lacoste.

Héléna grimace. Le vieux Lacoste l'énerve. Il tourne autour de toutes les femmes pareil à un gros bourdon écervelé prêt à brandir son dard. On le surnomme «Lagosse» et la rumeur court qu'il bande de façon respectable pour un homme de soixante-dix-huit ans.

— Pis? insiste Huguette Lafrenière dont les lunettes menacent de quitter l'étroite arête de son nez.

— Demande à madame Tremblay, elle aime ça le 500.

— Oui, mais elle sait pas jouer ! Viens donc.

— Faut que je relise ça.

— Tu as toujours le nez dedans. Tu dois le savoir par cœur !

— Mais ça fait du bien à mon cœur, dit Héléna en caressant la tranche de l'épais manuscrit.

— Tu devrais te distraire un peu. Ça te changerait les idées.

Héléna décline de la tête et se concentre sur les gros flocons qui s'écrasent silencieusement contre la fenêtre de sa chambre. Un autre hiver. Son dernier. La douleur dans sa jambe est revenue plus forte qu'avant. Cette fois, elle ne va pas la combattre. Finies les radiations et la chimiothérapie. Sa vieille peau ne peut plus les supporter.

— Tête de cochon ! murmure Huguette avant de refermer la porte.

Héléna reprend sa lecture là où elle l'a laissée. Au bord du Wayagamac, en ce beau mois de juin de 1940, alors que les morceaux de sa vie s'emboîtaient les uns dans les autres pour l'amener au bord du gouffre.

CHAPITRE 2

Wayagamac, printemps 1940

Mon père choisit le ruisseau des Cascades pour permettre à Ti-Gars de se reposer. Nous profiterions de cet arrêt pour entamer notre casse-croûte. Un petit pont enjambait le ruisseau, fabriqué de troncs d'arbres écorcés et de planches raboteuses. On l'avait construit au début de l'été précédent, avec l'aide de Jos Pitre, qui devait s'arrêter toutes les dix minutes pour reprendre son souffle. Ce n'était pas un pont couvert, mais il résistait aux crues printanières. Ti-Gars et son chargement de rondins l'avaient traversé sans problème.

Comme à son habitude, mon père s'installa sur une large roche aplatie tout près de la petite cascade. Il avait pris avec lui un morceau de fromage, une tomate, un bout de pain et un concombre. Fabi et moi avions la grosse part du repas et, surtout, le pot des premières fraises fraîchement cueillies de la veille. Nous boirions à même la source qui sortait de terre à quelques pas de l'étang.

Je pris place à côté de ma sœur sur le rebord du pont. Nos orteils dénudés se balançaient à deux mètres au-dessus du ruisseau. Avec le soleil qui tombait dru, on pouvait voir jusqu'au fond de l'eau. De temps à autre, l'ombre des truites se faufilait entre les pierres. Nous leur lancions de petits morceaux de pain, qu'elles gobaient en crevant la surface. J'aimais ces moments où ma sœur et moi redevenions des fillettes qui s'amusaient de choses insignifiantes. La vie prenait alors l'importance du présent. Ni passé ni futur ne venaient nous perturber. Fabi riait de bon cœur et pariait que son pain attirerait le monstre de l'étang. Après avoir épuisé nos munitions, nous dûmes admettre que le gros poisson dormait bien au fond ou qu'il préférait les insectes au pain de Marie-Jeanne.

Fabi s'étendit à plat dos sur les planches du pont et j'en fis autant. Nous devions plisser les yeux à cause du soleil au zénith. J'en profitai pour satisfaire ma curiosité.

— C'est vrai qu'on t'a demandé pour être guide?

— Tu sais que j'suis pas menteuse, Héléna. C'est arrivé comme je l'ai dit.

— Tu vas accepter?

Ma sœur releva la tête pour jeter un œil du côté de mon père. Il semblait somnoler, à l'ombre, sur sa roche.

— J'aimerais ça. Je me vois bien diriger les Américains. Leur dire: «Come here. Big fish under the boat.» Pis les regarder s'essayer avec leurs belles cannes à pêche, pendant que moé, je leur sortirais une truite de trois livres avec mon bambou. Juste leur voir la face, ça vaudrait ma paye!

Je ris de ses mimiques, de sa bouche qui se tordait pour prononcer les mots anglais que je comprenais à moitié, de ses yeux qui louchaient pour exprimer le dépit des Américains. Ma sœur était mon idole, celle à qui je voulais ressembler plus tard. Une femme déterminée, libre de penser ce que bon lui semble, capable d'abattre un arbre à la hache et de me serrer dans ses bras avec tendresse pour me consoler. Une femme belle comme une actrice de cinéma, au corps ferme, aux cuisses assez solides pour supporter des charges d'homme dans les portages montagneux. Avec elle, je me sentais toujours en sécurité.

Elle me chatouilla les côtes pour me faire rire encore plus. Je brandis le pot de fraises pour demander grâce. Elle s'en empara et dévissa le couvercle. Puis elle fit rouler les fruits mûrs dans sa bouche en mimant le vainqueur qui se réserve la part du lion. Rapidement, ses lèvres se tachèrent de rouge et je me dépêchai d'en faire autant. Notre père revint et s'installa sur le devant de la charrette.

— C'est pas le temps de jouer. On a de l'ouvrage à faire!

Fabi arrondit les yeux et fronça les sourcils. Je faillis régurgiter mes fraises tellement j'avais le fou rire. Je remontai sur le dos de Ti-Gars et ma sœur s'assit toute sérieuse près de mon père. Nous reprîmes la route sous un soleil pesant.

À partir de là, le chemin devenait cahoteux. De grosses roches affleuraient du sol et soulevaient dangereusement la charrette. Ti-Gars obéissait aux ordres d'Aristide. Il tirait son chargement en évitant le pire. Je m'accrochais à sa crinière et l'encourageais avec des bons mots. Il fallut quand même s'arrêter à quelques reprises pour ramasser les bûches que le tangage propulsait hors de la charrette.

Au milieu de l'après-midi, nous avions atteint l'entrée de la baie, là où le chemin bifurque sur le cap de roche avant de redescendre vers le camp numéro 2. Après avoir franchi la côte, mon père permit à Ti-Gars de se reposer un peu. Juchés sur le promontoire, nous avions une vue imprenable sur le lac Wayagamac. Nous savions notre chance d'habiter dans un tel endroit. La plupart des Canadiens français de l'époque n'avaient pas accès aux clubs de chasse et pêche. Ces territoires étaient la propriété des gens bien nantis. Seuls les médecins, les avocats, les notaires, les commerçants en avaient les moyens, sans compter les riches Américains. Ils s'invitaient entre eux et profitaient de nos richesses les plus belles.

Je savais qu'en ce moment même, mon père avait de telles pensées en allumant sa pipe. Le regard sur la montagne, il jonglait à l'injustice, à l'avenir, à sa famille, à ses enfants qui semblaient l'abandonner un à un, attirés par la ville. Il prenait la pose sévère qu'ont les statues pour les passants. Un regard insistant et lourd de sens.

Alors que nous étions perdus dans notre contemplation, aucun de nous trois ne vit la bête qui s'avançait sur le chemin. Ti-Gars fut le premier à réagir. D'un puissant hennissement, il se cabra d'un coup. Surprise, je fus projetée sur le sol. Aristide se leva en tirant sur les rênes. Le cheval recula, effrayé devant l'ours noir qui se dressait en grognant. Mon père criait des ordres que Ti-Gars ignorait. J'entendis un craquement et la roue arrière de la charrette se coucha sur le sol. Elle venait de quitter le chemin et le poids du chargement avait fracassé l'essieu. Les bûches roulèrent dans le fossé. Aristide perdit l'équilibre et s'affala sur son banc. Fabi sauta près du cheval et s'empara du licou. Elle le calma, alors que l'ours s'en retournait en quelques bonds dans la forêt, apeuré par le vacarme du bris.

Je restai étendue en fixant les marques de sabots qui s'enfonçaient à quelques pouces de ma jambe. Il s'en était fallu de peu que Ti-Gars me piétine. Je me mis à pleurer en même temps que mon père lançait un chapelet de jurons. Il termina en levant le poing vers la forêt.

— M'as te faire la peau, mon tabarnak!

Puis il vint me relever avec des gestes nerveux. Constatant que je n'avais rien de grave, il retourna examiner la charrette. Quand Fabi fut certaine que Ti-Gars était calmé, elle me serra contre elle.

— Ça a passé proche, la sœur. Mais c'est fini, là.

Elle m'embrassa sur la tête et sur le front. Je sentais la sueur qui émanait de son corps et cette odeur puissante me réconfortait.

— Maudit ours! ragea mon père. Faut vider la charrette. Commencez! Moé, j'vais aller jusqu'au camp, voir s'il y aurait pas de quoi réparer. L'ours reviendra pas. Y'é trop chieux!

Aristide s'élança d'un pas décidé. Il fulminait à cause de ce contretemps. Il devrait travailler deux fois plus fort pour le même prix. Je le vis s'éloigner avec appréhension. L'ours pouvait décider de revenir malgré la certitude de mon père. Me voyant inquiète, Fabi entonna une chanson d'une voix forte. La mienne sortait de ma gorge en s'éraillant. De temps à autre, ma sœur frappait le rebord de la charrette avec une bûche pour faire du bruit. Ti-Gars renâclait, mais ne bougeait pas d'un poil. L'ampleur de la besogne à accomplir finit par diluer nos craintes.

Quand il revint, nous avions presque terminé notre tâche. Les bûches formaient un gros tas sur le côté du chemin. Aristide posa sur le sol une longue tige de métal.

— J'l'ai pris sur une vieille « réguine ». Ça devrait faire l'affaire.

Il s'échina pendant une bonne heure, avec l'aide de Fabi, à monter le nouvel essieu. Lorsque la roue fut fixée, le soleil descendait derrière les montagnes et la forêt s'allumait d'un dernier éclat avant la brunante. Les brûlots et les maringouins sortaient des fourrés en bataillons serrés et s'en donnaient à cœur joie. Nous n'avions pas besoin d'autre motivation pour nous activer.

Lorsque nous arrivâmes finalement au camp numéro 2, j'avais les mains pleines d'ampoules. Je les tenais contre ma jupe sans oser me plaindre. Aristide avança le plus près possible de l'abri rustique où le bois était entreposé. Il s'agissait maintenant de le corder avant que la noirceur ne tombe. La première bûche m'échappa des mains et faillit m'écraser le pied.

— Va au camp, Héléna. T'en as assez fait, déclara mon père en empilant plusieurs morceaux de bois sur son bras replié.

Ma sœur me fit signe d'obéir en m'offrant un sourire fatigué. Je pilai sur mon orgueil et entrai dans le chalet. L'ours y était venu avant moi. La porte était défoncée et des débris jonchaient le plancher. L'animal avait fracassé au passage une chaise, un pot de chambre en céramique et une lampe à l'huile. Rien pour me rassurer. Je restai sur la galerie. Je voyais la baie qui avait l'air d'une toile d'artiste. Les derniers rayons du soleil en réchauffaient les couleurs. Au bout du quai, des libellules tourbillonnaient en rasant la surface de l'eau de leurs ailes transparentes. Seul le bruit des bûches qu'on empile venait briser le chant des ouaouarons et des engoulevents bois-pourri. J'entrepris d'enlever mes échardes une à une. J'en étais à ma troisième quand j'aperçus autant de canots qui s'avançaient sur le lac.

Dans chacun pagayaient deux hommes vêtus de chemises à carreaux. Sans éclat, ils posèrent leur attirail sur les planches du quai. Le plus grand se mit à marcher dans ma direction. Je me dépêchai de rejoindre mon père et ma sœur. J'entendis un juron dans mon dos.

— *Goddam!*

Aristide continua son ouvrage, même quand le jeune homme apparut au coin du camp. Il souleva son chapeau d'un geste galant qui me fit sourire.

— Mesdames. Aristide. Avec tout ça, on manquera pas de bois cet hiver.

— J'en apporte deux cordes. En plus de celles qui restaient, ça va en faire quatre.

— C'est bien. Je vous réglerai ça avec une bouteille de gin, pis une couple de boîtes de chocolat pour votre femme. Je viens de constater qu'on a eu de la visite.

— L'ours noir. Toujours le même. On l'a vu en haut de la côte. Not' cheval s'est emballé. Je vous ai pris un essieu pour remplacer le nôtre.

— Il y a pas de mal. Je demanderai au gardien d'en installer un autre.

Le jeune homme parlait tout en jetant des regards à la dérobée en direction de Fabi. Celle-ci feignait de l'ignorer, mais je voyais bien dans sa démarche qu'elle n'était pas indifférente. Elle balançait la croupe avec un brin de souplesse qu'elle n'avait pas en temps normal. Il enleva son chapeau et frotta ses cheveux comme pour en casser la fatigue accumulée sur le lac. Pas de doute, il était bel homme.

— Vous êtes passés par le camp principal? demanda-t-il à Aristide.

— On est venus direct.

— Je crois que mon frère, Allen, aurait aimé vous parler.

— Il sait où me trouver.

Ses yeux couleur noisette semblèrent évaluer l'attitude de cet homme robuste qui répondait sans même le regarder. Je compris qu'il était Matthew, le plus jeune des fils Brown. C'était la première fois que j'avais l'occasion de le voir de près. Nous traitions d'habitude avec un employé du club. Il remit son chapeau bien en place sur sa tête. Il jeta un œil en direction de ses compagnons. Mon père continuait à transporter le bois sans plus lui manifester d'intérêt. L'autre poursuivit.

— C'était pas fameux pour la pêche aujourd'hui. Mes amis des *States* sont un peu déçus. Avec Jos Pitre, on revenait rarement les mains vides. Vous saviez qu'il était à l'hôpital ?

— Ouais.

— Ça va nous prendre quelqu'un pour le remplacer. C'est de ça que mon frère voulait vous parler.

— Y'a sûrement quelqu'un à La Tuque pour faire la *job,* dit Aristide en poursuivant son va-et-vient entre la charrette et l'abri.

— Il faut connaître le club.

— *Wow! What's this?*

Les autres pêcheurs venaient de découvrir les dégâts dans le chalet. Matthew Brown parut contrarié. Il leur cria quelque chose en anglais.

— Écoutez, Aristide. Nous avons rapidement besoin d'un nouveau guide. Un bon. Peu importe les... différends entre mon frère et monsieur le maire.

Cette fois, Aristide suspendit ses gestes durant un instant. Une réponse muette à la dernière remarque du jeune Brown.

À cette époque, je ne connaissais pas l'enjeu dont il était question. Je ne savais pas les liens qui unissaient la Ville aux propriétaires de l'usine. J'avais bien vu les ouvriers, arrivés par le chemin de fer, travailler à la réfection et à la solidification de la *dam* et de l'aqueduc qui alimentait en eau potable toute la ville de La Tuque, y compris l'usine de pâtes et papiers. Mais je ne savais pas que la Brown Corporation en avait financé plus de quatre-vingts pour cent. L'usine avait besoin d'une eau pure pour obtenir une pâte plus blanche et de meilleure qualité. Puisée dans les profondeurs du lac Wayagamac, elle était parfaite. Supérieure à celle du lac Parker, situé sur l'autre rive de la rivière Saint-Maurice et qui avait servi d'approvisionnement pendant des années. Bien entendu, les propriétaires se réservèrent des droits, dont celui de décider si une nouvelle usine pouvait s'alimenter à l'aqueduc et aussi en tirer des redevances, sous forme d'exemption de taxe, pour une période de vingt ans. Plusieurs avaient crié au scandale. Le maire de la ville prétendait que son prédécesseur avait bradé une ressource naturelle au profit d'une compagnie privée. L'affaire se discutait sur la scène provinciale, où le député élu du parti de Maurice Duplessis défendait l'entente et le libéral d'Adélard Godbout la vilipendait sur la place publique. Comme les politiciens en étaient à mi-mandat, les frictions entre le maire et le directeur de l'usine augmentaient.

Mon père se retrouvait entre l'arbre et l'écorce. D'un côté, la Ville était son employeur et de l'autre, la Brown Corporation possédait la majorité des parts du club de chasse et pêche. Une entente verbale avait été négociée pour qu'il puisse effectuer certaines tâches pour le club, moyennant un abonnement gratuit pour le maire et ses conseillers, et la permission pour les membres de notre famille de profiter du territoire.

Avec le temps, j'ai recollé tous ces morceaux de l'histoire et bien d'autres. Mais à ce moment-là, près du camp numéro 2, je ne pouvais pas décoder les dessous de cet échange entre mon père et Matthew Brown.

Quand tout le bois fut cordé, Aristide nous ramena à la maison. Marie-Jeanne nous attendait, debout sur la galerie. Elle s'essuyait nerveusement les mains sur son tablier. Elle n'eut pas besoin de rien dire tellement ses yeux étaient brillants d'inquiétude.

Résidence Clair de lune, Trois-Rivières, hiver 2002

Héléna repose son manuscrit sur ses genoux. À son âge, ses yeux se fatiguent vite, ils sont à l'avenant du reste : usés, sans espoir de rémission. Janvier est à la fenêtre avec son froid et ses flocons que le vent mélange en leur donnant des trajectoires loufoques. Elle met un temps à les faire entrer dans sa tête, tellement elle ne voit que le pont avec Fabi étendue sur le dos, riant sans retenue, et les truites qui nagent dans le ruisseau. Elle aime ce passage. Comment réussir à lui rendre la vie par les mots? Ils n'auront toujours que la seule dimension du papier qui les porte. Le temps ne se rattrape pas. Ses mains ravinées en sont la preuve.

On frappe à la porte. C'est la préposée. Avant qu'elle n'ouvre, elle l'a reconnue par le cognement. Chacun dans cette bâtisse a le sien qui lui est propre: le doigté anémique de madame Lafrenière, la mitraillette de madame Tremblay, le coup de gong de monsieur Lacoste, le pianotage de la directrice, le tocsin des visiteurs et le discret tapotement des préposées.

— Vous avez sonné? demande la jeune Colombienne d'un sourire fatigué.

Bien sûr, sinon pourquoi serait-elle là? Héléna a toujours l'impression de la déranger.

— C'est pour la bassine.

Le visage se ferme devant la corvée d'excrément à effectuer. Humiliation pour Héléna, qui devra accepter la main étrangère pour le nettoyage entre les fesses. Maudit soit ce cancer qui lui ronge le tibia. Depuis l'interdiction de marcher, elle est devenue un poids mort. Pire, un poids vivant que l'on tripote pour le moindre déplacement.

— On annonce plusieurs centimètres de neige, dit la préposée sans enthousiasme.

— Vite! Trouvez-moé des raquettes.

— Avez-vous écouté les nouvelles? On commence le procès de «Mom» Boucher.

— C'est qui madame Boucher?

— C'est pas une femme, c'est le chef des motards. Les Hell's Angels. Maurice «Mom» Boucher. Ça fait du bien quand on pogne un criminel. Il y en a assez qui courent les rues!

— C'est sans compter ceux qui sont pas capables de courir, marmonne Héléna.

— Vous dites?

— Rien. Je suis pas beaucoup l'actualité.

— Je le sais, vous êtes toujours en train de lire.

D'un sourire narquois, l'employée prend le manuscrit et le dépose sur la table de chevet. Puis elle manœuvre le lit d'hôpital. Avec des gestes mécaniques, elle place la bassine au bon endroit. Héléna grimace à plusieurs reprises. Faire une selle dans cette position relève d'un exploit de contorsionniste.

— Voilà, ça devrait aller. Je reviens dans dix minutes. C'est OK?

— Est-ce que j'ai le choix?

— Je dois m'occuper de madame Veillette. Elle a sonné. Vous voulez vot' livre?

Héléna acquiesce. Elle reprend le manuscrit dont elle n'arrive plus à se séparer. Il fut un temps où elle pouvait l'oublier dans son tiroir pendant des jours, voire des semaines. À présent que l'échéance approche, elle sent le besoin de s'accrocher à sa vie. Cette liasse de feuilles est la seule façon de sortir de cet endroit et de se libérer d'un poids qu'elle porte depuis trop longtemps.

— C'est votre biographie qu'il y a là-dedans?

— Madame Veillette vous attend.

CHAPITRE 3

Wayagamac, printemps 1940

Le lendemain était jour d'entretien de la *dam*. Une fois par mois, mon père s'assurait que l'entrée de la prise d'eau était bien en place au fond du Wayagamac. Puis, une fois la semaine, Aristide répétait les opérations destinées à nettoyer les débris qui s'accumulaient entre les grilles du barrage fait de bois et de ciment.

Comme d'habitude, je me dépêchai d'aider Marie-Jeanne pour le ménage et je courus observer mon père. Je trouvais le moment solennel. Un peu comme le bedeau qui sonne les cloches pour tous les fidèles du village. Sauf qu'en lieu et place du câble, il tirait sur une grosse chaîne suspendue à un système de poulies qui réduisait le débit du cours d'eau. Puis, à l'aide d'un râteau en bois, il grattait le métal du grillage pour y enlever ce qui l'obstruait : branchages, algues, poissons morts, troncs d'arbres, bouteilles de bière ou autres surprises provenant des activités des membres du club. Là était mon plaisir. Les divertissements étaient rares. C'était comme visiter une épave et y découvrir des trésors. Les meilleurs étaient exposés au fond de son hangar. Une chaise tressée de babiche qu'Aristide avait réparée et placée dans un coin, un chapeau melon accroché à un clou et jamais utilisé, un panier en rotin avec quelques agrès de pêche rouillés, des rames alignées contre le mur, un foulard, un gant et un vieux pantalon, que Marie-Jeanne regardait toujours en se signant comme s'ils avaient appartenu à un noyé. Mais la plupart du temps, ce n'étaient que des débris quelconques. Puis il vérifiait l'état du barrage et ajustait le débit selon le niveau d'eau du lac. Je l'accompagnais parfois lorsqu'il descendait le long du ruisseau pour inspecter le tuyau de l'aqueduc, là où il sortait de terre à plusieurs endroits. En réalité, ce que nous appelions ruisseau avait des allures de petite rivière. Les cascades aboutissaient à de grands étangs, parfois larges de plus de quinze mètres, où l'eau claire tourbillonnait avant de reprendre son élan à travers les rochers. Ces cuvettes abritaient de grosses truites rusées que seule ma mère réussissait à appâter. Les crues printanières en renouvelaient la population.

Le travail de mon père était répétitif, monotone et sans véritable éclat. En cinq années, il n'avait rapporté que deux fuites insignifiantes. Qu'importe, c'était pour moi un divertissement qui était bienvenu dans notre coin de pays qu'on disait «reculé par le tonnerre». Et en fait de divertissement, j'allais être servie ce matin-là.

Allen Brown s'avançait d'un bon pas vers le barrage. Il était rond et trapu, mais d'une agilité surprenante. Il venait de temps à autre jusqu'à la *dam* pour prendre une marche. Parfois, il échangeait quelques mots avec mon père. Des banalités sur le temps ou un rappel pour des travaux à effectuer. Jamais de longues conversations. Aristide gardait ses distances.

Je le vis s'approcher et s'accouder au garde-fou pour observer mon père. Il posa une canne avec son moulinet, debout en équilibre près de lui. J'étais étonnée, jamais je ne l'avais vu pêcher sur la *dam*.

— *Hey*, Aristide!

Mon père sursauta. Il était descendu près du grillage pour y enlever une branche rebelle. Le bruit de l'eau l'avait empêché d'entendre l'arrivée de l'aîné des Brown. Il fit un signe de tête et s'escrima quelques instants pour dégager la branche de bouleau. Il la remonta et la jeta sur le passage qui surplombait le barrage.

— *Good job*, Aristide!

Mon père ne manifesta aucune émotion devant ce compliment. Il attendait de connaître la vraie raison de sa visite.

— Ah! Je vous ai apporté une canne à pêche. Un invité nous l'a laissée en cadeau. J'ai pensé que votre femme s'en servirait. On la voit souvent à la pointe du gros rocher, là où c'est profond. Elle est patiente.

Il s'exprimait avec un accent à peine perceptible et ponctuait ses fins de phrases d'un large sourire. Je reluquais la canne avec envie. Le moulinet scintillait au soleil. Il y avait même une petite cuillère dorée installée à l'extrémité du fil.

— Vous êtes venu pour ça ? demanda Aristide d'un ton indifférent.

— Pour autre chose aussi. Vous savez que ce pauvre Jos Pitre est retombé malade ?

— On parle juste de ça par icitte.

— Il nous était bien utile. C'est un bon guide. Il connaît le lac par cœur, les migrations des truites, les frayères. Avec lui, on était sûrs d'en prendre tous les jours. Je veux dire, de belles grosses, bien entendu.

Mon père avait toujours l'air indifférent de celui qui n'a que faire de tous les poissons du monde entier. Il s'approcha de la grosse chaîne pour replacer la grille. Allen Brown ne perdit rien de la manœuvre, comme s'il assistait à un spectacle unique en son genre.

Fabi choisit ce moment pour apparaître sur le sentier du ruisseau, situé entre le barrage et la voie ferrée qui longeait la montagne à moins d'un demi-kilomètre. Elle portait une lourde pierre en forme de demi-lune. Même à cette distance, on pouvait voir la rondeur de ses biceps tendus sous l'effort. Brown l'aperçut avant Aristide et son sourire s'élargit.

— Nous avons pensé à Fabi, Aristide. C'est Jos Pitre lui-même qui nous l'a recommandée.

— C'est pas une *job* pour une femme.

— Votre fille est pas quelqu'un… d'ordinaire.

Mon père allait répliquer, mais ma sœur s'interposa.

— Es-tu assez grosse, le père ?

— Mets-la icitte. Ça devrait être assez pour accoter la grille au fond.

Brown souleva son chapeau pour saluer Fabi. Il ne manqua pas cette chance de s'adresser aux deux en même temps.

— Vous savez, Aristide, que Fabi sera bien payée. Je lui offre un essai. Si ça lui plaît pas, on en parle plus. J'attends des invités de marque au club, en fin de semaine. De ceux qui aiment seulement le gros poisson. Vous verrez, il lui restera suffisamment de temps pour vous aider.

— C'est d'accord! lança Fabi, emballée par la proposition.

Mon père lui jeta un regard de fond d'enfer. Ses doigts continuaient de ficeler la roche à l'aide d'une corde. Il savait qu'il ne pourrait empêcher Fabi de faire à sa tête. Pas plus qu'il n'avait pu s'opposer à Francis et Yvonne avant elle. Il ne voyait dans ces départs que l'ingratitude de ses enfants. Comme s'il pouvait les garder sous sa coupe toute leur vie, à trimer, à s'échiner pour maintenir son univers familial. Allen Brown sentit que sa cause était gagnée.

— Voilà qui est parlé, mademoiselle Fabi! Je vous attends samedi matin, à l'aube, devant le grand chalet. Je compte sur vous pour nous dénicher le plus gros monstre du lac. Une belle prise bien colorée. Monsieur Duplessis veut se donner un avant-goût des prochaines élections… en mettant du rouge au bout de sa ligne! Je vous laisse le bonjour. Ah! Aristide, si vous voyez monsieur le maire, saluez-le de ma part.

Mon père fixait le sol comme si on venait de lui annoncer la pire des catastrophes. Fabi serra la main de son nouveau patron d'un geste mécanique. Elle aussi semblait troublée par ce monsieur Duplessis dont j'avais déjà vaguement entendu le nom. Brown se contenta de toucher le rebord de son chapeau pour saluer mon père. Je le vis s'éloigner d'un pas léger, alors qu'Aristide attachait la pesée au montant de la grille.

Fabi me prit par l'épaule et m'entraîna vers la maison. Derrière nous, un chapelet de jurons se mêla au bruit de l'eau.

Résidence Clair de lune, Trois-Rivières, hiver 2002

— Et voilà! Vous voulez autre chose? demande la Colombienne en jetant un coup d'œil à sa montre.

Oui. Héléna a besoin que sa sœur la prenne par l'épaule. Elle a envie de sentir les cailloux sous ses chaussures. D'entendre le bruit du ruisseau. De voir la maison recouverte de bardeaux avec la fumée qui sort de la cheminée. De respirer l'odeur de la forêt et du lac. D'entendre le train qui hurle en contournant la montagne. De savoir que Ti-Gars piaffe à l'écurie et que les poules caquettent au poulailler. De passer près du jardin où rougissent les tomates, s'allongent les concombres et fleurissent les pensées que sa mère adorait. Héléna aurait besoin de tout ça, mais tout ça n'est plus que de l'encre sur du papier.

— Non, ça va aller. Merci.

CHAPITRE 4

Wayagamac, printemps 1940

Le soir même, sitôt le souper terminé, Fabi offrit à Marie-Jeanne de la conduire jusqu'au dos d'hippopotame.

— Y'a pas de vent à soir. J'vais vous ramer ça dans l'temps de le dire. Embarques-tu, Héléna?

Je n'ai jamais refusé une partie de pêche. Surtout que la canne de monsieur Brown nous attendait sur la galerie depuis que mon père l'y avait posée. Je savais que l'envie de la jeter lui était passée par la tête. Mais quand on n'est pas riches, on ne crache pas sur ce qui nous tombe du ciel. C'était une seconde nature pour lui de ramasser la moindre bricole qu'il trouvait sur son chemin. Ma seule certitude était qu'il n'utiliserait jamais cette canne.

Comme toujours, Marie-Jeanne questionna Fabi sur l'humeur du lac. Elle craignait l'eau et ne s'y aventurait que lorsque le Wayagamac était calme comme un miroir. De toute façon, elle prétendait que le poisson détestait la houle et refusait de mordre. Personne ne la contredisait, car elle était une pêcheuse féroce, dont la patience venait à bout de la truite la plus récalcitrante.

Fabi déposa dans la grande chaloupe une vieille boîte de tabac Player's grouillante de vers de terre. Elle aida Marie-Jeanne à s'installer à l'arrière. Moi, je sautai à ma place préférée à l'avant de la chaloupe. Ma mère pesta parce que la barque s'était mise à valser. Ma sœur la rassura en nous tendant nos cannes à pêche. Elle plaça celle de monsieur Brown près de son banc et propulsa l'embarcation sur le lac tranquille.

Ces décollages de la terre ferme restent pour moi parmi les beaux moments de notre séjour au lac. La chaloupe glissait sur l'eau en s'y enfonçant avec souplesse. Je regardais au fond du lac, où défilaient les cailloux, les rochers, les branches mortes et les algues. Je voyais de minuscules poissons s'enfuir à toute vitesse et des grenouilles s'élancer à grands coups de pattes. Puis les avirons prenaient leur rythme en modulant le temps de leurs grincements. Le visage penché par-dessus bord, j'examinais l'avant de la chaloupe qui séparait le lac en deux séries de vagues qui marquaient notre passage. Loin derrière, le calme revenait, comme si le Wayagamac voulait effacer notre trace, comme il l'avait fait pour les Indiens et les pionniers bien avant nous.

Marie-Jeanne décidait de l'endroit où nous devions nous installer. Elle avait ses repères autour du lac: la tête d'un grand pin, un tronc d'arbre couché sur la rive, patiné de gris par les saisons, un amas de rochers ou un renfoncement de la berge. Elle voyait dans la nature des signes que seul l'esprit troublé d'un pêcheur savait décoder. Elle ordonnait alors l'arrêt du bateau et exigeait silence et immobilité.

— Ça vous tente pas d'aller jusqu'au gros rocher? demanda Fabi en soulevant les avirons hors de l'eau.

— Non, ça va être bon drette icitte, devant la souche. Serre tes rames, ma fille. Pis fais pas de bruit.

Ma sœur savait qu'il était inutile de discuter. Aussi prit-elle sa canne et tendit celle de monsieur Brown à ma mère. Marie-Jeanne hésita une seconde, habituée qu'elle était à son vieux moulinet. Elle exigea que Fabi remplace la cuillère par un simple hameçon garni d'un gros ver et lesté par un plomb. Son premier jet frappa le rebord extérieur de la chaloupe avec un bruit sourd. Fabi lui expliqua le fonctionnement du lancer léger. Le deuxième essai ne fut guère mieux. Le plomb fendit l'eau avec un plouf sonore qui lui arracha des grommellements de rage.

— C'est bon à rien, c't'agrès-là!

— Essayez encore, m'man. Prenez votre temps. Allez-y pas trop fort.

Mais Marie-Jeanne n'avait aucune patience en dehors d'attendre que le poisson morde au bout de sa ligne. Il fallait pour cela que son appât soit bien au fond. Elle fit une troisième tentative avec une telle détermination qu'elle attrapa la souche sur la rive. Devant nos éclats de rire, elle ramena le fil et jeta la canne de monsieur Brown au fond de la chaloupe.

— Tu parles d'une patente! Tu pourras dire à Allen Brown qu'y pognera jamais rien avec ça. Quand je pense, Fabi, que tu veux travailler pour eux autres!

— Ben voyons, m'man. J'suis ben capable!

— Guider une *gang* de gars en boisson, c'est pas une *job* pour toi.

— C'est-tu le père qui vous a demandé de me parler?

— Pantoute! Prendre la place à Jos Pitre, le soûlon, c'est pas un honneur!

— Vous exagérez pas un peu, là? dit Fabi en projetant sa ligne près de la rive.

— C'est un courailleux qui boit tout ce qu'y gagne. Pouilleux en plus. Cherche pas pourquoi que la maladie a pogné après. Y s'tient au bordel!

— Maman, on est venues pour pêcher. Vous dites n'importe quoi. Pis Héléna est là.

— Ben, elle va savoir qui tu remplaces! ajouta ma mère, en roulant des yeux.

Je n'osais pas demander à utiliser la canne toute neuve qui gisait au fond de la chaloupe. Je voyais bien qu'un duel se jouait devant moi et que Fabi se contentait de recevoir les coups sans en donner. Ma sœur rembobina son fil à une vitesse qui découragerait sans doute le poisson le plus affamé. Elle se leva, sachant que ma mère détestait cette manœuvre. Je pensai qu'elle le faisait exprès pour se donner un avantage.

— Aimeriez-vous mieux que j'aille m'engager comme *waitress* au bar du Windsor ou de l'hôtel

Royal? Moi, ce que je connais, c'est le lac, c'est le bois, c'est la trappe, la pêche, la chasse. C'est vous autres qui me l'avez appris, pis vous voudriez que je m'en serve pas aujourd'hui?

Marie-Jeanne avait agrippé le rebord de la chaloupe d'une main, et de l'autre, gardait sa vieille canne immobile au-dessus de l'eau. La voix de Fabi enflait sur le lac. Des accents de colère et de dépit s'entremêlaient. Ses écarts de langage renfrognaient notre mère sur son banc. J'oubliais les mots pour me concentrer sur son visage. Ses lèvres durcies n'en étaient que plus belles. La couleur de ses joues soulignait la flamme de ses yeux. Le soleil couchant se jouait dans sa chevelure brune retenue lâchement en un point unique derrière sa nuque. Il y jetait des étincelles de lumière qui semblaient jaillir de son corps survolté. Tout en bombardant ma mère de reproches dix fois énoncés dans des batailles antérieures, elle lançait son appât avec hargne vers la rive. La trêve survint aussi soudainement que la guerre était apparue.

— J'en ai une!

Marie-Jeanne prit sa canne à deux mains et tira un coup sec.

— Laissez-la mordre, m'man!

Les deux femmes s'unissaient à nouveau dans une autre sorte d'affrontement. Celui qui les opposait aux truites, aux perdrix, aux lièvres, aux renards chapardeurs et à la forêt qu'il fallait repousser sans relâche hors de notre jardin. Dans cette grande bataille, nous nous serrions les coudes. Aussi, quand Marie-Jeanne sortit sa grosse prise au ventre rouge, le bonheur apparut en même temps sur nos trois visages. Durant l'heure qui suivit, c'était à qui s'exclamerait la première. C'était le pouvoir du Wayagamac : celui d'effacer les désaccords avec la même facilité que le sillage des embarcations à sa surface.

Nous mangeâmes au retour une truite chacun pour le plaisir de partager notre butin. Ce rituel visait plus à nous souder les uns aux autres qu'à nous sustenter. Aristide nous accompagna sans dire un mot. La chair tendre des poissons fondait dans notre bouche. Plus tard, au creux de mon lit, j'entendis Marie-Jeanne qui lisait à haute voix *Le Comte de Monte-Cristo*, à la lueur de la lampe à l'huile, pour mon père qui ne connaissait pas les mots. Le ventre plein, je m'endormais de cette musique et du bruit des épées qui s'entrechoquaient pour la justice et la liberté.

Résidence Clair de lune, Trois-Rivières, hiver 2002

Par la fenêtre, les flocons tombent dru. Il semble bien que ce soit la première vraie tempête. Rien à craindre, rien à faire. Assise dans son lit, Héléna lisse de la main la page qu'elle vient de terminer. C'est l'hiver dans sa vie, mais presque l'été au bord du Wayagamac. Elle y était jusqu'à ce qu'elle lève les yeux. Avec sa sœur et sa mère dans la chaloupe, les doigts serrés sur sa canne, le soleil encore chaud dans son dos et l'odeur du poisson pêché qui montait à ses narines. Pas un souffle dans les arbres. Les oiseaux se taisaient et le lac n'était que murmures. La vie avait tout son temps. Elle donnait le droit d'exister sans jamais informer qu'elle pouvait tout récupérer. Sans rien laisser. De façon impitoyable, elle reprend la beauté, la souplesse, la lumière dans les yeux et parfois même jusqu'aux souvenirs.

On frappe à la porte. C'est le souper. Depuis quelques mois, la vie lui a enlevé la mobilité. Sa jambe n'est plus qu'un membre inutile, rongé par une tumeur. Le mal ne s'arrêtera pas là.

— Voilà votre repas, madame Martel. Essayez de manger le plus que vous pourrez.

Comme si elle ne le savait pas. À quatre-vingt-deux ans, ce n'est pas la volonté qui manque, c'est l'appétit. Héléna ne tente même plus de s'expliquer. Elle laisse la préposée installer le plateau et lui mettre au cou l'infâme bavette. Sous le couvre-plat, une rondelle de bœuf haché baigne dans une sauce gluante où des pois verts viennent se noyer au pied d'un monticule de patates pilées. Vivement, s'enfuir au Wayagamac. Retrouver sa sœur Fabi, courir sur ses talons le long du ruisseau, respirer l'odeur du sous-bois et croire que rien ne s'arrêtera.

CHAPITRE 5

Wayagamac, printemps 1940

Je m'étais levée peu après Fabi. L'aube déployait sa frêle lumière entre la cime des arbres. Assise sur le quai, Fabi regardait le lac. C'était sa façon de prier. Les deux pieds au ras de l'eau, elle se laissait envoûter par le lever du jour. Immobile comme une femme pieuse dans la nef d'une église, elle se recueillait avec le chant des oiseaux.

Je restai en retrait pour l'observer. Elle se préparait à franchir un grand pas. Dans moins d'une heure, il serait trop tard pour réparer la cassure avec Aristide. Fabi consommerait son projet et notre famille en serait défigurée encore une fois. Comme lorsqu'Yvonne nous avait quittés pour son amoureux du lac Saint-Jean, en nous abandonnant (mon père l'avait assez répété) à la terre et à ses travaux, qui peinaient à nous faire vivre. Aristide avait rugi et démoli sa meilleure charrue quand elle était revenue à La Tuque, deux mois plus tard, plaquée par son prince charmant à une semaine de ses noces. Yvonne à la voix tonitruante n'était plus qu'une petite souris éplorée. Elle prit un emploi de femme de ménage et mit bien du temps à panser la blessure à son orgueil.

Fabi risquait gros en défiant Aristide à son tour. Sans elle, qui abattait le travail d'un homme, mon père allait devoir en faire plus, lui qui en faisait déjà beaucoup. Sans doute qu'elle réfléchissait à tout cela en portant son sac à l'épaule. Elle passa près de moi en me touchant la joue avec affection. Je murmurai : « À ce soir. » Puis elle s'élança d'un pas solide sur le portage qui menait au chalet principal, en suivant le bord du lac. Le reste, elle me le raconta par le détail, dès son retour, le même soir.

Quand elle arriva près de l'immense construction en billots équarris, elle se dirigea droit vers les canots. Choisir les meilleurs, vérifier les rames, puis attendre les ordres. Du haut de la galerie, Matthew Brown l'observait. Les bretelles rabattues, le café à la main, le cigare au bec, il se tenait les jambes écartées dans une pose de général. Derrière lui, les bruits de vaisselle et les conversations s'entrecoupaient d'éclats de rire. Elle s'abstint de tout geste familier en direction du jeune homme. Elle toisa plutôt le lac et le ciel, qui se bariolait de fins nuages. À cette période de l'été, cela pouvait signifier du mauvais temps pour la fin de la journée. Il était capital de savoir lire les signes qui entouraient le Wayagamac avant de s'y aventurer. Une erreur pouvait s'avérer fatale.

Elle entendit le bruit de l'hydravion. Il amorçait sa descente, droit devant elle. Le pilote manœuvrait les gaz en ajustant son altitude. Il vira sur l'aile à deux reprises avant de se poser tout en douceur en soulevant une gerbe d'eau. Fabi reconnut l'appareil des Brown qui survolait le lac de temps à autre. On l'entendait vrombir de loin bien avant qu'il n'apparaisse au-dessus de la montagne. Mais c'était la première fois qu'elle le voyait de si près. Elle était impressionnée qu'un si gros amas de métal puisse flotter sur le lac.

En un instant, la plage se remplit d'un comité d'accueil. Une dizaine d'hommes et trois femmes, jeunes, jolies, vêtues de robes fleuries, pointaient le lac et ignoraient totalement ma sœur. L'avion glissa jusqu'au bord du quai, raide comme un oiseau empaillé. Sa couleur bleue se parait d'une ligne blanche le long du fuselage surmontée de lettres et de chiffres. Le moteur pétarada une dernière fois avant de s'éteindre au grand soulagement de tous.

Allen Brown lui-même, secondé par un homme à la moustache foisonnante, se chargea d'amarrer l'hydravion. La porte s'ouvrit et trois hommes en sortirent. Le voyage semblait avoir ébranlé le premier. Plus pâle qu'un méné, il fendit l'attroupement pour courir vers le pavillon. Le deuxième était costaud et aida le troisième, qu'on applaudit chaleureusement. Fabi n'avait vu qu'une fois ou deux la photo de monsieur Duplessis. Elle le trouva plutôt petit, mais doué d'un magnétisme personnel incontestable. Il serra toutes les mains et s'approcha d'elle sans se soucier de ses souliers vernis qui s'enfonçaient dans le sable fin. Fabi

LA FAMILLE DU LAC

se rangea d'un pas, croyant qu'il voulait examiner les canots. Il ricana et lui tendit la main.

— Enchanté, mademoiselle. C'est toujours un plaisir de rencontrer notre belle jeunesse. L'avenir de notre province! C'est vous autres qui allez porter le flambeau de nos valeurs.

— *Take it easy*, Maurice, lança Allen Brown. *The campain is over for today*. Profite de la nature!

— Tu sauras, mon Brown, que c'est justement ce que je suis en train de faire. Oublie pas que la politique est partout, tout le temps. Surtout au cœur de nos belles forêts pis de nos ressources naturelles. Celles-là même qu'on vous permet d'exploiter. Souviens-toi de ça. Pis maintenant, mademoiselle va avoir le droit de voter. Faut pas négliger ça, non plus.

— Arrête ton char, Maurice! lui dit Allen Brown. Toi pis ton ami le cardinal Villeneuve, vous étiez pas trop en faveur du vote des femmes.

— Ce qui est fait est fait! Pis quand on est aussi belle que mademoiselle, je suis prêt à ben des concessions.

C'est le seul contact qu'aura Fabi avec Maurice Le Noblet Duplessis. Elle notera au passage qu'en plus d'être charmeur, il masquait une haleine de lendemain de veille en forçant sur la lotion après-rasage. Quand le politicien eut serré toutes les mains et réintégré le grand chalet, Matthew Brown informa la nouvelle employée que monsieur Duplessis avait prévu une réunion de travail avec ses conseillers. Les plans avaient changé, c'est avec lui que Fabi irait pêcher.

Elle prépara donc l'embarcation et le matériel nécessaire. Matthew Brown revint attifé d'une chemise kaki et d'un large chapeau brun. Il posa sa canne à moucher, son sac à bandoulière et un panier d'osier dans la pointe du canot.

— Le vent va se lever, dit Fabi en désignant son attirail. C'est pas l'idéal pour la pêche à la mouche.

— Bon point pour vous, madame le guide. J'attends vos suggestions.

Elle ressentit une légère ironie dans le ton du frère du patron. Bien entendu, elle avait prévu ce genre d'attitude.

— Je pense que le lac Rond fera l'affaire, dit-elle avec assurance.

— Eh bien, allons-y !

Elle s'installa à l'arrière du canot. Matthew Brown hésita avant d'y monter. La place du meneur était occupée. Habituellement, la femme s'assoyait devant. Il devrait accepter ce nouvel ordre des choses qu'exigeait le rôle de guide. Après qu'il eut pris sa position, Fabi lança l'embarcation d'une poussée sur le rebord du quai. Les avirons se coordonnèrent immédiatement. Le canot fila en direction du côté opposé de la baie, là où commençait le portage pour le lac Rond.

— J'ai l'habitude de diriger, mais j'admets que vous vous débrouillez bien.

Fabi ne répondit pas et s'appliqua à maintenir le rythme. Ils glissaient sur le lac sans effort apparent.

Une brise douce, qui transportait des odeurs de résine, leur poussait dans le dos.

— Vous avez quel âge?

Fabi aurait préféré être en compagnie d'un groupe; de cette façon, elle ne serait pas obligée de tenir une conversation.

— Pourquoi? C'est important? dit-elle un peu sèchement.

— Simple curiosité. Comme nous allons passer quelques heures ensemble…

— Vingt-deux ans, avoua-t-elle après un long moment.

Les larges épaules continuèrent de pagayer sans rien manifester. Impossible pour Fabi de savoir ce qu'il pensait. La trouvait-il trop jeune pour ce travail? Trop musclée? Elle eut soudain envie de ressembler aux femmes qu'elle avait vues sur la plage et, comme elles, de marcher pieds nus dans le sable chaud, vêtue d'une robe fleurie. Était-ce lui qui lui faisait cet effet? Elle brûlait à son tour de lui demander quel était son âge. Mais elle n'arrivait pas à faire sortir les mots de sa bouche. Ses bras tiraient sur le lac et le canot filait droit sur sa cible. Elle cherchait à deviner de quelle nature était la flamme qu'elle ressentait au creux de sa poitrine. Cela la troublait plus que d'habitude, plus que d'affronter son père ou que d'avoir été séparée de Francis, qui la comprenait si bien, plus que d'avoir accepté la proposition des Brown ou que de me savoir triste. La chaleur avait une origine nouvelle et elle la transportait sur le lac comme une volée de canards. L'embarcation chuinta sur le sable de la rive et son passager s'empressa de descendre pour la stabiliser.

— Si je me souviens bien, il y a une petite demi-heure de portage à faire.

— Occupez-vous des bagages, je prends le canot, dit Fabi en le tirant au sec.

— On pourrait peut-être se tutoyer ? proposa-t-il.

— Un guide peut faire ça ?

— Appelle-moi Matthew, ajouta-t-il avec assurance en lui tendant la main. Et je peux même me charger du canot en prime si tu veux.

Elle y glissa la sienne, gênée par ce contact et froissée par sa proposition d'aide. Il la retint un instant. Assez longtemps pour qu'elle ressente la chaleur, dans sa poitrine, se changer en trouble. Elle se libéra de l'étreinte et, d'un geste souple, retourna le canot sur ses épaules. Dissimulée sous l'embarcation, elle laissa la rougeur monter à ses joues.

— J'ai l'habitude.

— J'vois ça ! Fabi, c'est un joli nom, ajouta-t-il en empoignant les sacs et les cannes.

Le sentier grimpait légèrement sur presque toute sa distance. Les deux marcheurs gardèrent un bon rythme jusqu'aux bords du lac Rond. L'endroit était situé au creux des montagnes, à mi-hauteur des plus hauts sommets. Une partie du plan d'eau s'adossait à une falaise, qui s'élevait sur plusieurs dizaines de mètres. Les feuillus et les conifères s'entremêlaient avec une telle densité que le lac semblait écrasé par leur présence. De grandes zones d'ombre le morcelleraient jusqu'au midi, avant que le soleil n'en prenne l'entière possession. Rarement, le vent parvenait à le froisser. Il se contentait de caresses rapidement effacées.

— Vous savez que vous m'impressionnez, dit Matthew en allumant une cigarette. Jamais je n'ai vu une femme transporter un canot sur une telle distance. En fait, celles que je connais sont plutôt du genre à s'asseoir dedans en remontant leur jupe pour profiter du soleil.

Fabi sourit tout en s'affairant à remettre l'embarcation à l'eau. Pour y arriver, elle s'immergea à mi-jambe. Matthew fit de même du côté opposé. Face à lui, elle soutint son regard pour la première fois. Ses yeux avaient l'éclat d'un conquérant. Elle se sentit frissonner malgré la chaleur. Il était large d'épaules et arborait ses bras musclés ; un gabarit étrange en comparaison d'un frère tout en rondeur. Il avait des mains solides dont elle connaissait maintenant la douceur et une façon de sourire qui la rendait différente. Jamais un homme ne lui avait manifesté de l'intérêt, car elle passait le plus clair de son temps à fréquenter les ours, les ratons laveurs et les castors.

— Pourquoi vous avez pas d'accent quand vous parlez ?

— Ma mère était issue d'une lointaine souche canadienne-française, bien qu'elle soit née aux États-Unis. Elle m'a inscrit, dès mon plus jeune âge, à des

cours de français. Je pense qu'elle me voyait ambassa-
deur ou quelque chose dans le genre. J'ai plutôt suivi
les traces de mon frère quand il se cherchait de nouveaux territoires de coupe dans la province de Québec.
Ça m'a donné l'occasion de pratiquer. Je pense que ce
parcours aurait déçu ma mère, elle était une femme
cultivée et ambitieuse pour ses enfants.

— *Était?* demanda Fabi, intriguée.

— Elle est morte quand j'avais douze ans. Ça fait
déjà quatorze ans. Tuberculose.

— Et votre père?

— Mort aussi. D'une crise du cœur, alors qu'il
visitait un chantier sur la Windigo.

— Désolée.

— On y va? proposa Matthew en pointant le lac.

Fabi fit oui de la tête, étonnée d'avoir envie d'en
savoir plus. Elle dirigea l'embarcation en longeant le
bord de l'eau. Elle observait Matthew à loisir, alors
qu'il lançait le fil pourvu à son extrémité d'une mouche
minuscule. Celle-ci se déposait sur l'eau délicatement
et le mouvement combiné de la canne et du bras imi-
tait à la perfection un insecte sautillant. Il ne fallut
qu'une dizaine d'essais avant qu'une truite ne jaillisse
hors de l'eau avec le leurre dans sa gueule. S'ensuivit
une courte bataille, où elle tenta l'évasion à l'aide
de contorsions et de pirouettes impressionnantes.
Matthew s'amusait de cet affrontement autant qu'un
enfant l'eût fait de sa première prise. Fabi se sentit
heureuse de le regarder s'esclaffer et s'enthousiasmer.

Elle eut envie qu'il recommence, encore et encore, juste pour lui procurer ce bien-être qu'elle ressentait, assise dans le même canot que lui.

— Vous voulez essayer? demanda-t-il en riant.

Elle fit non de la tête en lui retournant son sourire.

— C'est pas difficile. Il faut garder le bras souple et savoir lire l'heure. Puis on balance la canne de dix heures à deux heures et on laisse aller.

Elle stabilisa l'embarcation pour qu'il puise la truite et la réduise à l'immobilité d'un coup sur le nez avec le manche de son poignard. Il remit le couteau dans son sac et souleva sa prise.

— Pas mal, pour commencer. Vous êtes sûre que vous voulez pas essayer?

— J'aime mieux vous regarder.

Elle regretta ses paroles sitôt dites. Elle se rendait compte qu'elles pouvaient être interprétées dans un autre sens.

— Comme vous voulez. Mais vous savez qu'un guide qui se respecte doit maîtriser les secrets de la pêche à la mouche.

Une ombre passa sur le visage de Fabi. Elle connaissait de fond en comble tous les plans d'eau du club. À tout moment de la saison, elle savait comment et où prendre du poisson, où se situaient les frayères, où étaient les fosses les plus profondes dans les lacs. Elle devinait dès le lever du jour si la pêche serait bonne ou s'il faudrait travailler dur pour dénicher la truite. Mais elle ne connaissait pas l'art de fabriquer des mouches et de choisir celle qui serait la meilleure selon les heures du jour, la température de l'eau ou les caprices de la météo.

Matthew s'activa pendant une heure. Quand il jugea avoir assez de poissons pour le repas du midi, il rangea sa canne.

— Voilà, je pense qu'on peut y aller. Mon frère devrait être content.

— À cause de monsieur Duplessis ?

— Oui. Il lui avait promis une platée de truites. C'est un invité de marque.

— Il m'a semblé gentil.

— C'est un leurre. Les politiciens sont en réalité de vrais requins assoiffés de pouvoir.

— Comme les *boss* des grosses compagnies ?

— Non, eux, c'est l'argent qui les intéresse. Mais ils ont besoin des politiciens pour en avoir plus.

— Et vous ? demanda-t-elle d'un air espiègle.

— Moi ? Je suis le gérant de l'usine. Celui qui a passé un très agréable avant-midi avec un guide exceptionnel.

Cette fois, ma sœur rougit franchement. Impossible de se cacher le visage en plein soleil.

— Je vous montrerai la pêche à la mouche, Fabi. Enfin, si vous le voulez…

Elle fit de petits signes affirmatifs de la tête qui égayèrent Matthew.

— Vous savez, mon frère est pas du même bord que votre père.

— Je vois pas en quoi ça me concerne, répliqua Fabi.

— Il déteste Ovila Desmarais depuis qu'il a été élu à la mairie. Votre père est son employé. C'est un peu comme d'avoir un loup dans la bergerie.

— Je comprends toujours pas.

— Allen fait jamais rien pour rien. Il était très joyeux que vous ayez accepté ce travail. Beaucoup parce qu'il a contrarié Aristide et, par la même occasion, monsieur le maire. Je voulais que vous le sachiez. Mais ça enlève rien à vos qualités.

— Que fait votre frère?

— Il est le surintendant de nos trois usines. C'est lui qui a remplacé notre père à la tête de la Brown Corporation.

— Vous pensez comme lui, en ce qui me concerne?

— Non. Moi, c'est autre chose...

Fabi n'osa pas lui demander ce que ce dernier commentaire signifiait. Matthew tourna les talons pendant qu'elle s'affairait à tirer le canot sur la rive. Jamais elle ne s'était sentie aussi légère.

Pour le reste, ma sœur fut moins précise. Ils parlèrent de forêt, de la façon d'apprêter la truite et du club. Elle riait pour un rien et le retour lui sembla trop court. Je l'écoutais me raconter le reste de sa journée à voix basse. Il n'était plus question de Matthew Brown, mais de femmes trop jolies qu'elle avait accompagnées sur le lac Wayagamac pour les initier à la pêche. Je ne l'écoutais plus. Mes paupières s'alourdissaient. Tandis

que j'étais blottie au creux de mon lit, Fabi était penchée sur mon épaule. Je la sentais en amour et j'étais
un peu jalouse…

CHAPITRE 6

Wayagamac, printemps 1940

Quand mon père était contrarié, il disparaissait une journée entière, sans même en informer sa femme. À l'aide du wagonnet de chemin de fer, qu'on appelait le *speeder*, il se rendait à la gare de La Tuque qui était située à deux pas de l'hôtel Royal. On l'actionnait manuellement à l'aide d'une tige horizontale, qu'il suffisait d'abaisser et de relever en gardant la cadence. La ville avait négocié ce moyen de transport pour son employé. Le *speeder* était la propriété des Brown et servait de temps à autre à amener des groupes d'Américains au club. Ils prenaient le départ en grande pompe sur la voie ferrée de l'usine qui longeait la rue Tessier. C'était un évènement pour les enfants, qui s'y attroupaient pour s'arracher les pièces de un sou que les hommes lançaient en riant. À l'époque, nous avions des réflexes de colonisés. Les riches Américains en faisaient leurs gorges chaudes.

De notre côté, nous utilisions le *speeder* en famille, une fois toutes les deux semaines, pour aller au marché et au magasin général, ou pour nous rendre à l'église.

Comme d'habitude, Marie-Jeanne pesta toute la journée. Elle marmonna le nom de Fabi à plusieurs reprises et jura, à voix basse, contre la maudite boisson. Son anxiété monta après la tombée du jour quand elle comprit que son mari ne reviendrait pas avant la nuit. Elle alluma deux lampions et se coucha de mauvaise humeur.

Aristide réapparut juste avant le dîner du lendemain. Je donnais du foin à Ti-Gars, qui somnolait à l'écurie. Quand j'entendis sa voix et celle de Francis, je me précipitai dehors en courant. Mon frère ouvrit les bras et se mit à siffler.

— Mais c'est qui c'te belle femme-là ?

Je lui sautai dans les bras en riant. Il me souleva de terre et me fit tournoyer dans les airs avant de me déposer.

— Ça fait longtemps qu'on t'a pas vu, Francis !

— C'est de la faute à la laiterie. Ils peuvent pas se passer de moi ! J'suis trop bon. J'm'occupe des chevaux, j'lave les bouteilles, j'les mets dans les caisses, je fais la livraison. Je fais tout ! J'pense que je pourrais même remplacer monsieur Pelletier. Mais j'vois pas la belle Fabi. Où c'est qu'elle est ?

Je jetai un œil à mon père, qui fixait Marie-Jeanne debout sur la galerie. Ma mère s'essuyait les mains à l'aide de son linge à vaisselle. Elle semblait hésiter quant à l'attitude à adopter. L'arrivée de Francis venait de faire dévier l'attention de l'escapade d'Aristide. Je le soupçonnai d'avoir ramené mon frère dans ce seul but. Fin renard, il connaissait les méthodes de son épouse.

— Tu l'sais pas?

— Quoi? dit-il en prenant un ton espiègle.

— Fabi est guide pour le club.

— Ah! Ben torrieu! J'pensais que tu m'apprendrais autre chose. On parle juste de ça en ville. Pas vrai, le père?

— Ouais, marmonna Aristide en continuant vers la maison.

Il passa près de sa femme sans s'arrêter. Elle lui jeta un regard plus noir que la fonte de son poêle. Maintenant qu'il était derrière elle, elle se permit de sourire à son Francis. Il l'embrassa sur les deux joues et tira de son sac un paquet ficelé.

— C'est pour vous. Le sucre à la crème, c'est Géraldine qui l'a fait. Le beurre vient de la laiterie.

— Comment elle va, ma sœur?

— Pas pire. Elle fait des crises de foie de temps en temps. Mais elle dit que c'est rien de ben grave, pis que c'est de famille.

— C'est pas le sucre à la crème qui va la ramener! Entre, mon Francis, le dîner est prêt. J'ai fait des patates pis du lard salé, pis j'ai du bon pain.

Mon frère fit un tour rapide de la maison comme s'il cherchait quelques fantômes à ressusciter. Il toucha certains objets et vit les deux lampions qui luisaient encore d'une flamme chétive. Il sourcilla, indécis.

— Y'as-tu quelqu'un qui est mort?

Marie-Jeanne prit le poêlon de fonte après s'être enroulé la main dans un linge épais. Elle le posa sans précaution au centre de la table. Un peu de jus se répandit devant Aristide.

— Non. Mais ça aurait pu!

Francis me fit un petit sourire à la dérobée auquel je ne répondis pas. Il passa sa jambe par-dessus le dossier de sa chaise et s'assit en face de moi.

— En tout cas, l'père, Géraldine était contente de vous avoir à coucher. Elle aime ça, la visite.

Ma mère émit un grognement d'ourse qu'on vient de déranger. Elle accumulait sa frustration et Aristide en paierait le prix pendant quelques jours.

— As-tu des nouvelles de Georges pis d'Yvonne? demanda-t-elle en servant Francis en premier, puis en remplissant mon assiette et en omettant celle d'Aristide.

Marie-Jeanne manifestait sa mauvaise humeur de cette façon. Ce qui ne lui plaisait pas exigeait des représailles. Rarement poussait-elle les hauts cris. Elle préférait pilonner la position adverse d'une série de coups bas qui finissaient par lasser.

— Georges a ben de l'ouvrage à la *shop*. Ils l'ont mis au tas de bûches sur le convoyeur. Comme il est «coq-l'œil», y peut juste travailler d'un côté. Mais y s'débrouille. Yvonne, j'la vois, des fois, à l'hôtel Royal ou au Windsor, le samedi soir. Hier, elle est pas venue, hein l'père?

Aristide continua de se servir des patates et du gros lard, comme s'il n'avait pas entendu son fils. La pression monta sur le visage de ma mère. Les petites veinules de son menton se mirent à gonfler et à violacer. Le phénomène se propagea à ses joues et atteignit ses lobes d'oreilles, ce qui était toujours inquiétant. Francis enfournait sa nourriture sans se rendre compte de sa gaffe. Nous mangions tous en silence. De temps à autre, mon frère me touchait du pied sous la table dans le but de m'arracher des sourires. Je m'empressais de regarder mon assiette, sachant que mon père ne tolérait pas ce genre d'espiègleries. À la fin du repas, ma mère posa le sucre à la crème devant nous. Elle le coupa en petits morceaux pour être certaine que nous n'oserions pas en prendre plusieurs fois.

— Y'a pas de doute que ma tante Géraldine fait des bons desserts, dit Francis en avalant tout rond un des minuscules carrés. Il paraît qu'elle en envoie au fils de sa voisine qui est dans l'armée.

— C'est ben ma sœur, toujours prête à donner sa chemise.

Je tentai ma chance pour un deuxième morceau, le premier ayant fondu sur mon palais plus vite qu'une hostie consacrée. Marie-Jeanne retira l'assiette en prétextant qu'il fallait en garder pour le souper. Mon père n'essaya même pas de tendre le bras, soit parce qu'il craignait les remontrances, ou qu'il avait l'estomac encore trop barbouillé par sa cuite de la veille.

— C'est vrai qu'elle est fine, ma tante. Elle a dit qu'elle m'en enverrait à moi aussi quand je serai en Europe.

Il y eut une sorte de flottement autour de la table, comme si Francis venait de s'exprimer dans une autre langue, que notre cerveau avait peine à traduire. À mesure que le flou se dissipait, nous attendions une explication, tournés vers lui dans un même élan interrogateur. Toute trace de rougeur avait disparu du visage de Marie-Jeanne.

— Dis-moé pas, Francis, que t'as eu une lettre du gouvernement? dit-elle en reposant l'assiette de sucre à la crème devant elle.

— Ben non, la conscription est pas encore passée. Mais il paraît que c'est juste une question de temps avant que Mackenzie King se décide. Il a beau dire non, on sait qu'il pense oui. Je l'attendrai pas. J'me suis engagé comme volontaire. Mon *chum*, Germain, veut aller retrouver son frère pour botter le cul du Führer. Je pars avec lui !

— Es-tu tombé sur la tête, Francis? La guerre! T'as jamais été capable de tirer une perdrix ou un lièvre. T'as toujours dit que t'aimais pas ça, les fusils.

— Voyons, m'man, c'est pas la même chose !

— Ça, c'est sûr! Ça va être toé, le lièvre! Jésus, Marie, Joseph, c'est pas vrai! Dis quelque chose, toé !

Marie-Jeanne se tourna vers mon père, mettant une trêve aux représailles. Aristide fixait la table sans manifester quelque émotion que ce soit. Moi, j'assistais à la scène, impuissante devant cette guerre qui nous atteignait jusqu'au bord du Wayagamac. Mon frère était trop jeune pour partir si loin. Je trouvais déjà que Trois-Rivières ou Montréal, c'était le bout du monde. Je n'arrivais pas à m'imaginer qu'un océan me séparerait de lui. Je le regardais, ce midi-là, en essayant de le faire entrer dans ma tête afin qu'il n'en sorte plus jamais. Pour que ses yeux pétulants et son rire taquin soient près de moi à tout moment. Je ne savais rien de la guerre, à part ce qu'on en racontait autour de moi. Que des gens mouraient, que d'autres souffraient de la famine, que des bombes détruisaient leur maison. Mais c'était assez pour que je comprenne qu'on pouvait ne pas en revenir. Je n'entendais plus ma mère ni les réponses de Francis. Mon père se leva, prit son chapeau et sortit sans rien dire. J'aurais voulu faire de même et me mettre à courir pour retrouver Fabi. J'avais besoin de ses bras pour me retenir de tomber. Je pleurais pendant que Marie-Jeanne marchait de long en large dans la cuisine. Mon frère essayait d'expliquer de façon rationnelle sa décision insensée. Aucun argument n'atteignait son but. Pas même la récente capitulation de la France aux mains des Allemands. On ne va pas se faire tuer, tant qu'on n'y est pas obligé. Marie-Jeanne n'en démordait pas.

— De toute façon, y'é trop tard, trancha Francis. Je m'en vais à Valcartier, pour le 15 octobre. Après, je rejoindrai un bataillon d'entraînement en Angleterre.

Y'a des choses plus importantes dans la vie que de livrer du lait!

— Se conduire en innocent, c'en est pas une! J'ai déjà perdu quatre enfants, trois de la grippe espagnole pis un noyé. C'est ben assez! répliqua ma mère.

— Je pense que j'vais aller sur le bord du lac, pour prendre l'air, conclut Francis.

Marie-Jeanne sortit son chapelet, qu'elle gardait toujours dans la poche de son tablier. Elle se planta devant les deux lampions qui encadraient la photo de la Vierge Marie. Je vis ses doigts s'agripper aux grains et les glisser un à un dans sa main. Ce que ma mère ne pouvait régler, elle le confiait à Dieu. Mais elle ne lui parlait jamais directement, de peur qu'il ne lui fasse faux bond. Avec Marie, elle se retrouvait entre femmes et pouvait argumenter autant de fois qu'elle le voulait. Dieu était son dernier recours.

Je ne comprenais pas encore comment la joie de revoir mon frère avait pu se transformer en un bloc de granit au creux de mon estomac, comment il pouvait ne pas se rendre compte de notre désarroi.

Résidence Clair de lune, Trois-Rivières, hiver 2002

À peine la préposée a-t-elle quitté la chambre que le coup de boutoir de monsieur Lacoste ébranle la porte. Héléna garde le silence en espérant qu'il la croira endormie. Peine perdue, le voilà qui s'avance.

— Héléna? Héléna, j'le sais que tu es réveillée. La gamine vient de sortir. J'peux-tu entrer?

— J'pense que c'est pas mal fait!

— Faut que j'te parle.

— J'ai pas le goût de t'entendre. Pis j'suis couchée, là.

— Justement, t'es toujours dans ton lit. On te voit pus.

— J'ai maigri à ce point-là?

— Tu sais ce que je veux dire. Tu sors pus de la chambre.

— Si t'avais ma jambe pognée dans une prothèse, tu galvauderais moins.

— Prends une chaise roulante. Il y en a un plein stationnement au bout du corridor.

Héléna agrippe la ridelle de son lit et se tourne péniblement sur le côté. Le vieux Lacoste se tient debout près de sa commode. Sa canne lui évite le penchant de la tour de Pise. Héléna le distingue à peine sous la lumière tamisée de sa lampe de chevet. Elle constate quand même qu'il se gratte l'entrejambe par la fente de son pyjama.

— J'pense que y'a de quoi qui te démange. Va donc voir ça dans ta chambre, pis laisse-moi dormir!

D'un geste sec, il retire sa main.

— Maudit que t'as la tête dure, Héléna. C'était plus le *fun* quand tu venais jouer aux cartes.

— Ça me faisait moins mal aussi.

— J'veux te demander quelque chose.

— Ben, accouche qu'on baptise !

— J'aimerais ça que t'écrives ma vie.

Héléna ne peut s'empêcher de sourire. Elle ne s'attendait pas à une telle demande. Des titres lui viennent en tête : « Ma vie sur une gosse ».

— Pourquoi tu ris ?

— Parce que même si j'avais du temps devant moi, je le prendrais pas pour raconter tes histoires cochonnes.

« L'érection d'une vie ».

— C'est toujours ben pas de ma faute si je suis encore ben capable !

« Tout Lacoste, par la bande ».

— Pis qu'est-ce que t'aurais de si intéressant à dire ?

— J'ai vécu autant que toi, tu sauras. Moi aussi, j'en ai, des secrets. D'abord, tu parles de quoi dans ton gros tas de feuilles ? T'as toujours le nez plongé dedans.

— Ça me regarde. Pis tu me tannes là, Roméo. J'suis fatiguée. T'as juste à l'écrire toi-même ta vie.

— J'aimerais ça… mais j'sais pas lire ni écrire.

Sur cet aveu, Roméo Lacoste disparaît en clopinant. Héléna a senti la honte. Lui vient un nouveau titre : « La bourse pleine, la tête vide ». Elle ferme les yeux et n'a plus envie de rire.

CHAPITRE 7

Wayagamac, printemps 1940

Désemparée, je marchais de long en large dans ma chambre. Je repensais à ce frère si drôle qui me faisait rire même quand les nuages noirs s'invitaient jusque sous notre toit. Il se transformait alors en cheval hennissant et me prenait sur son dos dans une cavalcade endiablée. Aristide tonitruait et Francis m'emportait au loin, dans le champ en friche, hurlant comme un Cheyenne poursuivi par la cavalerie. Nous tombions dans les herbes longues et il rugissait tel un lion affamé. Je devenais une gazelle et je courais comme une folle. Francis n'avait que sept ans, mais il était déjà ma bougie d'allumage. Avec lui, je m'enflammais, j'explosais, je m'évadais durant quelques instants du carcan familial. La perspective de le perdre aujourd'hui me semblait irréelle.

Quand Fabi revint de sa deuxième journée de travail, elle trouva Marie-Jeanne agenouillée devant les lampions et moi, les yeux rougis, debout devant dans la porte de ma chambre.

— Qu'est-ce qui se passe, m'man? Vous avez ben une face de Mi-Carême toutes les deux.

Ma mère renifla et s'épongea le nez avec son mouchoir. Elle se signa et rangea son chapelet. Puis elle se leva et s'approcha de Fabi.

— Francis s'en va à la guerre. Parles-y, Fabi. Toé, il t'écoute.

Le visage de ma sœur hésitait entre l'allégresse et l'anéantissement. Francis était au lac, mais il partait pour s'engager au combat. Son émotion n'arrivait pas à s'ajuster. Dès qu'elle sut qu'il était sur le quai, elle abandonna Marie-Jeanne au milieu d'une phrase. Je m'empressai de la suivre à bonne distance.

À mi-chemin, je bifurquai dans les sous-bois. J'avais besoin de les voir ensemble, mais je ne voulais pas que ma présence nuise à leur discussion. En réalité, j'écorniflais, comme d'habitude. J'assistai donc à leurs retrouvailles, accroupie derrière un gros sapin. Mon frère souleva Fabi et la fit tournoyer dans les airs.

— Arrête, maudit malade, on va tomber à l'eau!

Francis la serra contre lui et, malgré la distance, je pus voir une grande inquiétude apparaître sur son visage. Sa main caressait les cheveux de Fabi et elle tentait de le chatouiller pour le repousser.

— Montre-moi ta face de clown, le frère, que je voie si la ville t'a changé.

Il la garda près de lui jusqu'à ce que le nuage se dissipe. Puis il l'embrassa sur les deux joues.

— T'es encore plus belle que la dernière fois. Les rondeurs te sortent de partout.

— Arrête donc, maudit fou!

— Ben quoi, j'ai ben le droit de te faire des compliments, asteure que t'es le guide du Wayagamac, dit-il en prenant un air pincé.

— T'es déjà au courant ?

— Voyons, Fabi, tu guides pour la famille Brown. La moitié de la ville travaille pour eux autres. Pis y'a pas plus mémère que les gars de la *shop*. J'te mens pas, il y en a une dizaine qui m'ont accroché à l'hôtel Royal pour m'en parler.

— Ah ouais ?

— Laisse-moi te dire qu'il y en a une couple qui aimeraient ça se faire montrer le chemin par la belle Fabi.

— Dis pas ça, Francis.

— Ben quoi, prends ça comme un compliment.

— Va jamais parler de même à notre père, toé !

— Il le sait déjà. Aristide, ce qui le fatigue, c'est pas ce que tu penses. J'l'ai vu discuter avec monsieur le maire hier soir. Ça avait l'air sérieux. Ils faisaient des messes basses.

— C'est quoi le rapport avec moé ?

— Ça se pourrait que notre premier magistrat aime pas trop ça que la fille de son employé soit proche des Brown. Tu l'sais que l'père est libéral jusqu'à l'os. Pis que le maire est peinturé en rouge des pieds à la tête.

— Qu'est-ce que ça peut ben faire, Francis ? dit ma sœur irritée.

— Ça fait que notre père est du bord de monsieur le maire, pas de celui de Duplessis. Il a peut-être peur que les Brown réussissent à t'embrigader. Oublie pas que les femmes ont le droit de vote, asteure. Mais fais attention à toé, souviens-toi qu'y a pas juste les ours qui sont dangereux dans le bois.

C'était presque mot pour mot ce que Matthew lui avait dit la veille. Elle resta songeuse en regardant au large.

— Ça peut pas être pire que d'aller à la guerre, lui retourna Fabi après un long silence.

Francis eut un sourire triste et sortit un étui de sa poche pour en tirer une cigarette. Fabi l'accepta et bientôt, un nuage bleuté s'éleva au-dessus de leurs têtes. Ma sœur fumait de temps à autre en cachette. Elle m'avait initiée au tabac lors de nos parties de pêche le long du ruisseau du Wayagamac. Je n'en raffolais pas, mais j'aimais l'imiter.

— Ils ont besoin de renfort de l'autre bord, Fabi. Les Allemands sont en France. On peut pas laisser faire ça. Churchill se prépare en Angleterre. Il veut que l'Amérique s'implique. De toute façon, je commence à trouver ça plate, les bouteilles de lait! Pis tout le monde sait que la conscription va passer. Peu importe ce que disent nos politiciens à Québec.

— Tu vas traverser la mer! L'océan! Voir les vieux pays. T'es chanceux d'un côté. Mais de l'autre, faudrait pas que tu rentres les pieds devant.

— Inquiète-toi pas, p'tite sœur. J'vais revenir drette icitte sur le quai. Parole de Francis! Mais pas avant d'avoir buté quelques Allemands.

— J'te reconnais pas quand tu parles de même. J'suis certaine que t'es pas capable de faire du mal à personne.

Ils s'enlacèrent encore une fois et j'aurais aimé faire partie de leur étreinte. Mais je restai derrière mon sapin en attrapant mes larmes du bout de la langue.

— Pis toi, Fabi. Raconte-moi comment ça se passe ta *job* de guide.

— À date, c'est pas compliqué. Aujourd'hui, j'ai nettoyé les attirails de pêche. Hier, j'ai emmené Matthew Brown au lac Rond, pis j'ai passé l'après-midi avec trois femmes qui pensaient plus à se faire bronzer qu'à pêcher. Y'en a une qui arrêtait pas de pousser des petits cris chaque fois que je sortais un ver de terre. Finalement, j'ai pris toutes les truites à leur place. Elles venaient de Montréal, toutes maquillées, en robe légère avec des souliers pour aller aux noces.

— Ça doit être des guidounes.

— Quoi?

— Ben voyons, Fabi. Penses-tu que les riches viennent icitte juste pour pêcher?

Ma sœur redressa les épaules devant cette possibilité. Elle dévisagea Francis comme s'il venait de proférer une énormité. Puis sa gaieté éclata et se répercuta sur le Wayagamac. Elle se revoyait dans la chaloupe, en train de montrer à une guidoune comment enfiler un ver. Francis l'accompagna et, pour un instant, ils redevinrent deux jeunes enfants qui s'amusaient à qui rirait le plus fort. Quand ils reprirent leur souffle, le vent s'était levé. Soudainement, comme cela se produit sur le lac. Les cheveux de Fabi volaient comme des oiseaux fous autour de sa tête. Elle tentait de les maîtriser sans succès. Francis lui raconta des histoires de laitier pour la dérider, mais je ne les écoutais plus. De les voir assis côte à côte au bout du quai me remplissait de bonheur.

C'était ça, le Wayagamac. Il suffisait de s'en approcher pour qu'il nous ensorcelle. À son contact, on oubliait nos misères et nos problèmes. On se prenait à rêver que nous étions au paradis. Que notre rencontre avec un castor ou une loutre n'avait rien de fortuit, mais qu'elle nous était donnée en cadeau, comme les familles de canards ou le bruissement des feuilles dans les arbres! Le lac nous rendait notre amour en nous offrant la nature. Ni mon père, ni ma mère, ni Fabi, ni moi ne l'avons jamais renié. Il est devenu notre patrie le jour où nous l'avons embrassé du regard.

❦

Quand je revins à la maison, Marie-Jeanne s'activait à la cuisine. Elle tentait d'oublier la mauvaise nouvelle. Le poêle ronflait malgré la chaleur. De petites fraises recouvertes de sucre attendaient dans un grand chaudron qu'on les transfère sur un fond de tarte. Ma mère disposait les cuillères de bois et la spatule sur la table avec des gestes maniérés qui en disaient long sur son état d'esprit. Nous savions tous, quand elle se lançait dans ces travaux improvisés, qu'elle évacuait la hargne qui, autrement, lui rongeait les entrailles. Elle fourrageait de temps à autre dans la poche de son tablier à la recherche du réconfort que lui apportait son chapelet aux grains lustrés. Dans ces moments, elle préférait la solitude et ne tolérait aucune aide de quiconque. Je ne fus donc pas surprise qu'elle m'envoyât m'occuper de l'entretien de Ti-Gars.

Comme à son habitude, le cheval s'agita avant même que j'entrouvre la porte. J'entendis son hennissement et le bruit des sabots sur la terre battue. Ti-Gars m'aimait plus que les autres, car je prenais toujours du temps pour lui caresser le museau et lui parler au creux de l'oreille. Je lui apportais souvent des carottes fraîches cueillies en cachette. Il les croquait en balançant la tête dans ma direction. Cet énorme cheval savait faire preuve de reconnaissance malgré les travaux titanesques que nous lui demandions d'accomplir. Il arrachait des souches, transportait des arbres, labourait, déplaçait des pierres sans jamais rechigner à la tâche.

Je remplis son auge de foin et lui donnai un seau d'eau fraîche à même la pompe d'été, qu'Aristide avait installée près du jardin. Je ramassai le crottin et entrepris de brosser l'animal. J'allais ressortir de l'écurie quand j'entendis la voix rude de mon père.

— Tu ferais mieux de t'en retourner!

Je m'approchai du mur du bâtiment pour tenter d'apercevoir quelque chose entre les planches. Je ne voyais que le dos de mon père qui me cachait son interlocuteur. Je crus un instant qu'il parlait avec Francis. Je ne comprenais rien de la discussion, sauf lorsqu'ils élevaient la voix. Puis Aristide se tourna de côté en maugréant. Un petit homme malingre lui tendait une enveloppe en fronçant les sourcils.

— Jésus-Christ, Aristide. Prends ça, pis fais ce que t'as à faire! T'es de mon bord, oublie-le jamais!

Je n'entendis pas la réplique de mon père, mais l'autre s'éloigna en direction de la *dam*, les mains vides. Aristide retraita au hangar. J'avais déjà vu cet homme auparavant quand nous avions dû quitter notre terre au bord de la rivière Saint-Maurice. C'était le maire de la ville. Qu'avait-il donc remis à mon père pour qu'il soit tant contrarié? Ti-Gars me ramena à l'ordre en me poussant avec son corps.

Dix minutes plus tard, Fabi et Francis revinrent du lac. Mon frère entra embrasser ma mère et ressortit aussitôt. Il me prit dans ses bras en me taquinant que je puais le Ti-Gars. Puis il passa près du hangar, y jeta un coup d'œil et nous cria de saluer Aristide de sa part. Je trouvai curieux qu'il ne soit déjà plus là.

Fabi eut le regard humide jusqu'à ce que Francis traverse la *dam* à son tour. S'il marchait d'un bon pas, il allait sans doute rejoindre monsieur le maire. J'allais demander à Fabi de me parler de la guerre, mais elle s'éloignait déjà vers la maison.

Résidence Clair de lune, Trois-Rivières, hiver 2002

Écornifler. Héléna répète le mot à voix basse. Elle aime l'entendre résonner. C'est presque « reniflé » et presque « écorné ». Il contient à la fois l'idée de sentir et celui de poser un jalon. Pour marquer l'instant, pour se souvenir du ressenti et de ce qui a été grappillé au secret. Toute petite, elle écoutait aux portes ou se dissimulait à l'angle d'un bâtiment. Elle se glissait sous la table de la cuisine pour espionner. Elle jouait sans passion pour mieux tendre l'oreille aux conversations des adultes. Pas un tiroir, un placard, une commode ou les poches d'un vêtement oublié n'ont manqué sa visite. Les reproches des autres n'y ont jamais rien changé.

Même aujourd'hui, grabataire, elle feint le sommeil pour surprendre le soliloque de la préposée. Morte, elle souhaite devenir fantomatique pour se glisser où bon lui semble et épier pour l'éternité. Cette idée lui plaît et pourrait rendre le passage final moins difficile. Bien qu'elle ne soit pas la seule à se prévaloir de ce privilège et qu'elle risque d'y rencontrer ceux et celles qui ont eu la malchance de la croiser.

Elle écorne la page de son manuscrit. Ses paupières sont lourdes. Dormir est une chose inutile que son corps quémande par habitude. Demain, elle retrouvera sa sœur Yvonne, sortant du bois comme une femelle orignal assaillie par les mouches. Il y aura du bonheur parce que rien n'avait encore basculé.

CHAPITRE 8

Wayagamac, été 1940

Trois jours après la visite de Francis, Aristide nous apprit la nouvelle : la loi sur la mobilisation des ressources nationales avait été votée par le gouvernement fédéral. Tous les hommes et femmes célibataires âgés de seize à soixante ans devaient s'inscrire dans un registre national. Pour tout le monde, c'était un premier pas qui préparait une probable implication outre-mer de la part des Canadiens. Je devrais donc m'y soumettre, comme Fabi et Yvonne. Georges en serait probablement exclu à cause de sa vision. Tout au long de l'été, l'église célébra de nombreux mariages précipités de jeunes personnes qui voulaient être exemptées. Quant aux nouvelles de la guerre, elles n'étaient pas bonnes. Les Allemands progressaient sur tous les fronts. Les usines du Canada et des États-Unis profitaient d'une certaine manne et modifiaient leur production en conséquence. À La Tuque, l'usine de papier allait contribuer à fabriquer des enveloppes d'obus. Un projet de fonderie d'aluminium prenait de l'importance de jour en jour. Mon père rapportait toutes ses nouvelles de ses visites en ville. Il nous les annonçait en bouts de phrases disparates, qu'il lançait à l'improviste, comme s'il réfléchissait à haute voix.

Au lac, l'été s'écoula comme si nous étions coupés du monde. Les oiseaux poussaient leurs petits hors du nid. Les castors solidifiaient leur barrage. Les perdrix traversaient les sentiers à la queue leu leu et les fleurs sauvages coloraient les abords de notre jardin. La nature était indifférente aux folies meurtrières des hommes. Elle vaquait à ses occupations et nous enveloppait de ses offrandes.

Les grandes chaleurs de juillet nous jetaient dans un état de somnolence béat où les travaux quotidiens s'entrecoupaient de longues pauses. Mon père s'installait à l'ombre sur la galerie et sculptait des écuelles en bois à partir de nœuds protubérants arrachés aux arbres à coups de hache. Il les décorait de profils d'animaux. Puis il nous les donnait sans façon. Le mien représentait deux loutres qui s'amusaient sur une pierre. Je l'accrochais à ma taille et m'en servais pour boire à la source.

Marie-Jeanne reprisait nos vêtements sur un gros rocher, près du lac, à quelques mètres du quai, sous l'ombre des bouleaux. Elle regardait au loin, plus qu'elle ne cousait. Ce qui était inhabituel dans son cas. Sans doute essayait-elle de voir jusque dans les vieux pays, là où s'en irait son Francis. Depuis l'annonce de la nouvelle, ma mère avait perdu son envie de tout contrôler. Elle qui, d'habitude, gérait nos journées, n'avait rien à redire si nous négligions une tâche. J'en profitais pour flâner au bord du Wayagamac, les deux pieds dans l'eau, à observer les têtards, les poissons et les écrevisses. Avec la baisse du niveau d'eau, je pouvais m'aventurer plus loin. Seule ma sœur Fabi n'avait pas ralenti. Elle partait à l'aurore en direction du pavillon. Elle accompagnait de petits groupes à la pêche, la plupart du temps sur des lacs blottis au terme de portages sinueux et propices aux embuscades des moustiques. Elle revenait dans l'après-midi, le sourire aux lèvres. Je voyais bien qu'elle nous quittait petit à petit. Son corps était toujours là, à s'activer, mais son cœur s'emballait pour son travail et pour Matthew.

Ce fut ma sœur Yvonne qui nous sortit de cette torpeur à la mi-juillet. Ma mère et moi étions au jardin, Aristide somnolait à sa place habituelle et Fabi s'occupait de Ti-Gars. Yvonne surgit du bois comme une femelle orignal cherchant la clairière. Sa valise dans une main et tenant de l'autre un bouquet de fougères qu'elle frappait de temps à autre contre son chapeau de paille pour éloigner les moustiques. Je la vis la première et mon cœur se mit à battre très fort. Dès qu'elle eut franchi la *dam*, j'abandonnai le sarclage et courus dans sa direction.

— Yvonne!

Elle posa sa valise et ouvrit grand ses bras.

— VIENS-T'EN QUE JE TE SERRE, MA PETITE SŒUR!

Sa voix claquait comme le tonnerre. Yvonne ne parlait pas, elle beuglait. Ma mère disait qu'elle avait un problème d'audition. Comme elle n'entendait pas, elle devait parler plus fort. Mais Yvonne ne nous faisait jamais répéter quoi que ce soit. Son organe avait le coffre de son embonpoint, un point c'est tout. Il propulsait les mots comme un coup de vent avant de s'apaiser aussi subitement.

Je me précipitai contre elle et retrouvai la chaleur de ses énormes seins. Elle m'embrassa sur la tête et me serra à m'étouffer. Je humais la sueur et le parfum de rose qu'elle affectionnait.

— COMMENT TU VAS, HÉLÉNA? J'ME SUIS ENNUYÉE DE TOÉ!

— Moi aussi, Yvonne. C't'une surprise!

Je soulevai sa valise et nous continuâmes à marcher bras dessus, bras dessous vers ma mère qui avait retrouvé son sourire.

— Qu'est-ce qui te prend de nous faire de la belle visite de même?

— J'AI PRIS CONGÉ. Pour venir vous voir. Pis j'avais le goût d'aller aux framboises. J'suis tannée d'entendre parler DE LA GUERRE.

— Ben t'es dans le bon temps, ma fille. Approche que j't'embrasse. Ça fait ben deux mois qu'on t'a pas vue.

Pendant que ma mère la tâtait pour évaluer son état de santé, Fabi s'amenait en courant.

— Wow! De la grande visite, la sœur. T'as pas marché de La Tuque jusqu'icitte, toujours?

— T'ES-TU FOLLE, TOÉ! J'ai pris le *freight*. JE CONNAIS LE CHAUFFEUR. Y'é pas censé embarquer personne, mais j'y ai promis une chaudière de framboises, PIS UN P'TIT BEC SUR LA JOUE! Y va me reprendre après-demain. Y'a même pas besoin d'arrêter. Il a juste à ralentir, PIS J'SAUTE DANS LE TRAIN!

J'éclatai de joie en apprenant que ma sœur coucherait deux nuits avec nous. Mon père s'était levé de sa chaise et nous regardait, les mains sur les hanches. Il ôta la pipe de sa bouche et en frappa le fourneau contre le poteau de la galerie. Il salua Yvonne d'un hochement de tête et il marmonna qu'il avait à faire au hangar. Son attitude jeta un froid parmi nous. Nous attendîmes qu'il s'éloigne avant de reprendre nos retrouvailles.

— J'ai fait du bon sucre à la crème, Yvonne. En veux-tu un morceau?

— C'EST PAS DE REFUS, mais avec un grand verre d'eau. On crevait dans la locomotive, c'est pas mêlant, J'PENSAIS FONDRE!

— Le jour où tu vas fondre, ma sœur, moi je serai évaporée depuis ben des années.

La boutade de Fabi nous fit rire de bon cœur. Yvonne était la plus ronde de nous toutes. Mais le gras se répartissait bien sur sa forte taille et sa jovialité s'en accommodait fort bien.

Je portai sa valise dans la chambre réservée à la visite. Déjà, l'atmosphère de la maison avait pris du mieux. J'entendais les ricanements de mes sœurs et les exclamations de ma mère. Le sucre à la crème déliait les langues aussi bien qu'un verre de p'tit blanc. Je me joignis à elles et nous oubliâmes durant quelques heures que notre frère allait devoir se rapporter à la base militaire de Valcartier au début de l'automne.

Le reste de la journée se déroula dans une douce euphorie, que la mine renfrognée de notre père ne put perturber. Il retourna à son hangar sitôt le repas terminé. Il gardait rancune à Yvonne pour son mariage raté et pour sa décision de partir en ville, alors qu'il aurait eu besoin de ses bras à la ferme. Mais la présence de ma sœur n'aurait rien changé. La municipalité voulait récupérer la terre et nous n'arrivions pas à en payer les traites. Une équation qui se solda par la vente obligée et un emploi pour mon père à la décharge du Wayagamac, comme homme d'entretien de la *dam*. Ce qui, avec le recul, pouvait être vu comme une sorte d'avancement pour nous tous. Mais l'orgueil d'Aristide résistait au temps et il refusait de passer l'éponge. Il considérait sa famille comme un bien acquis, un ensemble dont il était le créateur, une œuvre dont il ne pouvait se départir. Il souffrait d'en perdre le contrôle. Nous étions les pièces d'un casse-tête qu'il se gardait de démanteler. Sans doute nous voyait-il comme sa plus grande réussite. Illettré, mauvais causeur, piètre en affaires, il forgeait dans le labeur quotidien un sens à sa vie. Nous en faisions partie. Peu importe ce que nous imaginions pour nous-mêmes. Notre père était

aux cieux et toute dérogation à cet idéal était consi-
dérée comme une descente aux enfers.

Résidence Clair de lune, Trois-Rivières, hiver 2002

Héléna s'éveille au milieu de la nuit. Depuis son
arrivée à la résidence, c'est immanquable, elle ouvre
les yeux à trois heures du matin et se demande pourquoi son lit est clôturé. Les lèvres sèches, elle tend le
bras par-dessus la ridelle chromée et boit tant bien que
mal son eau tiède. C'est habituellement à la suite de ce
geste que sa jambe pourrissante manifeste sa présence.
Un mal aigu, qui trouve sa source quelque part en
dessous du genou. Revient alors à sa mémoire la suite
des évènements qui l'ont amenée dans cette chambre.
L'apparition de la douleur au sortir du bain, infime
au début, puis suffisante pour la faire boiter après
quelques semaines. Les consultations, les examens à la
chaîne, les diagnostics incertains, les onguents et les
pilules toujours plus fortes, mais tout aussi inefficaces,
jusqu'à ce qu'on pointe une radiographie et qu'on
appelle cancer la petite tache foncée au haut du tibia.
Déni du constat. Détérioration progressive. Opération
impossible et le système qui refusait de lâcher prise.
Pour finir, on emprisonna sa jambe dans une prothèse et c'en était terminé de sa mobilité. « On va vous
trouver une place en résidence. Ça prend quelqu'un
pour s'occuper de vous. Vous allez avoir une meilleure

fin de vie», avait dit la travailleuse sociale. De quel meilleur voulait-elle parler? La nourriture est infecte, le personnel manque cruellement d'expérience et de formation, une partie du mobilier provient de la Saint-Vincent-de-Paul, l'éclairage est déficient, le chauffage n'obéit pas au contrôle et le bruit de ces maudits chariots brinquebalants hante les corridors à toute heure du jour.

S'il n'y avait pas eu cette douleur à la jambe, elle serait encore dans son appartement de la rue Sainte-Cécile, avec ses plantes, ses livres, ses photos et tout ce qu'elle avait trimballé dans son sillage tout au long de sa vie. Elle pourrait marcher jusqu'au fleuve et, les jours de grands vents, en fermant les yeux, elle se croirait sur les bords du Wayagamac.

Il faut bien mourir, mais ce n'est jamais le bon jour pour le faire. Son corps refuse la nourriture, il se replie sur lui-même comme les bêtes de la forêt le font quand il n'y a plus d'espoir de survie. Sa chambre n'a rien d'une forêt, c'est un désert lugubre.

Elle se tourne du côté de la fenêtre en s'aidant avec les ridelles. Son manuscrit est à portée de main sur la table de chevet. Elle l'a quitté au moment où sa sœur Yvonne leur décrivait sa vie à la ville. Elle sait très bien que suivra l'épisode de l'orage. Elle l'a réécrit plusieurs fois. Pour rendre justice à sa mère, qui aimait raconter les soirs orageux, malgré la phobie qu'elle en avait. Dans sa bouche, le tonnerre devenait un monstre qui s'abattait sur les maisons pour en effrayer leurs habitants. Il cherchait à s'infiltrer par la moindre ouverture qu'auraient oubliée les imprudents. Héléna sait maintenant que les monstres sont autour de nous et qu'ils portent des noms qu'on leur a donnés à la naissance. D'autres sont innommables, ils s'éveillent en nous et se nourrissent de nos os et de nos organes sans aucune pitié.

Le sien est apparu il y a deux ans. Peu après, elle a ressorti son manuscrit, qu'elle gardait précieusement sous une boîte de photos jaunies. Elle a repris un à un la chaîne des mots pendant que les maillons tenaient encore les uns aux autres. Depuis ce temps, elle lit et relit ce qu'elle a fini par compléter. Maintenant, il ne reste que le dernier épisode qu'elle ne pourra écrire, mais qu'il lui faudra consommer: celui de la vérité concernant son fils.

CHAPITRE 9

Wayagamac, été 1940

À la brunante, le temps s'immobilisa. Aucun souffle ne vint soulager l'humidité qui nous collait au corps. Assises sur la galerie, nous écoutions les papotages d'Yvonne, qui nous rapportait les nouvelles de la ville avec ses joies et ses peines. Des bébés attendus ou sous-entendus qui naîtraient dans le bonheur ou en cachette, jusqu'aux maladies qui rongeaient l'un et l'autre. Elle nous traçait un portrait enjolivé de détails dont elle ne pouvait avoir eu connaissance. Nous en étions conscientes, mais pour rien au monde nous n'aurions tari cette source de divertissement. Là où nous vivions, les informations arrivaient au compte-gouttes.

Yvonne en était à raconter à voix contenue (comme si quelqu'un pouvait nous entendre en plein bois) les galipettes de son patron, quand le vent se leva en froissant la cime des arbres. Le mouvement de la forêt s'accompagna d'un roulement de tonnerre. C'est alors que je me rendis compte que nos visages avaient perdu leurs coloris. Le ciel s'était couvert de gros nuages noirs qui avançaient comme une menace au-dessus des montagnes. Le premier éclair eut l'effet d'une bombe parmi nous quatre, tant nous n'avions rien vu venir. Marie-Jeanne poussa un cri qui nous excita bien plus que l'éclat lumineux. Nous connaissions sa peur des orages et la nôtre s'y alimentait.

— Jésus, Marie, Joseph! Vite, dans la maison! cria-t-elle en sortant son chapelet de la poche de son tablier.

Le tonnerre récidiva de belle façon, brisant le peu de résistance que nous avions à obéir à notre mère. Sitôt la porte refermée, Marie-Jeanne ordonna qu'on allume toutes les lampes. Elle se précipita vers la petite statue de la Vierge Marie et s'empara du flacon d'eau bénite. Elle aspergea de quelques gouttes toutes les fenêtres de la maison. Puis elle prit une branche de rameau et la déposa sur le poêle L'Islet. Nous savions que cette dernière manœuvre servait à éloigner les boules de feu. Nous connaissions par cœur l'histoire où notre mère avait failli être décapitée par le tonnerre. Elle avait à peine douze ans à l'époque, mais elle s'en souvenait comme si c'était hier. Au beau milieu d'un gros orage, son père avait craqué une allumette sur la fonte du poêle. Comme elle refusait de prendre feu, il avait blasphémé. D'un coup, la foudre s'était abattue sur la cheminée, arrachant tous les ronds. L'un d'eux avait frôlé la tête de Marie-Jeanne avant de sortir de la maison en fracassant une fenêtre. Chaque année, depuis que nous étions en âge de comprendre une histoire, elle nous racontait cet épisode mémorable de sa vie. Aussi, les soirs d'orage, nous nous tenions le plus loin possible du poêle, que nous observions avec la plus grande méfiance.

La pluie se mit à tomber à verse sur le toit de tôle. Le bruit infernal anéantit ce qui nous restait de courage. Les éclairs se succédaient en rafale, accentuant d'une lumière crue nos visages tendus. Au plus fort de l'orage, alors que Marie-Jeanne égrenait son chapelet en récitant les « Je vous salue Marie », l'une de nous se rendit compte de l'absence d'Aristide. Dans notre énervement, personne ne s'était préoccupé de savoir où était notre père. Devant l'inquiétude de Marie-Jeanne, Fabi proposa de sortir pour l'appeler.

— Es-tu folle, Fabi ? Ouvre pas la porte, le tonnerre va rentrer !

Ma mère parlait comme si le tonnerre était vivant et qu'il se tenait sur la galerie en attendant qu'on lui ouvre la porte. Fabi obéit sans même discuter. Les yeux de Marie-Jeanne en disaient long sur son trouble intérieur. Aucune d'entre nous ne voulait assumer la responsabilité d'introduire une boule de feu.

— Veux-tu ben me dire où c'qui est, lui ? J'espère qu'il a pas eu l'idée d'aller sur le lac. Bonne Sainte Vierge ! Faites qu'il soit à l'abri, se lamenta Marie-Jeanne.

— Tu sais ben que p'pa ferait pas ça. Y doit être dans son hangar.

— J'espère que t'as raison, Fabi. Parce que si y s'est caché sous un grand arbre, on va le r'trouver *toasté* jusqu'à l'os!

— ARRÊTEZ DONC DE PENSER AU PIRE, MAMAN. L'orage est presque fini, là, dit Yvonne en croyant nous rassurer.

Un éclair, suivi de près par un violent coup de tonnerre, la ramena à l'ordre. Le craquement céleste sembla avoir précédé l'éclat lumineux. Le vent ébranla la maison et la pluie redoubla d'ardeur. La terre vibra sous nos pieds et le grondement se répercuta en écho dans les montagnes. Marie-Jeanne reprit ses prières en augmentant d'un ton pour être sûre que la Sainte Vierge l'entende malgré le raffut.

— Y vient de tomber, murmura Marie-Jeanne presque soulagée. Le tonnerre est tombé. Qu'est-ce qu'y fait qu'y rentre pas, lui?

On attendit que la pluie cesse complètement avant d'ouvrir la porte. Fabi sortit la première. La lumière de la cuisine découpa un rectangle bien net dans la noirceur d'encre. L'ombre de Fabi s'y profilait. Au-delà, on n'y voyait que les ténèbres et on n'entendait que les gouttes d'eau cascadant sur le feuillage. Yvonne apporta une allumette à la demande de Fabi, qui avait saisi le fanal suspendu à une poutre de la galerie. Je m'approchai et interrompis ses intentions d'un cri.

— Là-bas!

J'aperçus une lueur sur la *dam*. Quand Fabi et Yvonne se retournèrent, elle avait disparu.

— Ça devait être un feu follet, dit Fabi en soulevant sa lampe. Viens-tu, Yvonne?

— J'AIME MIEUX T'ATTENDRE ICITTE. VA PAS TROP LOIN!

Sa voix de stentor résonna dans l'air chargé d'humidité.

— Je vais aller voir si le père est au hangar.

Fabi fit quelques pas sur la terre détrempée et la lueur d'un fanal creva la noirceur. Fabi leva le sien à bout de bras et nous fûmes soulagées d'apercevoir une silhouette qui avançait vers nous.

— M'man, c'est p'pa qui revient!

J'entendis Marie-Jeanne remercier de tout cœur la Vierge Marie avant de venir nous rejoindre.

— Veux-tu ben me dire où c'est que t'étais, toé? Nous faire des peurs de même. Quand y fait mauvais temps, on rentre à' maison!

Ma mère le sermonnait comme un petit garçon. Aristide éteignit son fanal et le posa sur la galerie. Il était trempé de la tête aux pieds et ses bottes étaient recouvertes de boue.

— Tu t'énerves pour rien, Marie-Jeanne. J'étais à l'écurie pour voir si Ti-Gars était correct. Me suis fait pogner par l'orage. J'suis retourné au hangar. Ça tombait trop dru pour que je m'en vienne. J'ai attendu que ça passe.

C'était bien la plus longue justification que j'avais jamais entendue de la bouche de mon père. Il entra dans la maison, après avoir laissé ses bottes maculées de boue près de la porte. Il se dirigea droit vers sa chambre d'où il ne ressortit pas. Je trouvai quand même curieux qu'il n'ait pas mentionné la *dam*. J'étais certaine d'y avoir aperçu la lueur de son fanal.

CHAPITRE 10

Wayagamac, été 1940

Nous partîmes sitôt le déjeuner terminé en emportant des contenants pour cueillir les framboises. Marie-Jeanne avançait d'un bon pas, suivie de mes deux sœurs. Je fermais la marche, tout heureuse à l'idée de me gaver de petits fruits rouges. Le chemin qui menait au camp numéro 2 était bordé de talles de framboisiers. Les plus garnies se trouvaient au-delà du pont et de la savane, là où la pente s'accentuait. Ma mère connaissait l'endroit exact et savait que nous y cueillerions de quoi remplir nos « vaisseaux », comme elle disait.

Yvonne et Fabi se laissaient distancer par Marie-Jeanne à mesure que leur conversation devenait plus intime. Je me régalais des commentaires savoureux d'Yvonne sur ses prétendants. À tout moment, Fabi lui demandait de baisser le ton. J'appris que l'imposante poitrine de ma sœur faisait loucher bien des Latuquois. Mais aucun n'avait encore trouvé la faveur d'Yvonne. Elle les aguichait en portant des soutiens-gorge seyants dont elle nous montra même l'armature en déboutonnant sa blouse au beau milieu du chemin.

Nos fous rires nous accompagnèrent jusqu'à la talle de framboises.

Marie-Jeanne avait déjà rempli le quart d'un grand chaudron. Ses mains s'agitaient d'une grappe à l'autre, se moquant des tiges épineuses qui s'accrochaient à ses manches.

— LAISSEZ-NOUS-EN UN PEU, M'MAN, dit Yvonne en restant prudemment à l'orée du bois.

— Crains pas. Y'en a en masse. Les ours ont pas encore trouvé la place.

— LES OURS! Y'EN AS-TU QUI RÔDENT DANS LES PARAGES?

Je racontai à ma sœur l'épisode de la charrette remplie de rondins que Ti-Gars avait renversée à la vue d'un ours noir. Quand elle apprit que nous n'étions qu'à quelques dizaines de pas du lieu où s'était déroulé l'évènement, elle se rapprocha de Fabi.

— Qu'est-ce qu'on va FAIRE SI Y R'VIENT?

— Dépêche-toé de ramasser. Comme ça, si y arrive, t'auras de quoi le nourrir pendant qu'on va se sauver.

— MAUDITE FOLLE! ON RIT PAS AVEC LES OURS!

Mais pour l'instant, nous avions envie de rigoler. Plus nous progressions dans la talle, plus les framboises étaient dodues et juteuses. Il fallait cependant se méfier des guêpes qui tournoyaient autour de nos têtes et, surtout, de leurs nids enfouis dans le sol. La cueillette se poursuivit sur le même train pendant près d'une heure. Marie-Jeanne avait posé ses contenants remplis à ras bord sur un gros rocher et m'aidait à finir d'emplir les miens. Il faut dire que j'étais comme Yvonne : j'en mangeais trois et j'en glissais une dans mon « vaisseau ».

Ce fut ma mère qui tendit l'oreille la première. Elle redressa la tête et s'immobilisa. Je sus à son attitude que quelque chose clochait. Yvonne et Fabi épluchaient un pied de framboises particulièrement bien garni. Elle leur jeta un œil tout en inspectant les alentours. Comme je reprenais ma cueillette, elle me saisit la main et je perçus à mon tour le froissement du feuillage et le craquement d'une branche. Marie-Jeanne avait le sens du tragique. Elle savait créer des effets simplement en modulant son ton de voix. Elle ordonna à mes sœurs d'écouter. Elle parlait d'un timbre profond qui sortait de sa poitrine avec une lenteur calculée. Yvonne pâlit.

— Qu'est-ce qu'il y a, maman ? demanda Fabi sur le même ton.

— Y'a quelque chose qui approche.

Cette imprécision du langage n'eut pas l'heur de plaire à Yvonne. Quelque chose pouvait être n'importe quoi et n'importe quoi ressemblait à un ours dans son esprit. Elle lâcha donc son plat de petits fruits et rebroussa chemin, sans se préoccuper des framboisiers qui lui lacéraient la peau. Elle en perdit son chapeau de paille et deux boutons de sa blouse. Je fis mine de la suivre, mais Marie-Jeanne me retint fermement. J'aperçus, au-delà du rocher, une tache brune qui avançait dans notre direction.

— Matthew? dit Fabi en levant le bras pour attirer son attention.

— C'est toi Fabi qui fais tout ce bruit-là?

— Non, c'est ma sœur.

C'est alors que Matthew Brown nous vit, ma mère me tenant le bras et moi m'agrippant au plat de framboises. Sans doute que la familiarité de l'échange n'avait pas échappé à Marie-Jeanne, car elle le regardait avec suspicion. Celui-ci lui fit un sourire en touchant le rebord de son chapeau.

— Madame. Je suis désolé de vous avoir fait peur, mais on est à la recherche de l'ours. Il a encore fait du dégât hier soir. Vous devriez faire attention. Il devient de plus en plus frondeur.

Il replaça le gros fusil sur son avant-bras. J'enviai ma sœur de pouvoir côtoyer un tel homme. Il dégageait une force et une assurance impressionnantes. Sa voix portait juste sans un seul frémissement. Son regard se posait sur nous sans fléchir. Voyant que ma mère ne disait mot, il s'approcha du rocher et de notre cueillette de framboises.

— Elles sont vraiment belles cette année, dit-il en tournant la tête vers Fabi. Dommage que notre ours ne s'en contente pas. Ce serait plus prudent de retourner au chemin. Je vais vous aider à tout apporter.

On sentait qu'il était habitué à se faire obéir. Nul besoin d'élever la voix ou de proférer des ordres. Il proposait et nous n'avions que l'envie de le suivre.

Nous débouchâmes à découvert, où Yvonne nous attendait. Je ne pus m'empêcher de sourire en voyant qu'elle tentait de soulager les égratignures sur ses bras et dans son cou. Elle ne pensa même pas à rabattre les pans de sa blouse tant elle était énervée. Elle se calma à la vue de Matthew Brown. Il la salua en appréciant sans doute les dentelles qui soutenaient la poitrine de ma sœur. Fabi lui fit un signe discret et Yvonne referma son vêtement en rougissant.

— Je vais vous raccompagner, proposa Matthew en touchant une nouvelle fois le rebord de son chapeau.

Marie-Jeanne n'avait pas encore prononcé un mot. Elle se contentait de hocher la tête en évaluant quelle était la nature de l'émoi qu'elle lisait sur le visage de Fabi. Elle reprit ses framboises et la direction de la maison.

— Merci ben, monsieur. Mais si on est venues jusqu'icitte, on est ben capables de s'en retourner.

— Comme vous voudrez. Dans ce cas, je vais descendre jusqu'au lac. Avec la chaleur, l'ours a peut-être envie de se rafraîchir. Je pensais pas utiliser mon jour de congé pour le chasser. Bon retour. On se verra demain, Fabi. Madame? dit-il en se tournant vers Yvonne.

— Ah! C'est ma sœur Yvonne. Elle est en visite. Tu connais Héléna.

Je lui tendis la main et Yvonne fit de même en prenant soin de garder l'autre bien agrippée à sa blouse. Elle tenta de formuler une politesse qui se perdit en un baragouinage informe. Marie-Jeanne avait déjà pris la direction de la maison. Elle cria à notre intention sans se retourner.

— Venez-vous-en ! Les framboises vont ramollir.

Fabi échangea un dernier regard avec Matthew. Je fus chavirée par l'éclat des yeux de ma sœur. Je compris que son rôle de guide évoluait dans un sens qui n'allait pas faire que des heureux. L'attitude de Marie-Jeanne en témoignait. Quand il se fut éloigné dans la forêt, Fabi s'occupa de distribuer les contenants remplis de fruits rouges. Yvonne brûlait d'envie de la mitrailler de questions, mais elle était encore sous le choc de l'apparition. Il fallut attendre d'être au bas de la côte avant qu'elle ne retrouve la parole.

— T'ES EN AMOUR, FABI !

L'utilisation d'un porte-voix n'aurait pas donné plus de résultats. Fabi s'immobilisa et lui jeta un regard courroucé. Marie-Jeanne ne ralentit même pas.

— C'est pas ce que tu penses, Yvonne. Pis, parle moins fort.

— C'est pas le premier homme que je vois en pâmoison. Toé aussi, Héléna, TU L'AS VU !

Je n'avais pas envie qu'on me prenne à partie. Je ne connaissais rien de l'amour. Mais je savais que Fabi avait changé depuis qu'elle se rendait régulièrement au pavillon. Ce n'était plus l'effet du lac qui allumait des étoiles au fond de ses yeux.

— Laisse Héléna en dehors de ça. J'te dis qu'y a rien, protesta Fabi.

Tout le reste du trajet se déroula sur le même ton. L'une asticotait, l'autre niait, dans un jeu où chacune trouvait son compte. Yvonne enrichissait ses futurs ragots et Fabi alimentait les fantasmes d'un premier amour.

Comme j'ouvrais la marche, je constatai avant mes sœurs que quelque chose allait de travers. Deux hommes, que je ne connaissais pas, discutaient en gesticulant avec Aristide. À quelques pas d'eux, Marie-Jeanne les observait, les bras chargés de ses contenants de framboises. Cela devait être important pour que ma mère ait négligé de porter les fruits de sa cueillette à la maison. Les deux hommes s'éloignèrent vers la *dam* après avoir salué mon père de la main. Fabi s'informa sitôt arrivée.

— Y'a un problème avec l'aqueduc, répondit Aristide. Y'a pus de pression, pis l'eau est pas buvable.

— C'est pas la *dam*, toujours? demanda Marie-Jeanne.

— Non. Tout est de première classe. Ils descendent le long du ruisseau pour voir ce qui va pas.

— Ça veut dire qu'y a PUS D'EAU POUR BOIRE À LA TUQUE? Avec les sources qui sont presque à sec, CE SERA PAS DRÔLE, déclara Yvonne qui tenait ses plats à hauteur de poitrine.

— Ouais. Pis l'usine va avoir des problèmes aussi, murmura Aristide.

— C'était qui les deux gars ? questionna Fabi.

— Deux employés de la Ville.

— J'me demande ben ce qui a pu arriver.

Mon père haussa les épaules avec indifférence bien que j'aie senti qu'il cachait une certaine nervosité. Marie-Jeanne nous invita à nous occuper de nos framboises. La plus grande partie finirait en confiture, un plat serait réservé pour le retour d'Yvonne et le reste serait mangé avec du pain, du sucre et de la crème, que Fabi avait rapportée la veille du pavillon. Comme nous n'avions plus que des poules et Ti-Gars, nous obtenions quelques denrées auprès du club de pêche, en échange de travaux qu'effectuait Aristide. Mais depuis que Fabi y était guide, elle rapportait, elle aussi, de petits cadeaux de temps à autre. Nous savions maintenant quelle en était l'origine.

CHAPITRE 11

Wayagamac, été 1940

Les pots de confiture rouge carmin s'alignaient sur la table de la cuisine. Ma mère s'activait près du poêle, surveillant l'ébullition du dernier chaudron de framboises. De grosses gouttes de sueur perlaient à son front et roulaient jusqu'à son menton, où elle les cueillait à coup de mouchoir. Elle n'avait ouvert la bouche que pour nous donner des ordres. Yvonne avait bien tenté d'orienter la conversation sur la rencontre avec Matthew, mais j'étais la seule qui mordait à l'hameçon.

Lorsque le dernier chaudron fut mis en pots, Marie-Jeanne sortit la crème de la glacière. Je plaçai sur la table les quatre bols de framboises que nous avions réservés. Nous avions enfin droit à notre récompense. Chacune de nous enfourna en silence d'énormes bouchées de petits fruits et de pain trempé de crème. Yvonne termina son goûter la première.

— Y'A RIEN DE MEILLEUR QUE ÇA! PAS VRAI, HÉLÉNA?

Résidence Clair de lune, Trois-Rivières, hiver 2002

— Héléna?

Huguette Lafrenière se faufile par la porte entrouverte. La télé diffuse une émission matinale où le chroniqueur suppute en long et en large sur l'important remaniement ministériel que s'apprête à effectuer le premier ministre Bernard Landry.

— Ça t'intéresse, ces affaires-là?

— Pantoute! C'est juste du bruit. Tu peux changer de poste si tu veux.

— As-tu fini de déjeuner? poursuit-elle en agitant les bras.

Héléna repose son manuscrit avec un brin d'irritation.

— Non. À l'étage des moribonds, quand le déjeuner arrive, les œufs sont aussi frettes qu'un mort pis le bacon s'émiette juste à le regarder. De toute façon, j'ai pas faim. T'es ben matinale!

— C't'aujourd'hui la grosse activité de la kermesse. Tu te rappelles, j't'en ai parlé. En bas, c'est décoré partout. Le personnel est déguisé, ils ont installé des roulettes, des jeux de poches, des tables à cartes, des fléchettes, pis plein d'autres affaires. Il y a des prix à gagner. Ça te changerait les idées. J'me suis informée, y'a une chaise roulante qui t'attend, juste pour toi.

— J'ai pas envie de descendre. Rien qu'à penser qu'ils vont me transférer dans la chaise à roues, j'en ai la chair qui me frémit.

— T'es pas pour rester de même, sans rien faire, jusqu'à…

— Finis tes phrases, Huguette Lafrenière : jusqu'à ce que je meure !

— Héléna. Tu sors pus de ta chambre. On dirait qu'y a juste ton maudit paquet de feuilles qui est important.

— Ça l'est ! Je veux que ce soit ben clair. Quand je vais être dans mon urne, ce sera pus le temps de me relire.

— Pourquoi tu demandes pas à quelqu'un qui connaît le français ? Y doit ben y avoir une couple d'anciens professeurs qui logent ici.

— Mes fautes, c'est pas un professeur qui peut les corriger.

— Je te dis que t'en fais des manières.

La porte s'ouvre derrière madame Lafrenière. Une jeune femme à la peau hâlée s'approche avec un plateau, qu'elle dépose sur la tablette devant Héléna.

— Votre déjeuner, madame Martel. Bon appétit !

Héléna hoche la tête en grimaçant devant les rôties carbonisées. Elle soulève le dôme de plastique qui recouvre son assiette. La vue des œufs brouillés et du bacon squelettique lui lève le cœur. Elle se contente de boire le café, dans lequel elle verse un peu de lait.

— J'aurais dû demander des céréales, c'est dur à manquer.

— Si tu voulais venir en bas, avec nous autres, tu mangerais chaud. Ce serait meilleur, lui reproche son amie.

— On va pas revenir là-dessus. De toute façon, que je mange ou pas, ça change pas grand-chose: mon cancer a l'air de me trouver appétissante.

— Arrête de dire des folies, pis viens donc à kermesse. Juste pour me faire plaisir.

Héléna aimerait reprendre sa lecture et retrouver ses sœurs et sa mère, et les framboises succulentes. Entendre la porte-moustiquaire claquer, les oiseaux piailler, Ti-Gars hennir dans l'écurie et les troncs d'arbres craquer sous les assauts du vent. Laisser vibrer la vie, au rythme de ces choses insignifiantes qui, au fil d'arrivée, ont tant d'importance.

— Dis oui, Héléna.

— T'es fatigante, Huguette Lafrenière! Je vais y aller à ta kermesse, mais c'est la dernière fois que je descends. Oublie-le pas. Demande aux filles qu'elles viennent me préparer tantôt.

— *Yes*, mon amie!

Pendant que madame Lafrenière remplit sa mission, Héléna s'empresse de finir son chapitre, à défaut de terminer son café.

CHAPITRE 12

Wayagamac, été 1940

J'acquiesçai, la bouche pleine, en faisant les yeux ronds. Même Marie-Jeanne ne put s'empêcher de rire. Nous étions en état de grâce. Les trois sœurs et la mère, fatiguées de leur cueillette, étourdies par l'odeur du sucre bouilli et comblées par le goût acidulé des framboises. Il suffisait d'un regard ou d'une remarque de travers pour que nous éclations de rire. La réalité nous rattrapa à l'évocation de Francis. Peu importe qui de nous quatre l'avait introduit dans la conversation, le mal était fait.

— En parlant de FRANCIS, faut pas que j'oublie de vous inviter en ville. C'est ma tante Géraldine qui organise une petite fête. LE DERNIER DIMANCHE DE SEPTEMBRE. SON *CHUM* GERMAIN VA ÊTRE LÀ AUSSI.

— C'est pas nécessaire de parler si fort. J'suis pas sourde, dit Marie-Jeanne en reprenant un air renfrogné.

Puis elle fit un signe de tête incompréhensible et se dirigea vers l'évier. D'un coup, la magie s'était envolée. Il ne restait plus qu'à ramasser les chaudrons, les cuillères, les bols et les miettes de bonheur qui disparaissaient déjà dans les craques de la table.

— J'peux-tu dire à Géraldine que vous allez être là, LA MÈRE? s'informa Yvonne, indécise quant à l'attitude de Marie-Jeanne et au ton à employer.

— C'est encore loin. Pis avec le bris de l'aqueduc, on sait pas ce qui peut arriver.

— C'EST QUAND MÊME PAS VOT'*JOB* D'LE RÉPARER!

— Dans le temps comme dans le temps. En attendant, y'a du ramassage à faire.

Après cet énoncé rabat-joie, on entendit parler dans la cour. Les voix avaient des accents de panique. Celle de mon père résonnait plus fort que les autres. Fabi sortit sur la galerie en continuant d'éponger les ustensiles avec son linge à vaisselle. Je la suivis sans hésiter. Peu après, je sentis la pression ferme de la poitrine d'Yvonne contre mon épaule.

Les deux hommes de la Ville gesticulaient en montrant le ruisseau. Aristide enlevait et remettait son chapeau en se grattant la tête au passage. Nous comprîmes à moitié que le problème avec l'aqueduc semblait important. Les deux hommes repartirent au pas de course sur la *dam*. Mon père se dirigea vers nous en tirant sa pipe de sa poche. Il la bourra en raclant le fond de sa blague à tabac. Puis il accrocha le tuyau au coin de sa bouche sans même l'allumer. Il s'arrêta au bord de la galerie et regarda les deux hommes, qui prirent chacun une direction différente lorsqu'ils eurent traversé le cours d'eau. Le plus petit redescendit le long du ruisseau, l'autre retournait à La Tuque par la voie ferrée.

— Qu'est-ce qui se passe, Aristide? demanda Marie-Jeanne, la main crispée sur son chapelet au fond de sa poche.

— Un éboulement. À un quart de mille de la *dam*.

— Ça doit être l'orage d'hier, dit Fabi.

— Ouais. Y'a un pan de la montagne avec un gros rocher qui a écrasé l'aqueduc. Y paraît qu'il y a une bonne fuite.

— Pourquoi t'es pas allé voir avec eux autres? demanda ma mère.

— Fallait que je prenne soin de Ti-Gars. Y boitait. J'y ai remplacé un fer.

— On devrait y aller, proposa Fabi en tendant à Yvonne son linge à vaisselle rempli d'ustensiles.

— C'est pas la place d'une femme! Occupe-toi plutôt du cheval. Regarde si y'est correct! ordonna mon père.

Il n'y avait rien à argumenter. Aristide était déjà parti à grandes enjambées vers le lieu de l'éboulement. Mon cœur battait d'excitation devant ce drame impromptu. Mais lorsque Fabi se dirigea vers l'écurie, je la dépassai en courant. Je savais qu'un cheval blessé ne servait plus à grand-chose. Le nourrir devenait une charge dont il fallait se débarrasser. C'est avec cette sombre pensée que j'entrai dans la stalle. Je pris Ti-Gars par le cou et le caressai entre les naseaux.

Comme d'habitude, il me remercia en penchant la tête vers le sol.

Fabi examina ses quatre pattes. L'une d'en arrière était chaussée à neuf. Elle le fit sortir à l'extérieur et marcher autour du jardin. Ni elle ni moi ne constatâmes qu'il boitait. Probablement que son vieux fer l'incommodait. Aristide avait réglé le problème en le remplaçant. Ti-Gars réintégra l'écurie et Fabi prit le fer que mon père lui avait enlevé et le tourna longuement entre ses doigts. Elle le reposa sur l'établi d'un air songeur. Il n'était pas si usé. D'autant plus que Ti-Gars semblait bien portant.

❧

À la brunante, alors que nous attendions le retour d'Aristide, Matthew Brown apparut sur le chemin du pavillon. Il marchait d'un pas pressé. Je courus vers lui, flattée d'être la première à l'accueillir. Pour un peu, j'aurais osé une révérence.

— Bonjour, monsieur Brown.

— Bonjour, Héléna. Est-ce que ta sœur est là? Il faudrait que je lui parle.

Je voyais Fabi dans ses yeux, sans qu'il ait eu besoin de prononcer son nom. Yvonne avait raison, il était amoureux. Je sentais son désir et j'en étais troublée. J'étais hypnotisée par sa carrure d'épaules et sa chemise de coton brute entrouverte. Mes pieds refusaient de faire demi-tour. Il continuait d'avancer en regardant derrière moi. Encore trois pas et ce serait la collision.

— C'est urgent, Héléna. Il faut que je la voie.

— Elle est à l'écurie, dis-je en pointant le bâtiment du doigt.

Il me frôla et je sentis son odeur de mâle, différente de celle de mon père et de mes frères. Un mélange de soir de pluie, de tabac fraîchement coupé, de cuir et de talc. J'enviai Fabi de respirer cet homme. Sans attendre d'invitation, je le suivis.

Il entra dans l'écurie sans s'annoncer. Je restai derrière le battant à les observer.

À la lueur du fanal, je vis distinctement Matthew prendre les mains de ma sœur et lui murmurer à l'oreille des mots que je n'entendis pas. Il me suffisait d'observer les yeux de Fabi pour les imaginer. Je me souviens d'avoir fondu de jalousie. Il s'écoula un long moment avant que la conversation ne me devînt audible.

— J'ai besoin de toi, Fabi. On a de gros problèmes. À cause de l'eau. Il paraît que l'aqueduc est éventré.

— Oui, je sais. Mon père nous a mis au courant.

— Il va falloir que je réorganise le travail à l'usine, que je forme des équipes pour éviter le pire. Je serai très occupé pour plusieurs jours. Surtout que ce sera pas facile avec le maire. Je vais descendre à La Tuque ce soir avec le *speeder*. J'aimerais que tu guides nos invités demain. Ils sont ici en voyage d'affaires. Ce sont deux envoyés d'une compagnie de l'Ontario qui fabrique de l'aluminium. C'est un projet important pour nous autres. Il faudrait que tu les conduises au camp Orignal, au bout du Wayagamac. Prends la grosse barge, ils viennent pour quelques jours, ils auront du matériel. Inquiète-toi pas, ils parlent très bien le français. Indique-leur de bons endroits pour pêcher. Je les rejoindrai aussitôt que possible.

— Ils seront là à quelle heure?

— Assez tôt. Huit, neuf heures.

— Compte sur moi.

— Merci. J'espère qu'on va pouvoir arranger l'aqueduc rapidement. Mon frère tient beaucoup à ce projet d'aluminerie. L'eau du Wayagamac est un atout. Il a fallu que ça arrive au moment où le tuyau du lac Parker est en réparation. La production est arrêtée. On sera obligés de retourner des gars à la maison.

— Embrasse-moi.

Je vis ses larges épaules se courber et les mains de ma sœur s'y poser comme deux oiseaux excités. J'ai alors ressenti un grand émoi au creux de mon ventre, comme si j'avais reçu moi-même le baiser de Matthew et sa caresse sur mon sein.

※

Mon père rentra à la nuit tombée. Je l'entendis chuchoter avec Marie-Jeanne. Mais j'étais trop épuisée par ma journée et je n'eus pas la force de poser l'oreille contre la cloison. Je préférais garder l'image de ma sœur dans les bras de Matthew. Je me rappelle m'être endormie en serrant mes cuisses. J'avais vraiment envie que la chaleur y explose.

Résidence Clair de lune, Trois-Rivières, hiver 2002

Aujourd'hui, la chaleur est dans sa jambe. Une brûlure tenace qui finira par s'étendre et la consumer en entier. Son enfer est sur Terre. Il a commencé il y a long-temps, au cœur d'un orage. Sa mère avait bien raison de craindre les éclairs et le tonnerre. Ils s'abattent par-fois sur les maisons, mais ils ne sortent pas toujours par les ronds du poêle. Ils se piègent à l'intérieur de nous-mêmes et finissent par nous troubler par leurs grondements incessants. L'orage d'Héléna ne s'est pas apaisé. Il s'est transformé en une femme odieuse qui ne l'a plus quittée.

CHAPITRE 13

Wayagamac, été 1940

Très tôt le lendemain, Fabi prépara de quoi manger et le fourra dans son sac à bandoulière. Yvonne était déjà prête à reprendre le train, superbe de rondeurs dans sa robe légère. Sa petite valise attendait sur le pas de la porte. Ma mère lui enveloppa son panier de framboises et un casseau pour le conducteur du train. Après les effusions d'usage, Yvonne trottina en direction de la *dam*. Aristide était levé depuis longtemps et fendait du bois en arrière de la maison. Sa hache s'abattait avec régularité et n'avait que faire du départ de ma sœur. J'anticipais déjà la journée en solitaire lorsque Fabi m'invita à l'accompagner. J'en eus le souffle coupé. J'entendis à peine les objections de ma mère et la courte discussion qui s'ensuivit. Je n'avais d'yeux que pour la nourriture qui se rajoutait et venait confirmer l'impensable : je la seconderais dans son travail de guide.

Fabi se sentait sûre d'elle et ses gestes avaient la détermination de ceux d'un homme. Résignée, Marie-Jeanne multipliait les recommandations. Ma sœur parlait d'une simple balade en chaloupe. Mon père fendait ses bûches comme s'il exécutait une pénitence. Il ne leva même pas la tête quand je me retournai sur le chemin pour le saluer.

À cette heure, le soleil découpait ses ombrages dans le haut des arbres. L'odeur du sous-bois s'évaporait et rendait l'air cristallin. Je m'efforçais d'accorder le rythme de mon pas sur celui de ma sœur, qui martelait le sol avec entrain. Je voyais bien que l'amour l'avait transformée. Elle irradiait une énergie qui rosissait ses joues et lui enflammait le regard. J'étais fière de l'accompagner. J'avais ressenti la veille une sorte de perte, comme si elle allait me quitter comme l'avait fait Yvonne avant elle. C'était sans doute pour cette raison qu'elle m'avait invitée. Je l'ai déjà dit, elle me lisait à cœur ouvert.

Arrivées au chalet principal, nous vîmes le monceau de bagages qui attendait sur le quai. Fabi marmonna son mécontentement devant la quantité de matériel à transporter. Puis elle se dirigea vers la plus grosse des chaloupes pour l'affréter. Elle me confia la tâche d'écoper l'eau de pluie qui s'y était accumulée. À genoux sur un banc, je m'appliquai à racler le fond du bateau à l'aide d'une boîte de conserve. Ma sœur revint, portant le moteur à l'épaule, et le fixa à l'arrière de la chaloupe. Avec des gestes précis, elle testa le démarrage en soulevant l'hélice hors de l'eau. Satisfaite, elle entreprit de charger l'embarcation. Elle prit grand soin de répartir le poids d'un bout à l'autre du bateau.

— Fabi, je suppose ?

Elle se retourna et mit un moment avant de répondre. L'homme qui était debout sur le quai, cigare au doigt, exhibait une bedaine impressionnante. Je pensai qu'il utiliserait un banc à lui seul. Ma sœur fit un signe de tête et me présenta. Il souleva les sourcils, pompa son cigare, recracha un nuage de fumée et, de la main, montra le lac.

— C'est loin ? demanda-t-il d'une voix incertaine.

— Le camp Orignal est à l'autre bout du lac. Ça va nous prendre environ une heure. On est pas mal chargés. Vous ne deviez pas être deux ?

— Hein ? Jeffrey s'en vient. Moi, c'est Albert Pettigrew. On m'avait pas dit qu'il y aurait deux guides, dit-il en me pointant de son menton rond comme un galet de rivage.

— Ma sœur me donne un coup de main pour aujourd'hui.

L'homme hocha la tête sans quitter le lac des yeux. Il semblait nerveux. Il transférait son poids d'une jambe à l'autre et grimaçait à chaque bouffée. Ça se voyait qu'il était un pêcheur occasionnel. D'abord à ses bottes neuves, qui lui montaient jusqu'aux genoux, mais aussi à son regard, qui ne voyait que de l'eau là où le Wayagamac nous offrait un matin sublime.

— Vous avez besoin de tout ça ? demanda Fabi.

Estimant que la chaloupe devrait supporter son poids et celui de Jeffrey en plus du bagage que Fabi y avait déjà déposé, il haussa les épaules.

— Ajoutez le sac brun. Le reste, vous l'apporterez plus tard.

Fabi s'exécuta pendant que Jeffrey titubait sur la grève. Plus jeune que Pettigrew, il portait une barbe hirsute qui contrastait avec ses vêtements de ville. Il faillit trébucher sur le quai, mais le gros homme le rattrapa d'un crochet de l'avant-bras.

— T'as pas encore dessoûlé, toé ? T'es mieux de te tenir tranquille dans la chaloupe, pis de rester assis.

— Inquiète-toi pas, Albert. Avec deux belles sirènes dans le bateau, j'aurai pas besoin d'aller voir au fond du lac. Pis j'ai mes pilules pour le cœur, des fois que les femmes auraient le goût de m'exciter.

— Arrête tes niaiseries, pis assis-toi donc.

Fabi lui tendit la main en lui indiquant le siège juste en avant de moi, près de la pointe de l'embarcation. Dans le mouvement, il en profita pour lui passer un bras autour de la taille. Ma sœur le remit à sa place en lui donnant une bourrade. Il tomba sur son derrière et la barque tangua dangereusement.

— J'aime ça, les femmes qui ont du nerf, dit-il en s'esclaffant.

Fabi l'ignora et entreprit d'aider monsieur Pettigrew à s'installer au centre. Il dut s'asseoir sur le rebord du quai pour y arriver. Une fois qu'il fut à sa place, la chaloupe s'enfonça un peu plus. Fabi lui ordonna de rester au milieu et me demanda de détacher la corde qui nous retenait au quai. J'obéis en poussant de toutes mes forces pour nous mettre en position de départ. Le moteur s'élança en pétaradant et notre grosse embarcation vira doucement et pointa vers le large.

Je me retournai pour défier le vent qui s'engouffrait sous ma blouse en la gonflant comme une voile. Le ciel était bleu azur et parsemé de nuages floconneux. Nous avancions à bonne vitesse sous la poussée du hors-bord. Fabi tenait le bras du gouvernail de façon à ce que le devant de la chaloupe fende les vagues sur le travers. Chargés comme nous l'étions, nous ne ressentions aucune résistance.

Monsieur Pettigrew tenait le plat bord d'une main et sa nervosité augmentait à mesure que la rive s'éloignait derrière nous. L'autre ne cessait de se retourner et de s'agiter comme un gamin qui en serait à son baptême de l'eau. De temps à autre, il fouillait dans sa chemise et je voyais sa tête se projeter en arrière. J'en déduisis qu'il continuait à boire à l'aide d'une flasque. Le visage de Fabi se durcissait à vue d'œil.

Le vent se mit à tourbillonner, alors que nous étions presque au centre du Wayagamac. De larges plaques ridées apparurent çà et là en brisant la régularité des vagues. On aurait dit que le lac se cherchait un nouveau visage, qu'il venait de se réveiller et qu'il n'arrivait pas à se décider. Nous étions au milieu de cette incertitude quand le moteur cala. D'un coup. La chaloupe continua sur son élan. Le silence devint assourdissant. Sans le grognement plaintif du hors-bord, le lac se rapprochait de nous. Ses vagues cognaient le long de la coque et son odeur se mélangeait à celle de l'essence.

Je levai la tête en même temps que les deux hommes. Nous regardions Fabi s'escrimer sur la corde du démarreur. Elle se pencha et tripota sous le capot du moteur. Elle souleva l'arbre d'entraînement de l'hélice. Sa connaissance de la mécanique était plutôt restreinte.

— Qu'est-ce qu'il y a? demanda notre gros passager d'une voix mal assurée.

— Vous le voyez ben. On est en panne! Prenez les rames et maintenez la chaloupe dans la bonne direction.

En bougeant le moins possible sa masse corporelle, il saisit les avirons par leurs extrémités et les souleva sans se préoccuper de les dégager. Le sac brun fut projeté dans le lac et se mit à s'enfoncer. L'autre rame percuta l'épaule de Jeffrey et lui arracha un cri de douleur. Notre embarcation valsa et pivota pour se retrouver en travers des vagues. J'eus l'impression de monter et de descendre une série de petites buttes les unes à la suite des autres. Fabi replaça le moteur dans sa position et essaya à nouveau de le faire démarrer, mais sans succès.

— Je vous ai dit de nous maintenir dans cette direction! cria-t-elle en pointant l'entrée d'une baie qui nous semblait au bout du monde.

Elle s'agenouilla et fouilla dans un coffre en bois à l'arrière de la barque. Elle en sortit quelques outils, une

bouteille d'huile, un rouleau de ruban gommé caoutchouté et deux vieilles bougies d'allumage. Rarement
j'ai vu ma sœur désarçonnée comme à cet instant, où
le vent souffla plus fort en changeant de direction.
Nos oscillations sur la crête des vagues se firent plus
intenses. Malgré les efforts de monsieur Pettigrew,
notre embarcation ballottait et refusait d'obéir.
Comme cela se produisait souvent sur le lac, le vent
se leva subitement et la houle avait tout l'espace pour
enfler. En quelques minutes, des rouleaux impression-
nants soulevèrent notre barque comme s'il s'agissait
d'une branche morte. J'avais les yeux ronds devant ce
revirement de situation. C'est à ce moment que je me
rendis compte que nous n'avions pas pris les gilets de
sauvetage. Ils étaient demeurés sur le quai avec le reste
des bagages. Une bourde inacceptable. Je n'attendis
aucun ordre de Fabi pour commencer à écoper l'eau
qui profitait de chacune de nos descentes pour s'infiltrer à l'intérieur. Jeffrey voulut m'aider, mais lorsqu'il
se pencha pour saisir une boîte de conserve, il vomit le
contenu de son estomac dans le fond de la chaloupe.
L'odeur me souleva le cœur et je faillis l'accompagner.
Fabi cria qu'il fallait jeter du matériel par-dessus bord.
Nous étions trop lourds. Comme personne ne s'exécutait, elle projeta deux caisses et un gros sac à dos dans
le lac. Reprenant mes esprits, je lançai ce qui était à
ma portée : de la nourriture et des bouteilles d'alcool.
Un observateur aurait trouvé étrange que, sous un
ciel éclatant, quatre personnes aient été au bord de la

panique alors que, quelques minutes auparavant, elles pourfendaient les vagues avec insouciance. De nous tous, monsieur Pettigrew faisait le plus pitié à voir. Il était à bout de souffle, le visage rubicond, les bras sans force essayant de maîtriser les rames, qui rebondissaient sur la surface du lac comme s'il était gelé.

Ma sœur s'échinait sur le moteur, pendant que je rejetais l'eau et le vomi par-dessus bord en grimaçant. Jeffrey se rinça la bouche à l'aide de sa flasque. Une vague plus imposante projeta son écume sur ses genoux.

— Tabarnak, la femelle! Sais-tu comment ça marche un moteur?

— Ah! ferme-la, Jeffrey, pis écope! cria monsieur Pettigrew d'une voix aiguë. On va caler!

— Calmez-vous, pis arrêtez de grouiller, ordonna Fabi. Ramez à gauche pour rester dans le vent.

Monsieur Pettigrew s'exécuta et, bientôt, les vagues nous poussèrent vers l'arrière. Jeffrey ronchonnait, mais utilisait sa boîte de conserve. Après un long moment, ma sœur tira sur la corde du démarreur avec force. Ses mouvements étaient rapides et vigoureux. Une rafale remit notre embarcation en travers des vagues. Monsieur Pettigrew tenta de la redresser, mais sa rame fendit l'air et il se retrouva sur le dos au fond de la chaloupe entre les jambes de Jeffrey. Fabi sacra un bon coup en tirant avec rage sur le cordon. Le tangage reprit de plus belle et l'eau s'accumula plus vite que je pouvais la retirer. Jeffrey essayait sans succès de remettre son compagnon sur son siège. À cet instant, je crus que c'en serait fini de nous. Mouillée jusqu'aux genoux, je rejetais au lac moins d'eau qu'il nous en transvidait. Je mis plusieurs secondes à me rendre compte que le moteur hors-bord ronronnait à nouveau. Notre barque se redressa et Fabi la dirigea dans une baie à l'abri du vent. Jamais le Wayagamac ne m'avait fichu une telle peur. Nous accostâmes sur une plage de sable. Je sautai la première et me retins de pleurer. Quand tout le monde fut au sec, Jeffrey éclata.

— Par votre faute, on a manqué se noyer! Les femmes devraient rester dans leur cuisine!

Ma sœur encaissa l'insulte sans broncher. Elle entreprit de nettoyer la chaloupe. À moitié dessoûlé, Jeffrey s'approcha d'elle et lui tira le bras.

— Quand j'te parle, la créature, écoute-moé!

D'un geste vif, Fabi se dégagea et sortit son couteau de son étui. Elle le pointa vers le ventre de Jeffrey jusqu'à frôler sa chemise. Sa main ne tremblait pas. Ses yeux brillaient de colère. La lame étincelait sous le soleil.

— Avise-toé pus de me toucher! cria-t-elle, furieuse.

Jeffrey recula en écartant les bras. Il ricanait, mais ne quittait pas le poignard des yeux.

— Fie-toi sur moé, ma p'tite brunette, que tu seras pas guide ben ben longtemps.

— En attendant, vous devriez vous reposer parce que vous allez marcher jusqu'au camp. Vous avez juste à suivre le sentier là-bas. Quand vous arriverez dans l'autre baie, vous apercevrez le chalet. Moi et ma sœur, on va s'occuper de la chaloupe.

— Quoi ? On…

— Ferme-la, Jeffrey, j'aime autant ça, trancha son compagnon. On verra plus tard avec Matthew Brown.

— Ça me surprendrait. Il est à La Tuque. Il y a eu un problème avec l'aqueduc municipal, intervint Fabi.

— Comment ça ? s'exclama Jeffrey. Ils nous ont dit qu'il y aurait aucune difficulté. Ils devaient nous fournir de l'eau et de l'électricité à volonté. C'était pourtant clair dans notre entente, hostie !

Monsieur Pettigrew leva la main pour le faire taire. Il semblait, lui aussi, troublé par la nouvelle. Il s'épongea le cou avec son mouchoir.

— Assis-toi, Jeffrey. Chaque chose en son temps. On va marcher jusqu'au camp, madame nous apportera ce qui reste de nos affaires, sans oublier ce qu'on a laissé sur le quai. Brown finira ben par nous expliquer ce qui se passe. On est venus ici pour signer une entente, pas pour discuter avec le guide, d'autant plus que c'est une femme. C'est combien de temps à pied ? demanda-t-il à l'intention de Fabi.

— Si vous arrivez avant nous, il y a deux chaises sur la galerie.

Ma sœur soutint son regard et rangea son couteau. Elle m'apparaissait, pour la première fois, comme quelqu'un d'étranger. Je connaissais sa force de caractère, sa force physique et sa détermination. Je la savais aussi douce et aimante, capable de tendresse et d'émerveillement. J'avais devant moi une femme dure et impitoyable, qui toisait ces deux hommes avec un mépris sans équivoque. J'éprouvai le même malaise qu'à voir le Wayagamac se transformer sous mes yeux. Ma sœur était changeante comme le lac, imprévisible et impétueuse. Je m'en approchai comme s'il s'agissait d'une bête blessée, prête à mordre. Elle me laissa retirer l'eau de la barque sans dire un mot.

Jeffrey l'observa en éclusant sa flasque qu'il accompagna d'une pilule. Assis sur le sable, son acolyte s'essuyait le cou et le visage à l'aide d'un mouchoir froissé. Quand nous eûmes terminé, Fabi poussa la grosse chaloupe sans demander d'aide. Du coin de l'œil, je vis que Jeffrey était déçu. Il avait sans doute préparé quelques insultes qui lui restèrent en travers de la gorge. Notre embarcation s'éloigna en prenant de la vitesse, maintenant délestée d'une grande partie de son poids. Les deux hommes demeurèrent sur la plage jusqu'à ce que nous contournions la pointe de la baie. Je ne mis pas longtemps à me rendre compte qu'ils devraient marcher plus d'une heure avant d'atteindre le chalet. Ma sœur le savait sans doute et avait omis de le leur préciser. Nous eûmes amplement le temps de décharger ce qui restait du matériel et de repartir sur le lac.

Fabi poussait notre embarcation à sa vitesse maximale. Depuis l'altercation avec Jeffrey, son visage s'était transformé. Il paraissait aussi dur que les rochers qui bordaient le Wayagamac. Je fus surprise d'y voir couler des larmes. Elles roulaient sur ses joues et le vent les emportait. Rien d'autre ne trahissait son émoi. Ma sœur menait la barque d'une main imperturbable. L'envie me prit de me rapprocher d'elle, mais j'avais peur de sa réaction. Nous étions au milieu du lac et la houle se parait d'écume blanche. Je n'eus d'autre choix que de l'imiter. Je tournai mon visage dans le vent pour que mes larmes soient emportées à leur tour. Le Wayagamac n'en fit qu'une bouchée, qu'il mêlerait à la brume du matin.

L'embarcation glissa le long du quai. Après en avoir fixé les amarres, Fabi commença à charger le reste des bagages.

— Tu peux t'en retourner à la maison, me dit-elle sans même me regarder. Prends-toi de quoi manger, pis pas un mot à personne !

— Fabi…

— Fais ce que je te dis !

Il était inutile de protester. Je sentais qu'elle regrettait sa décision de m'avoir invitée. Tout avait mal tourné. Je m'emparai d'un morceau de pain, des radis et de deux galettes de sarrasin. Je m'arrêtai à la crique des Cascades pour me restaurer. Malgré tout, j'étais fière de ma sœur. Elle nous avait sauvés de la noyade et venait de remettre à leur place deux hommes qui se croyaient importants. L'un comme l'autre, ces deux évènements risquaient d'avoir des conséquences.

Résidence Clair de lune, Trois-Rivières, hiver 2002

Derrière le fauteuil roulant, madame Lafrenière a l'air d'une souris. L'énorme véhicule, sur lequel on a juché Héléna, avec sa jambe à l'horizontale, doit être manœuvré avec aplomb. À tout moment, la petite femme penche la tête d'un côté puis de l'autre, pour s'assurer que la voie est libre. Le passage des portes sécurisées, qu'il faut ouvrir à l'aide d'un code numérique, s'avère une entreprise périlleuse.

— Demande donc à une préposée de m'emmener en bas, ça va être plus simple, ronchonne Héléna.

— Ben non, j'suis capable. C'est moé qui t'ai invitée, après tout !

Mais la porte de l'étage se rabat sur la chaise et leur refuse le passage. Un visiteur vient à leur rescousse. Libéré, le fauteuil d'Héléna entre dans l'espace étroit de l'ascenseur. Les portes coulissantes se referment aussitôt sans que madame Lafrenière ait la force de les retenir. Paniquée, elle s'empresse de descendre l'escalier en courant. L'ascenseur a été appelé au sous-sol. Durant tout ce temps, Héléna ne cesse de maugréer sans savoir que son amie n'est plus avec elle.

— Je regrette de t'avoir écoutée. Tu le vois ben que c'est du trouble de déplacer une handicapée. J'aurais dû rester tranquille dans ma chambre.

Les portes s'ouvrent au moment où Huguette Lafrenière, à bout de souffle, se réapproprie le contrôle du fauteuil roulant.

— Coudonc, Huguette, t'es ben essoufflée pour quelqu'un qui prend l'ascenseur?

— Laisse faire, on est… arrivées!

Quelques âmes charitables prêtent main-forte pour conduire Héléna dans la grande salle communautaire. On l'installe près de la roue de fortune. Les animateurs et quelques membres du personnel se sont déguisés pour l'occasion: une veste rayée sans manches portée sur une chemise blanche et un chapeau de gondolier orné d'un ruban rouge. Chacun se démène pour créer de l'ambiance parmi la cinquantaine de participants de prime abord plutôt tièdes.

— À quoi tu veux jouer en premier? demande Huguette avec un entrain exagéré.

— Vas-y, toi. Je vais me contenter de regarder, pour tout de suite, dit Héléna en grimaçant et en déplaçant sa jambe de quelques centimètres.

— OK, d'abord, repose-toi un peu.

À peine son amie s'est-elle éloignée qu'un petit homme au crâne dégarni s'approche et lui prend la main.

— Bonjour, madame Martel. On m'a parlé de vous. Moi, c'est Gérard Blais. Je suis curé, retraité, mais toujours près du Seigneur.

Héléna hoche la tête poliment. Est-ce un piège que lui a tendu madame Lafrenière? Pour l'amadouer, elle la jette dans les griffes d'un représentant de Dieu. À moins que ce ne soit une épreuve, envoyée par le diable pour la tester.

— Je suis content de vous voir, madame Martel. Ça va vous faire du bien de sortir de votre chambre. On est une grande famille ici.

— Je me méfie des affaires de famille.

— Dites pas ça, madame Martel. Regardez autour de vous. Qu'est-ce que vous voyez?

— Une *gang* de p'tits vieux. Des moribonds comme moi, pis d'autres sur le déclin. Une bonne partie porte une couche, la plupart sont abonnés à la pharmacie, pis tout le monde est mal nourri par un cuisinier qui sait pas se servir d'une salière. En plus, on nous parle pis on nous amuse comme des enfants. C'est ça que je vois, monsieur le curé.

Le petit homme garde son sourire bon enfant, comme si Dieu le lui avait imprimé sur le visage pour l'éternité.

— On m'a dit que vous aimez écrire, je crois?

Héléna porte son attention sur madame Lafrenière, qui vient de lancer son dard à bout caoutchouté. Elle rate la cible par deux mètres et l'animateur doit monter sur une chaise pour récupérer le projectile. Son amie se confond en excuses sous une pluie de taquineries.

— C'est une biographie?

Le curé souriant ne semble pas vouloir lâcher prise. Héléna regrette que son véhicule ne soit pas motorisé.

— Si on veut.

— Votre vie a dû être admirable.

— Il faudrait lire avant de vous pâmer.

— Je suis sûr que c'est passionnant.

— D'un certain point de vue, oui.

Il y a des années qu'Héléna n'a pas mis les pieds dans une église. La dernière fois, c'était aux funérailles de sa sœur Yvonne. Il y a plus de vingt ans. Peu après, elle avait quitté La Tuque pour s'installer en appartement à Trois-Rivières. Elle n'en pouvait plus de cette ville, elle y étouffait. Elle avait alors commencé son projet d'écriture. Elle s'y était adonnée avec patience pendant toutes ces années. Comme si le départ de sa sœur avait ouvert la voie à la vérité. Son seul compromis à la religion est le chapelet de sa mère, qu'elle a conservé comme une relique. Dans les moments de doute, elle le sort de sa sacoche et caresse les billes de bois patiné par les doigts de Marie-Jeanne. Elle sait que toutes les prières qu'il a produites n'auront servi à rien. L'été 1940 a suivi son cours et Dieu n'y pouvait rien. Mais à l'approche de sa fin, Héléna est tenaillée par le doute. Et s'il restait encore une chance pour le pardon?

— Vous voudriez me confesser?

Le visage du curé a des allures de chérubin. La demande d'Héléna le rend heureux.

— Ce sera un plaisir, madame Martel. Je passerai vous voir à votre chambre.

— Je préférerais maintenant.

— Ici? Alors il faudrait nous mettre à l'écart.

— Ce sera pas nécessaire. Approchez votre oreille et dépêchez-vous avant que je change d'avis.

Le curé s'exécute pendant que la kermesse s'échauffe sous les bons auspices des animateurs. De petits cris d'excitation pimentés d'éclats de rire s'élèvent aux quatre coins de la salle. Héléna murmure à quelques centimètres de son oreille parsemée de touffes de poils raides et vrillées. L'eau de Cologne bon marché lui soulève le cœur. Elle se dépêche d'en finir. Le crâne du curé s'éloigne lentement. Son sourire angélique a disparu.

— Vous vous moquez de moi, madame Martel.

— Dans l'état où je suis, j'ai plus envie de rire.

— Mais…

— Vous me donnez l'absolution ?

Le retour de son amie coupe court à toute réponse. Madame Lafrenière brandit une liasse de billets roses au bout de son bras.

— Le *jackpot* ! Avec ça, on va pouvoir gagner au poker. T'es bonne pour bluffer. Excusez-nous, monsieur le curé, la partie commence !

Madame Lafrenière déplace le fauteuil roulant, abandonnant le retraité ahuri par ce qu'il vient d'entendre.

CHAPITRE 14

Wayagamac, été 1940

Je m'étais préparée à mentir à Marie-Jeanne. J'étais efficace à ce chapitre. Je me surprenais moi-même. Quand j'arrivai à la maison, ma mère discutait avec Ovila Desmarais, qui tenait son chapeau à la main. Plusieurs personnes s'activaient entre le hangar et le jardin. Elles déployaient une grande toile brune à même le sol. Deux autres ébranchaient de petits arbres de la grosseur d'un mollet. Autour d'eux, des sacs et des outils jonchaient le sol. Bien vite, je compris qu'ils montaient une tente et que ça ne plaisait pas à Marie-Jeanne.

— Vous allez massacrer mon jardin !

— Inquiétez-vous pas, madame Martel, on touchera pas à vos légumes.

— Regardez-moé donc le barda ! Vous êtes dans ma cour, monsieur le maire !

— Je vous l'ai expliqué, madame Martel, il faut réparer l'aqueduc. On a pas le choix. C'est un campement temporaire. C'est à partir d'ici qu'on va faire un chemin pour apporter les matériaux jusqu'au lieu de l'éboulement. Inquiétez-vous pas...

— Arrêtez de me dire de pas m'inquiéter! Je suis chez nous, pis vous débarquez avec une armée.

— Vous êtes sur une propriété dont le fond de terre appartient au gouvernement et la maison, à la Ville.

Ma mère lui jeta un regard à faire culbuter un ours. Je pensai que si elle avait eu un couteau à portée de main, elle l'aurait pointé sur le ventre de ce petit homme à moitié chauve. Ma sœur Fabi savait de qui retenir.

— Ça vous tente pas de rajouter que vous avez volé not' terre pour une bouchée de pain?

— Faites attention à ce que vous dites, madame. J'ai un acte certifié et vous avez été payés.

— Tout le monde est au courant que le notaire est dans votre poche! Vous nous avez forcés à vendre pour presque rien.

— Madame Martel! Essayez de comprendre.

Le maire ne semblait pas apprécier la tournure que prenait la discussion. Il roulait sans arrêt le bord de son chapeau entre ses doigts jaunis par le tabac. Marie-Jeanne avait les pommettes colorées. Leur altercation fut interrompue par l'arrivée d'Aristide, qui accompagnait deux hommes en camisole. Ils transportaient un long paquet emmailloté par des chemises à carreaux et une veste. Le silence tomba lorsqu'on vit qu'il en dépassait une paire de bottes. Mon père avait l'air essoufflé et affolé.

— C'est Pierre Bélanger. On l'a trouvé dans le ruisseau coincé dans les branches. Y s'est noyé!

— Jésus, Marie, Joseph! murmura Marie-Jeanne en se signant.

S'ensuivit un long moment où personne ne semblait savoir comment réagir. Je me souviens d'avoir failli m'évanouir. Je repensais au lac et à nous quatre dans la chaloupe trop chargée, aux vagues qui nous ballottaient. Nous aurions pu finir comme lui, emmaillotés, le ventre plein d'eau. Je compris toute la responsabilité qui pesait sur les épaules de Fabi.

Ovila Desmarais remit son couvre-chef et prodigua ses ordres.

— On le ramène en ville. Faudra avertir le docteur. Pierre avait pas de famille dans le coin. Mais je pense qu'il a un frère à Hervey-Jonction. Je vais m'occuper de ça. Les gars! Allez monter la tente, mais de l'autre côté de la *dam*. Vous défricherez un peu pour faire de la place.

Marie-Jeanne redressa les épaules fièrement malgré la présence du mort.

— C'est toi qui l'as vu le dernier, Aristide? demanda le maire.

Mon père sursauta, acquiesça et frotta sa joue rugueuse du revers de la main.

— Y sont venus hier, Pierre pis Amédée Lachance. Pour examiner les dégâts. Quand y sont remontés, Amédée est parti en ville par le chemin de la *track*. Pierre est retourné à l'éboulis. J'ai descendu pas longtemps après lui, pour voir si y avait besoin d'aide, pis je l'ai pas vu. J'ai pensé qu'il avait continué le long du ruisseau. J'suis pas allé voir plus loin que la cassure.

— Il a dû tomber sur une roche, pis glisser dans l'eau, conclut le maire. Il devait vouloir inspecter plus bas pour voir si y avait pas d'autres dégâts. Il savait pas nager. Il me l'avait déjà dit. Le courant doit être fort en aval du bris. C'est triste. C'était un bon travaillant.

Mon père hocha la tête et s'approcha de Marie-Jeanne. Elle lui serra le bras et je vis sur ses lèvres qu'elle récitait le « Je vous salue Marie ».

On confectionna un brancard de fortune et on y déposa le corps du noyé. Tout le monde attendit que disparaisse le cortège, composé du maire et des deux hommes les plus costauds du groupe, avant de se remettre à l'œuvre.

C'est à ce moment que ma mère se rendit compte de ma présence.

— Fabi est pas avec toé ?

— Elle avait encore de l'ouvrage. J'suis revenue toute seule.

Elle me sermonna à propos de l'ours qui rôdait et du manque de jugeote de ma sœur. Mais ce fut bref, car elle était sous le choc de la noyade de Pierre Bélanger. Elle ne le connaissait pas, mais elle connaissait la mort. Comme les orages, elle en avait une peur bleue. Elle avait perdu trois enfants, Lucienne, Émilien et Blanche, lors de la grippe espagnole de 1918. Ils avaient respectivement quatre, trois et un an. Partis coup sur coup, ils lui avaient laissé un grand trou au cœur. Le trou était devenu une porte sombre et ne s'était jamais refermé quand son Aldéric, âgé de seize ans, s'était noyé dans le lac Saint-Louis en plein cœur de La Tuque. Une balade en canot qui avait mal tourné. Un accident bête qui éclate comme le tonnerre. Je me souvenais de lui comme d'un frère joyeux qui s'entendait comme larrons en foire avec Francis. Je comprenais aussi que Marie-Jeanne ait peur que la porte crache la mort à nouveau. En retournant vers la maison, je me disais qu'il s'en était fallu de peu pour que la liste s'allonge.

CHAPITRE 15

Wayagamac, été 1940

L e lendemain matin, j'allai examiner la tente de plus près. Des cordes attachées à des piquets la maintenaient bien tendue. La toile épaisse sentait le renfermé et l'humidité. J'entrai et je fus surprise d'y tenir debout sans problème. Il y régnait une chaleur accablante et une lumière jaunâtre m'enveloppait. Des pelles, des pics et de gros câbles avaient été jetés pêle-mêle sur le sol. Au fond, trois madriers étaient posés sur des tréteaux.

— Qu'est-ce que tu fouines, la sœur? demanda Fabi en écartant la toile d'un coup sec.

— Rien. Je voulais juste voir.

— C'est des tentes utilisées par les bûcherons. J'en ai vu une fois, au lac Tom. Le père m'avait emmenée pour pêcher. C'était ben organisé. Y'en avait avec des lits cordés comme des sardines, d'autres avec un poêle à bois pour la *cookery*, pis des tables pas plus larges que celle-là. J'te dis que les gars devaient être tassés.

— Penses-tu qu'ils en monteront plusieurs?

— J'sais pas. Ça va dépendre des travaux, j'suppose.

J'étais heureuse de constater que ma sœur avait retrouvé son sourire et le goût de parler.

— J'ai envie d'aller voir de quoi ça a l'air. Viens-tu avec moi, Héléna?

Deux fois plutôt qu'une! Ma curiosité naturelle était piquée au vif par tout ce branle-bas de combat. Je risquai une question sur notre aventure de la veille.

— T'es revenue tard, hier?

— Ouais, t'aurais dû voir les deux gars. Je te dis que les «frappe-abords» les avaient pas manqués. Jeffrey avait la face boursouflée pis les yeux sortis de la tête. L'histoire de l'aqueduc avait l'air de les déranger pas mal. Après, j'en ai profité pour faire du ménage dans le garage du club. J'suis revenue juste avant la noirceur. Tu dormais déjà. M'man m'attendait. Elle récitait son chapelet devant un gros lampion. Elle m'a conté pour le noyé. Toi, tu y as rien dit, j'espère?

— Tu sais ben que non, Fabi.

Elle me fit un sourire qui m'alla droit au cœur. Ma sœur n'avait plus rien de l'étrangère qui avait menacé un homme avec son couteau. Cela me rassurait.

— J'suis désolée pour hier, Héléna. C'est de ma faute c'qui est arrivé. J'aurais dû mieux vérifier le moteur. Un bon guide aurait vu que le fil de la bougie était pas assez serré. J'ai paniqué. Je me serais jamais pardonné d'avoir noyé ma sœur.

— Ben voyons! Tu serais morte avec moé! Pas de gilet de sauvetage, en plein milieu du lac, y'a pas grand monde qui pourrait s'en sortir.

Devant l'évidence, nous éclatâmes de rire sans pouvoir nous arrêter. Fabi cria à notre mère que nous allions faire un tour. Cette dernière répondit de faire vite parce qu'il y avait du linge à laver, la glacière à nettoyer et du bois à corder. Nous courûmes en nous tenant la main en direction du sentier qui descendait le long du ruisseau.

Nous le connaissions par cœur. Chaque creux, chaque affleurement de rocher ou de racine, le moindre tournant nous étaient familiers. Nous avions passé cinq étés à le parcourir, soit pour y pêcher la truite ou pour le plaisir d'y tremper nos pieds au bas d'une cascade. Par endroits, il s'élargissait et formait de grands étangs, où l'eau tourbillonnait et semait des franges d'écume blanche, qui s'accrochaient aux pierres et aux chicots immergés. C'est au pied des rapides que nous faisions nos plus belles prises. J'étais toujours la première à sauter sur les rochers, à me pencher pour éviter les branches crochues ou à m'accroupir pour mieux observer mes proies. Je laissais Fabi loin derrière et jamais il ne me vint à l'esprit que le ruisseau pouvait devenir dangereux pour moi. Pourtant, monsieur Bélanger était le troisième à s'y noyer depuis que nous étions au lac. Les deux autres étaient des pêcheurs qui avaient été emportés au printemps, alors que les eaux tumultueuses rendaient les pierres glissantes.

Le sentier s'arrêta brusquement là où il y avait un promontoire. Nous avions devant nous un grand trou dépourvu de végétation. Le sol mis à nu montrait des racines qui sortaient de terre comme de longs doigts crochus. Au pourtour de la plaie, quelques arbres avaient résisté et pointaient leur cime à l'horizontale. Tout au fond, un amas de boue, de pierres, de troncs d'arbres et d'arbustes avaient repoussé la rive du ruisseau. Un énorme rocher avait fendu une section de l'aqueduc qui, à cet endroit, comme à bien d'autres, n'était pas enfoui dans le sol. Un geyser d'eau en sortait et creusait une poche dont le trop-plein s'écoulait par des rigoles aléatoires.

C'était là où nous nous étions baignées à plusieurs reprises. On voyait encore une partie de la minuscule plage où il faisait bon planter ses orteils dans le sable frais. Nous y étions comme deux enfants sur leur île déserte. Nous en sortions couvertes de piqûres de moustiques, mais comblées de soleil et de bonheur.

Voilà maintenant que notre petit coin secret avait l'air d'un bourbier. Fabi me prit la main et je sentis qu'elle aussi était troublée.

— Viens, on descend. Par là !

Il nous fallut contourner l'ouverture béante, nous accrocher aux branches basses des arbres, assurer nos pieds sur les roches instables avant d'atteindre le ruisseau. Vus de près, les dégâts semblaient plus importants. Autour du geyser, les planches de bois étaient fendues et éclatées. Le métal qui les retenait était tordu. Sous la force de l'impact, le gros tuyau s'était déplacé de deux pieds sur toute la longueur, là où il sortait hors de la terre. Je fus impressionnée par la taille du rocher qui l'avait éventré.

— Hé! Vous, là-bas!

Nous tournâmes la tête vers la rive opposée. Un peu plus bas, un homme nous faisait signe de la main. Fabi lui rendit son salut. Il nous cria de l'attendre. Après quelques minutes, il sortit du bois, en face de nous. Il s'approcha le plus près possible, sans toutefois pouvoir traverser le ruisseau. Il resta en équilibre, les jambes écartées, sur deux petites pierres. Nous savions qu'il n'y avait que deux ou trois endroits, en amont, où il était facile de passer d'une rive à l'autre sans se mouiller en sautant sur les rochers ou les arbres morts.

— Vous êtes les filles de monsieur Martel?

Fabi nous présenta pendant que je l'examinais. À peu près de l'âge de mon père, il était moins fort de carrure. Il plissait les yeux comme si de la fumée l'incommodait. Sa grosse moustache masquait sa lèvre supérieure et ne bougeait presque pas lorsqu'il parlait. Cela lui donnait l'air d'un poisson qui filtrait l'eau du lac. Il tenait le pouce de sa main gauche accroché à la poche de son pantalon, pendant que la droite s'agitait mollement devant lui.

— Je suis le chef de police de La Tuque. Omer Picard. Je suis venu voir l'endroit où on a trouvé le noyé. Vous le connaissiez?

— Non, répondit Fabi.

— C'est un beau gâchis, dit-il en montrant le tuyau éventré.

— Ouais.

— Vous veniez souvent par ici ?

— De temps à autre, pour pêcher.

— Vous vous souvenez de ce rocher ? Est-ce qu'il était tout en haut ? demanda-t-il en pointant le sommet de la falaise.

Fabi examina la pente. Comme moi, elle se rappelait sans doute qu'un bloc de pierre soutenait le grand pin et une bonne couche de terre et d'humus. À en juger par sa grosseur actuelle, à peine le quart nous était visible. Elle lui expliqua en gesticulant de quel endroit il s'était détaché. Il hocha la tête en considérant l'ensemble de l'éboulement. Sa bouche de poisson s'activa sans que rien en sorte. Il releva le bord de son chapeau, me fit un demi-sourire et manqua de perdre l'équilibre. Je dissimulai mon envie de rire derrière l'épaule de Fabi.

— C'est vrai qu'on a eu un gros orage l'autre soir. En ville, les rues étaient pleines d'eau.

Fabi ajouta qu'au lac, le vent avait été soudain et violent. Il nous écoutait avec intérêt. Un deuxième homme sortit de la forêt, une hache à la main. Il nous salua d'un coup de tête. Le chef de police fit les présentations.

— Amédée Lachance. Il travaille pour la voirie. C'est lui qui a trouvé le corps, un peu plus loin en aval. On est allés en haut tantôt. Il me faisait voir que le terrain était en pente dans l'autre sens, à partir du dessus. C'est drôle que la pluie ait pu autant éroder la falaise. Elle aurait dû s'écouler sur l'autre versant. Ça devait péter fort, le soir de l'orage ?

Fabi répondit que le tonnerre résonnait dans toutes les montagnes alentour, que c'était comme le déluge.

— Ouais, c'était pareil en ville. Restez pas ici ! On a ben assez d'un noyé.

Fabi approuva et jeta un dernier regard circulaire avant de rebrousser chemin. J'observai le chef de police qui ouvrait et fermait la bouche comme le ferait une grosse truite sur le point de sauter sur l'appât. Cet homme m'inquiétait. Il avait l'air de douter de ce que nous racontions et semblait n'être intéressé que par l'éboulement et par nos poitrines, où ses yeux s'accrochaient sans cesse.

— Viens-t'en, Héléna !

Je m'empressai de rattraper ma sœur, qui m'attendait pour rejoindre le sentier un peu plus haut. Avant de reprendre le chemin de la maison, nous vîmes le chef de police contourner le geyser en examinant les arbres et le sol tout autour. Chaque fois qu'il s'arrêtait, il remettait le pouce dans la poche de son pantalon. L'homme à la hache le suivait à quelques pas de distance. Leur attitude me semblait bizarre et, n'eût été Fabi, je me serais cachée pour les observer. J'avais le pressentiment qu'ils ne nous avaient pas tout dit.

Résidence Clair de lune, Trois-Rivières, hiver 2002

— Madame Martel? Madame Martel?

L'image d'Omer Picard est remplacée par celle de Gaétane. La blonde jeune femme lui offre son plus beau sourire. Il y a longtemps qu'Héléna ne l'a vue. De toutes les préposées, elle est sa préférée. Malheureusement, des maux de dos à répétition l'obligent à travailler au rez-de-chaussée, avec les cas moins lourds. De temps à autre, elle prend un moment pour venir saluer Héléna.

— C'est moi qui vais vous donner votre bain à matin. Je pense que vous étiez ailleurs.

— Comment ça? T'es revenue sur l'étage? dit Héléna avec espoir.

— Non, c'est juste que je remplace Anita. On manque un peu de personnel.

— Elle est pas difficile à remplacer!

— Soyez pas trop dure avec elle, faut qu'elle apprenne.

— On voit ben que c'est pas toé qui es le cobaye!

— Je m'ennuie de vous, madame Martel. Votre franc-parler me manque.

— Moé aussi, tu me manques.

— Ça va me faire seize heures de travail aujourd'hui, mais j'ai pas le choix. La *boss* a pas trouvé personne d'autre. C'est peut-être la neige. On a eu une belle bordée. C'est tout blanc. On commence juste février, pis il s'annonce pas mieux que janvier! Vous voulez que je vous approche de la fenêtre pour voir?

— Laisse faire. J'arrive du soleil. L'hiver, c'est pas pour tout de suite.

Gaétane est perplexe pendant un instant, puis comprend qu'Héléna parle de son livre.

— Il doit y avoir des belles affaires là-dedans pour que vous le lisiez si souvent.

— Ouais. Des belles pis des moins belles. Tiens, mets-le dans le tiroir. Je vais le continuer plus tard.

Gaétane s'exécute avec une légèreté enthousiaste.

— En tous les cas, il est pesant, votre livre.

— Plus que tu penses, ma fille.

— Je vous trouve bonne d'avoir écrit tout ça!

— T'es aussi méritante de t'occuper de moé. T'es la meilleure icitte!

— Je fais juste ma *job*, madame Martel. Pis là, je vous emmène au bain!

— Pauvre petite fille, t'es toute seule pour me manœuvrer. Magane-toé pas le dos.

— Vous dites ça chaque fois. Craignez pas, je sais comment faire. Vous pesez rien à côté de madame Gendron! Les 250 livres, je les laisse à ceux qui sont capables de les lever. Vous, je vais vous mettre dans le fauteuil roulant dans le temps de le dire!

— C'est vrai qu'un paquet d'os, c'est pas difficile à déplacer!

— Arrêtez donc, vous êtes encore ben correcte. Je suis sûre que vous feriez fureur auprès de plusieurs hommes si vous alliez plus souvent en bas.

Héléna se contente d'un sourire fatigué. Il y a tellement d'années qu'elle vit seule. Personne n'a vraiment succédé à son mari après sa mort. C'était mieux comme ça. Quand son fils est parti, la vie est devenue un purgatoire sans rédemption. Celle demandée la veille, au chétif curé, n'a peut-être pas une grande valeur aux portes de l'au-delà. On dit que l'alzheimer lui souffle la chandelle de temps en temps. Se souvient-il seulement de ce qu'elle lui a chuchoté à l'oreille? Mieux vaut ne pas courir le risque et lui rafraîchir la mémoire.

— Allez, madame Martel. Accrochez-vous à mon cou, je vais vous transférer dans le fauteuil roulant.

Chaque fois qu'Héléna se retrouve dans les bras de Gaétane, le mal s'apaise dans sa jambe. Cette femme a un don ou bien c'est le souvenir de Fabi qui la soulevait de la même façon quand elle-même n'était qu'une petite fille de cinq ou six ans. C'est la trace du bien-être que son corps a conservée à travers le temps. L'évocation d'une force qu'elle admirait et qui la rassurait déjà à cet âge. Que pourrait-elle bien troquer aujourd'hui, si le diable était présent, pour retrouver l'odeur épicée qui s'échappait de la peau de Fabi? La tête d'Héléna se couche d'elle-même contre le cou de Gaétane. La préposée referme ses bras et berce la vieille dame. Elle la sent encore plus légère que la dernière fois. Bientôt, elle ne fera plus que le poids d'un ange.

CHAPITRE 16

Wayagamac, été 1940

De loin, je vis Marie-Jeanne au jardin. Son chapeau de paille se déplaçait entre les rangs, comme un œil jaune qui se serait détaché du soleil. Elle avançait le dos courbé, à la façon d'un escargot, cueillant les légumes d'une main et désherbant de l'autre. Rarement, durant le jour, était-elle assise à ne rien faire. Elle reprisait, lavait, dépoussiérait, cuisinait sans relâche. Nous en ressentions de la culpabilité. Il nous semblait de l'ordre du péché mortel de perdre notre temps à des activités non productives. Le simple fait de la voir à l'œuvre nous poussait à presser le pas et à rechercher la corvée.

Je pris donc le panier de linge propre et commençai à le plier. Fabi alla rejoindre mon père près du tas de bois. Elle se remplit les bras de morceaux de toutes les grosseurs, pour ensuite les transporter et les corder sous le toit de fortune adossé à l'arrière de la maison. Il y sécherait à l'abri des intempéries.

Notre petit monde tournait ainsi, jour après jour, jusqu'à ce que l'hiver nous oblige à en ajuster le déroulement.

Je nettoyai la glacière, puis remis un bloc de glace puisé parmi ceux qui attendaient, sous une épaisse couche de bran de scie, dans notre réserve accolée au hangar. J'aimais y pénétrer, car il y régnait une fraîcheur bienfaisante en plein cœur de l'été. Je creusais la sciure de bois qui sentait bon et dégageais avec difficulté un carré d'eau gelée en m'aidant d'une hachette. Ces morceaux de lac, découpés à la scie en plein hiver, étaient empilés sur un traîneau et enfouis dans ce trou. Nous tenions tout l'été sur cette réserve. Il nous arrivait de la concasser, de la mettre dans des pots et de nous en servir pour rapporter de la viande et des abats de la ville.

Quand j'eus fini cette corvée, j'allai rejoindre Fabi près de l'amoncellement de bois. Sa chemise était couverte de ronds humides et de morceaux d'écorce. Des mèches de cheveux lui collaient au front. Lorsqu'elle se penchait pour ramasser les bûches, la sueur gouttait de son menton. Elle continuait son va-et-vient même lorsqu'Aristide posait sa hache pour reprendre son souffle. Fabi travaillait comme un homme. Mieux que plusieurs d'entre eux. Je pensais parfois qu'elle en faisait trop, pour prouver sa valeur, pour défier mon père, pour se punir ou tout simplement parce qu'elle aimait cette vie rustre au bord du lac. Peu importe la raison, être sa sœur me comblait. Sans elle, j'étais convaincue que notre présence au bord du Wayagamac aurait été bien plus difficile.

Matthew Brown arriva au moment où je m'apprêtais à aider Fabi. Il était accompagné par les deux hommes que nous avions transportés sur le lac. Il marchait d'un bon pas, le chapeau relevé sur le front. Monsieur Pettigrew traînait de la patte en s'éventant avec son couvre-chef. Comme à son habitude, mon père continua son travail comme si de rien n'était. Fabi eut un sourire discret à l'intention de Matthew, puis elle s'empressa d'aller corder sa brassée de bois. Moi, je commençai à trier le mien en prenant une éternité. Je tenais à demeurer aux premières loges pour ne rien manquer.

— Bonjour, Aristide. J'aurais besoin de votre aide.

On sentait que le jeune homme était sous pression. Il s'exprimait comme un *boss* parlant à ses employés.

— Ces messieurs sont venus de Montréal. Ils aimeraient voir les dégâts sur le tuyau de l'aqueduc.

— Vous avez juste à suivre le ruisseau, dit mon père avant d'abattre sa hache sur un gros rondin qui se fendit en craquant.

— C'est qu'il faudrait réduire le débit de la *dam*. Ça nous permettra de mieux constater l'ampleur des dommages, pis ça évitera que ça s'aggrave. Vous pourriez le faire?

— Ouais, mais je le ferai pas.

— Pourquoi?

— Parce que j'ai pas reçu d'ordre de la Ville.

Matthew Brown connaissait suffisamment mon père pour savoir qu'il était inutile d'insister. Il se tourna vers les deux autres, qui semblaient outrés par la réponse d'Aristide. Matthew temporisa leur impatience d'un geste de la main, puis attendit que Fabi revienne.

— Fabi, je... j'ai pas beaucoup de temps pour te parler. Avec toute cette histoire d'aqueduc, j'en ai par-dessus la tête. Je voulais juste te dire... qu'on aura pas besoin de guide pour un moment. Tu comprends? Avec tout ce qui se passe...

Fabi se mit à rougir et ses yeux rencontrèrent ceux de Jeffrey. Il ricanait en montrant les dents comme un homme satisfait d'un bon coup. Ma sœur savait qu'elle payait pour sa bourde de la veille. Elle aurait sans doute aimé que Matthew prenne le temps d'entendre sa version, plutôt que de se comporter comme un patron qui s'empresse de régler le problème à la va-vite pour plaire aux visiteurs importants. La déception se lisait sur son visage.

— Je comprends, dit-elle en reprenant sa tâche.

Matthew n'osa pas demander ce qu'elle comprenait. Il nous salua et fit signe aux deux autres de le suivre. Mon père fit claquer sa hache à nouveau. Cette fois, le son se répercuta avec force et la montagne nous retourna son écho. Aristide attendit que les trois hommes soient à bonne distance avant de s'adresser à Fabi.

— J'te l'avais dit que c'était pas pour une femme, c'te *job*-là.

Fabi jeta sur le sol les bûches qu'elle venait d'empiler dans ses bras. Le feu intérieur, qu'elle avait circonscrit devant Matthew, devenait un brasier menaçant face à mon père.

— Vous savez pas de quoi vous parlez!

— C'est pas un homme pour toé!

L'affirmation la laissa sans voix. Fort de son avantage, Aristide s'avança d'un pas.

— C'est le gérant de l'usine. Penses-tu qu'y va se bâdrer d'une fille comme toé? Y'a assez d'argent pour s'en payer une douzaine tous les soirs.

— Matthew est pas comme ça!

— Réveille-toé, Fabi. C'est pour quoi faire les belles femmes que tu vois au pavillon? C'est certainement pas pour appâter les truites!

— C'est toujours pareil avec vous, le père. Vous essayez de nous décourager. De nous rabaisser! Vous voulez nous garder icitte, pour qu'on travaille pour vous. Vous avez fait la même chose avec Francis pis Yvonne, pis y sont partis pareil. Ben moi, crisse, m'a aller les rejoindre si ça continue!

Les yeux dans l'eau, Fabi serrait les poings de fureur. Elle cracha par terre et courut en direction du quai. Marie-Jeanne sortit sur la galerie, alertée par les haussements de voix. Mon père évita son regard et se remit à bûcher. Le chef de police choisit ce moment pour apparaître au coin du hangar. Il était seul et avançait sans se presser. Il fit un signe de tête à ma mère, qui s'essuyait les mains avec son tablier, puis passa un commentaire sur le temps magnifique qui perdurait. Marie-Jeanne répondit sèchement, irritée par tous ces hommes qui traversaient sa cour comme s'il s'agissait d'une place publique. Le chef de police s'arrêta à une dizaine de pas de mon père. Il prit la même posture que sur le bord du ruisseau, jambes écartées, pouce dans la poche, mâchoires béantes. Cette fois, Aristide posa sa hache et fut le premier à parler.

— De la grande visite.

— Bonjour. Je suis le…

— J'sais qui vous êtes.

— C'est le temps de couper du bois pour l'hiver.

— Ouais, dit mon père en regardant le tas de rondins. On peut faire quelque chose pour vous?

— J'ai vu où Pierre Bélanger s'est noyé.

— Vous êtes pas un peu loin de la ville pour enquêter?

— Les RCMP[1] sont pas mal occupés avec les étrangers. Rapport à la guerre. Pis je connaissais Bélanger. C'était un bon ami. Vous étiez avec Lachance quand il l'a trouvé?

— Pas tout à fait. C'est Amédée tout seul qui l'a vu plus bas sur le ruisseau. Moi, j'étais resté sur place avec l'autre gars pour examiner les dégâts.

— C'est ça qu'Amédée m'a dit. J'ai rencontré vos deux filles, proche de l'éboulis.

La grosse moustache se tourna dans ma direction et je crus apercevoir un sourire incertain sous l'amas

---

1 Royal Canadian Mounted Police.

de poils. Ses yeux s'attardaient sur mon corps un peu trop à mon goût. Mon père sortit sa pipe et la frappa contre le talon de sa botte. Je sentais que la présence de ce policier l'incommodait. En temps normal, il aurait repris le travail sans se préoccuper du déroulement de la conversation.

— Quand les deux gars sont descendus, la première fois, pour voir ce qui clochait avec l'aqueduc, ça vous a pas tenté d'aller voir avec eux autres?

— Fallait que je change un fer à mon cheval.

— C'est vrai que c'est précieux, un cheval, surtout quand on est loin de la ville, dit l'homme à la bouche de poisson d'un ton neutre.

— C'est ça.

— Monsieur le maire m'a affirmé que vous étiez allé rejoindre Pierre un peu plus tard, en fin de journée. Du moins, c'est ce que vous lui auriez dit.

— C'est ben vrai.

— Quand je suis descendu tout à l'heure, j'ai vu qu'il y avait des traces de pas jusqu'au milieu de la pente où a eu lieu l'éboulis. Est-ce que ce sont vos traces?

— Non.

— Alors, ça devait être celles de Pierre, parce qu'Amédée m'a confirmé qu'il était pas monté là. Je me demande pourquoi Pierre se serait donné la peine de gravir la pente.

— Aucune idée.

— C'est peut-être parce qu'y avait vu quelque chose de pas normal. Vous pensez pas ?

— C'est pas moé, la police. C'est vous.

— Ben sûr. Je voulais juste avoir votre avis.

— Pourquoi toutes ces questions ?

— Pour savoir. Y'a quelqu'un qui est mort. C'est mon métier de découvrir pourquoi. Vous l'avez vu quand vous êtes descendu au ruisseau ?

— Non. Y'avait personne quand j'suis arrivé au tuyau. J'ai pensé qu'il avait continué plus bas. J'suis revenu à' maison avant la noirceur.

— Vous avez pas pris l'temps d'examiner autour ?

Aristide mâchouilla le tuyau de sa pipe. Il se pencha pour empiler deux rondins.

— C'est sûr, j'ai regardé un peu. À la brunante, on voyait pas grand-chose.

— C'est la première fois qu'il y a un éboulis dans ce coin-là ?

Mon père leva la hache et fendit la bûche d'un seul coup. Une moitié roula jusqu'aux pieds du chef de police. L'homme à la bouche de poisson n'eut aucun mouvement de recul.

— J'sais pas, dit Aristide en dégageant, d'un coup de poignet, la tête de sa hache coincée dans le bois.

— C'est vrai qu'il y a eu un gros orage. J'imagine que, dans les montagnes, ça a dû péter comme de la dynamite.

— Ça a fessé fort, appuya mon père en fendant une autre bûche.

— Vous étiez dehors ce soir-là?

— J'étais dans mon hangar. Pourquoi?

— Tout le monde sait que c'est dangereux, les éclairs.

Les deux hommes s'affrontèrent du regard pendant un long moment. Puis Aristide sembla se rappeler ma présence.

— Reste pas plantée là, Héléna. Le bois se cordera pas tout seul!

Je me dépêchai d'aller porter les trois bûches que j'avais dans les bras. Quand je me retournai, le chef de police s'éloignait et mon père le fixait d'un air songeur.

Résidence Clair de lune, Trois-Rivières, hiver 2002

Héléna cesse la lecture. Sa jambe la fait souffrir. C'est inévitable le jour du bain. Trop d'efforts pour un membre qui devient étranger à son corps. Peut-être aurait-elle dû accepter l'opération quand elle était encore utile.

— Je peux entrer, Héléna?

— Qu'est-ce que tu veux?

— Je t'apporte ton prix pour la kermesse. T'as gagné une belle boîte de chocolats!

— Tu peux la garder. Juste à voir l'image de la cerise qui flotte dans le chocolat, j'ai mal au cœur.

— Es-tu folle ? C'est à toé que ça revient. Moé, j'ai eu du *fun* en masse, pis j'ai gagné une bouteille de lotion.

— Ah ! C'est ça qui pue de même. La prochaine fois, mets-en moins. Pose la boîte sur la commode, y'a ben quelqu'un qui va les manger.

— As-tu dîné, toujours ? demande madame Lafrenière en pointant le plateau.

— J'ai bu un peu de café, pis j'ai grignoté la salade de fruits. Je suis trop fatiguée.

— Pas assez pour lire ton livre ! T'es pas raisonnable.

— Tiens, prends-le. Tu le mettras dans le tiroir.

— Ça te tente pas de regarder la cérémonie d'ouverture des Olympiques ? C'est aux États-Unis, à Salt Lake City. Ils ont dit que ce serait ben beau.

— Ça peut pas être plus beau que sur le bord de mon lac.

— De quoi tu parles ?

— C'est dans mon livre. Bon, si ça te dérange pas, je vais essayer de faire un somme avant de voir le médecin.

— Tu descends à son bureau tantôt ?

— Pantoute ! C'est lui qui monte. Il a ses deux jambes, qu'y s'en serve ! Aide-moé à m'installer.

Madame Lafrenière replace les oreillers sous la tête de son amie. Puis elle se rend au pied du lit pour actionner la manivelle servant à le positionner à l'horizontale. L'effort est intense pour sa musculature flétrie. Elle se redresse, fière d'elle.

— Si ça continue, je vais être bonne pour me faire engager.

— Quand ça arrivera, avertis-moé pour que je pense à mourir avant! Merci pareil!

— Essaye de dormir. Je r'passerai en fin de soirée pour voir c'que le docteur a dit.

— C'est ça, ouais. Oublie pas mon livre.

CHAPITRE 17

Wayagamac, été 1940

Les jours suivants, un groupe de travailleurs vint élargir le sentier qui menait de la *dam* jusqu'à la voie ferrée. Ils fauchèrent les arbustes, abattirent des arbres, déplacèrent de grosses pierres et dégagèrent le bord du lac pour y dresser une nouvelle tente. Des vivres et des outils y furent entreposés. Deux hommes s'y installèrent jour et nuit. Ti-Gars fut prêté par mon père pour enlever les souches et tirer les billots. Notre vieux cheval trimait dur et rentrait le soir, à l'écurie, le pelage couvert d'écume. Je le bichonnais de mon mieux en lui murmurant des mots d'encouragement.

En un rien de temps, le paysage autour de notre maison fut transformé. Une cicatrice béante fendait la forêt et une deuxième la trouait de notre côté du ruisseau. Elle s'en éloignait pour éviter la pente et zig-zaguait entre les obstacles, la plupart du temps consti-tués de gros rochers ou de ravins. Le sentier était assez large pour qu'un traîneau de bois puisse y transporter les matériaux et les outils ; on ne pouvait le qualifier de chemin véritable. Il s'agissait plutôt d'une ouverture gagnée à l'arraché sur une nature dense et rébarbative.

Mon père s'occupait des travaux exécutés par notre cheval. On ne le vit pas beaucoup à la maison durant ces quelques jours. Il rentrait à la noirceur, mangeait seul à la table et se couchait sans avoir prononcé plus de quatre mots. Puis un soir, il nous annonça que nous irions à La Tuque, le lendemain. Comme les matériaux manquaient, le chantier tournerait au ralenti. Nous en profiterions pour aller au marché et refaire nos provisions. Fabi ne manifesta aucun enthousiasme envers le projet. Depuis sa mise au rancart par Matthew, elle s'acquittait de ses tâches en avant-midi et disparaissait pour le reste de la journée. Elle manœuvrait la chaloupe, sous les sifflets et les quolibets entreprenants des travailleurs, puis longeait la rive opposée du Wayagamac jusqu'au dos d'hippopotame, à l'arrière duquel elle s'éclipsait. Elle apportait de quoi pêcher, mais ne rapportait jamais de poisson.

Le matin de notre départ, le temps devint maussade. Le ciel était complètement bouché, grisâtre et menaçant. Marie-Jeanne prit le seul parapluie que nous avions. Elle nous attendait en égrenant son chapelet. Elle portait une veste de laine par-dessus sa robe. C'était une des rares occasions où on la voyait sans son tablier. Mon père tirait sur sa pipe en observant les deux hommes qui grillaient leur déjeuner sur un feu de camp. Fabi termina ma coiffure en nouant mon plus beau ruban jaune. Comme d'habitude, je refusai le rouge à lèvres de peur d'attirer trop les regards.

Une demi-heure plus tard, nous nous installions dans le *speeder*. Fabi et Aristide le lancèrent sur les rails à force de bras, puis la pente fit le reste du travail. Aristide devait même actionner le frein sitôt passé le Fer à cheval, qui était constitué d'une longue courbe adossée à la montagne et qui se terminait dans un petit tunnel. Ma sœur et moi avions l'habitude d'y faire des vocalises en jouant à qui repérerait une chauve-souris la première. Mais ce jour-là, Fabi n'avait pas le cœur aux espiègleries.

Une pluie chaude et fine se mit à tomber au moment où notre wagonnet s'immobilisait devant la gare de La Tuque. Le chef de la station était un petit homme nerveux aux yeux larmoyants. Il aida mon père à ranger le véhicule sur une voie parallèle. Un camion de livraison et une voiture tirée par des chevaux se croisèrent sur la rue Saint-Louis. Une Ford noire klaxonna et le chauffeur envoya la main à un couple de passants. Aristide bourra sa pipe en discutant avec le chef de gare. Nous prîmes chacune un bras de Marie-Jeanne pour nous blottir sous le parapluie. C'est en formant cet amalgame que les trois femmes du Wayagamac arrivèrent au marché situé derrière l'hôtel de ville, sur la rue Saint-Antoine. À l'extérieur, sous un excédent de la toiture, on y vendait les légumes. Passé la grande porte, on y faisait boucherie. Les animaux, morts le matin même, étaient dépecés devant nos yeux. Les couteaux effilés mordaient dans la chair selon le désir du client.

Il y avait déjà du monde. Qui arrivait tôt avait le meilleur choix. Les étals offraient de la volaille, des pièces de bœuf, de veau ou de cochon. Parmi les viandes rouges et sanguinolentes, on trouvait du boudin bien gras, des rognons qui sentaient la pisse, des langues recouvertes de pustules, du foie gluant, des jarrets entiers et des têtes de porcelets, sectionnées au ras du cou, qui nous regardaient de leurs yeux vitreux.

Marie-Jeanne choisissait, marchandait et glissait dans son sac, parmi les pots de glace, ses achats ficelés dans du papier ciré. J'observais tout ce bazar avec une certaine répugnance. Cette chair fraîche, abattue à l'aube, dégageait une odeur âcre de sang séché. Je circulais à bonne distance des étals en regardant les fermiers se transformer en bouchers, les mains rougies jusqu'aux poignets. Leur sourire et leur bonhomie contrastaient étrangement avec la viande inerte et les têtes de porcelets hébétés.

— Marie-Jeanne ! Marie-Jeanne !

Tante Géraldine se faufila parmi les tables et les gens, la main levée, le sourire fendu sur ses dents de cheval. Mince comme une épinette, les yeux exorbités, elle semblait toujours au bord de l'apoplexie. Quand elle nous serrait dans ses bras, on pouvait compter sans peine tous les os de sa cage thoracique. Elle s'exprimait d'une voix précipitée, les mots se bousculant dans sa bouche aux lèvres lippues.

— Marie-Jeanne, j'suis contente de t'voir. Pis la belle Héléna ! Elle a donc ben vieilli, la p'tite, dit-elle en me touchant la joue. Je m'habitue pas à ce qu'elle ait dix-neuf ans. Aristide est pas avec vous autres ?

En effet, sans que nous nous en soyons rendu compte, mon père s'était éclipsé. Marie-Jeanne haussa les épaules en ayant l'air indifférente, alors qu'intérieurement, elle devait bouillonner.

— Il avait une affaire à voir. Pis toé, ma Géraldine, comment vas-tu ? On a pas souvent des nouvelles de tes enfants.

— Ils vont bien. Alain, mon plus jeune, est à Val-d'Or. Il travaille à la mine. Y vient d'avoir un autre p'tit. Louise est à Trois-Rivières. Elle est toujours vieille fille, elle s'est trouvé une *job* dans une *shop* de couture. Ça a l'air à ben aller. Pis ma Carmen est à la boulangerie. Elle me le dit pas, mais je pense qu'il y a un gars de la place qui lui tourne autour. Tu sais comment qu'elle est, pas moyen de lui arracher un mot.

— Pis ta santé ?

— Ça change pas. Mon foie se lamente de temps en temps, mais c'est de famille. Tu vas venir, pour la p'tite fête de Francis ? C'est samedi prochain.

— Déjà !

— Ben oui. On te l'a pas dit ? Le départ a été devancé d'un mois. C'est rapport à l'entraînement. Mais la bonne nouvelle, c'est qu'on les enverra pas au front, ils vont aider autrement. Pis, ils ont-tu commencé à réparer le tuyau ? C'est pas drôle de pas avoir d'eau courante! Une chance que mon Paul va en quérir tous les jours à la source. Coudonc, c'tu vrai ce qu'on raconte? On aurait fait sauter l'aqueduc?

Nous restâmes bouche bée devant cette annonce. La ville avait souvent le don de nous étonner avec ses histoires grotesques ou farfelues. Il s'y déroulait des évènements qui n'étaient explicables que par cette façon de vivre entouré de voisins, au pied d'une usine qui crachait une fumée grise par-dessus les têtes. Aussi étions-nous ébahies d'entendre la sœur de ma mère nous informer d'un drame bien plus surprenant que le noyé du ruisseau.

— Es-tu folle, Géraldine? Tu sais ben que c'est des racontars. C't'un éboulis qui a brisé le tuyau. On a eu un gros orage au lac. Demande aux filles, elles l'ont vu de leurs yeux vu.

Nous ne pouvions qu'approuver Marie-Jeanne, sans toutefois nous enlever de la tête les questions insistantes du chef de police.

— En tous les cas, c'est une rumeur qui fait jaser. L'usine tourne au ralenti. Pis, allez-vous venir samedi? Je vais préparer du bon manger.

— J'ai ben peur que ça dépende des travaux au lac. Aristide est ben occupé avec Ti-Gars.

— Voyons, Marie-Jeanne, tu peux pas manquer ça! Francis part pour les vieux pays, la semaine pro-chaine. On sait jamais, c'est peut-être la dernière…

Géraldine se mordit la lèvre, constatant sa bévue. Comme d'habitude, les mots devançaient sa pensée.

Elle prit la main de Marie-Jeanne, avant qu'elle n'aille se réconforter sur les grains de bois usés de son chapelet.

— J'crois qu'on va continuer, Géraldine. J'ai vu de la belle saucisse là-bas, pis on a pas beaucoup de temps avant de s'en retourner. J'voudrais pas que nos viandes se perdent.

— J'comprends ça, Marie-Jeanne. J'ai encore des commissions à faire moé aussi.

Elle nous embrassa sur chaque joue et nous convia de nouveau chez elle pour le samedi suivant, sur l'heure du dîner. Fabi prit le sac de Marie-Jeanne, qui se dirigea sans hésiter vers l'étal, où un long ruban de saucisses s'entassait sur des morceaux de glace.

Sous notre carapace de parapluie, nous prîmes la rue Saint-Antoine en direction de l'épicerie Bertrand. Marie-Jeanne ajouta à ses achats du sel, de la farine, des haricots et du sucre. Assez pour tenir jusqu'à notre prochaine visite. Je savais qu'elle aurait aimé s'arrêter chez la modiste, pour se procurer du fil et du tissu, et pour admirer les nouveaux chapeaux. Mais son porte-monnaie ne le permettait pas et la viande non plus. Elle retraita vers la gare à petits pas pressés, après avoir échangé quelques mots avec monsieur Scalzo, le cireur de chaussures, qui ne manquait jamais, malgré sa cinquantaine avancée, de faire les yeux doux aux passantes. Cet émigré italien gagnait sa vie en proposant ses services de menuisier à qui en avait besoin. Il disait qu'un jour, ses proches le rejoindraient, de la *mamma* jusqu'au *bambino*. Il ne ménageait pas les remerciements pour ceux qui lui versaient un pourboire en retour de leurs godasses luisantes. Parfois, ma mère, touchée par son histoire, lui donnait quelques sous et lui promettait de prier pour que sa famille soit réunie. J'aimais le sourire de cet homme bardé d'une épaisse moustache aussi noire que son cirage. Jamais je ne l'avais vu l'air renfrogné ou le visage triste. Marie-Jeanne nous le citait comme un exemple à suivre. Qu'importe si on disait qu'il venait de l'Italie de Mussolini favorable à Hitler, il était un catholique et il habitait près de Rome, où se trouvait le Saint-Père. Une référence incontournable pour ma mère.

Marie-Jeanne se hérissa de ne pas apercevoir Aristide près de la voie ferrée. Elle pesta contre l'hôtel et la maudite boisson, mais dut se raviser en le voyant s'amener au coin de la rue Saint-Joseph. Il se dirigeait vers nous à grandes enjambées lorsqu'il s'arrêta brusquement. Le chef de police surgit derrière lui, portant cette fois casquette et uniforme. Ils discutèrent quelques instants, puis Aristide leva la main et lui tourna le dos. Il semblait irrité.

Lorsque le *speeder* fut lancé sur les rails, Marie-Jeanne le questionna.

— Qu'est-ce qu'il te voulait encore, lui?

— Rien d'important.

— On raconte qu'on a fait exploser l'aqueduc.

Mon père continua d'actionner le levier en coordonnant ses efforts avec ceux de Fabi. Il fallait atteindre une bonne vitesse pour défier la pente qui nous attendait jusqu'au lac.

— On raconte n'importe quoi en ville, dit-il en fixant les rails, au-delà de ma sœur.

Marie-Jeanne glissa sa main dans la poche de sa robe. Je la vis remuer les lèvres, tout en observant les arbres qui défilaient avec lenteur. J'ouvris le parapluie. Une autre ondée se préparait. Quand j'y repense, nous avions l'air d'un cortège amputé de ses sujets. Nous avancions sur notre carrosse grinçant, en nous demandant tous ce qui avait bien pu se passer pour que nous soyons si seuls, ensemble.

CHAPITRE 18

Wayagamac, été 1940

On approchait de la fin du mois d'août. En l'absence de soleil, la fraîcheur de la nuit s'étirait jusque tard dans la matinée. Depuis notre visite à La Tuque, la pluie n'avait cessé de tomber. L'eau s'accumulait dans les allées du jardin et dans les moindres dépressions autour des tentes, creusant des rigoles chaque jour plus profondes. Les hommes étaient maintenant plus nombreux et malmenaient la terre jusqu'à en faire une boue épaisse qui collait aux bottes.

Ces mauvaises conditions météorologiques ralentissaient le travail et le rendaient pénible. Les sentiers étaient glissants, les roches émergeaient comme de gros furoncles et les vêtements devenaient lourds et encombrants. De plus, les matériaux nécessaires à la réparation de l'aqueduc s'entassaient près des tentes, formant des pyramides à l'équilibre précaire. Ils arrivaient par le train, étaient mis sur un traîneau que les hommes avaient construit sur place, puis étaient halés par Ti-Gars. Notre cheval s'avérait d'une grande utilité. Il s'éreintait du matin jusqu'au soir et rentrait épuisé dans sa stalle. Je lui apportais des carottes et de l'avoine, et je le nettoyais du mieux que je pouvais. Je remarquai que de nouvelles blessures aux pattes apparaissaient chaque jour. Le contremaître du chantier imposait un rythme de travail intense. Il fallait réparer le tuyau le plus vite possible. Les pluies diluviennes avaient gonflé les cours d'eau et rendaient difficile l'accès aux points d'approvisionnement pour la population latuquoise. Plusieurs sources étaient devenues impropres à la consommation, contaminées par la boue et les débris de la forêt. Les citoyens s'impatientaient. Ils devaient se ravitailler à partir d'une citerne installée à la caserne de pompiers. L'eau potable était pompée dans les profondeurs d'un grand lac de l'autre côté de la rivière Saint-Maurice.

Mon père avait réduit à deux reprises le débit du ruisseau à la demande de monsieur Lachance, le contremaître du chantier. Le niveau du lac enfla jusqu'à recouvrir notre quai. L'eau menaçait de franchir le rebord du barrage. Nous n'avions jamais vu une telle situation depuis notre arrivée au Wayagamac.

Malgré les efforts fournis par tous les travailleurs, le ruisseau se gonflait au point de rendre les opérations sur la cassure très périlleuses. Les ruisselets qui coulaient habituellement de la montagne s'étaient transformés en torrents.

Le maire vint en personne constater la situation. Les Brown l'accompagnaient, ainsi que monsieur Pettigrew et le contremaître. J'appris avec soulagement que Jeffrey était retourné à son usine. Ils se réunirent dans le hangar de mon père, car le sol de la tente était devenu un bourbier. Aristide leur offrit à boire. Il fit circuler une bouteille remplie à demi d'une boisson transparente. J'assistai à cette rencontre en me faufilant dans la pièce attenante où se trouvait notre réserve de glace. Je pouvais les observer grâce à une planche disjointe.

Le maire prit la parole le premier :

— Comme vous avez pu l'voir aussi ben que moi, il y a pas moyen de continuer à travailler. Le débit est trop fort. Le niveau de la *dam* est à son maximum, on va peut-être être obligés de la rouvrir avant qu'elle cède. On a pas le choix, faut attendre que ça baisse.

— Mes gars veulent pus descendre sur le bord du ruisseau. C'est trop glissant, renchérit le contremaître du chantier, monsieur Lachance.

— Si vous m'aviez écouté, on aurait pu fermer le barrage dès le début, pis dévier le courant. Comme ça, on aurait pu continuer à travailler, dit Matthew avec aplomb.

Le maire Desmarais lui jeta un regard hautain.

— Pis vous auriez fait ça comment ?

— D'la même façon qu'on a percé le tuyau. Avec de la dynamite !

— Ben voyons donc ! La guerre est dans les vieux pays, pas icitte.

— Le chef de police a l'air de penser autrement, répliqua Matthew.

— Il y a aucune preuve qu'on ait fait sauter la falaise. C'est rien que des racontars. Avec la pluie qui est tombée, c'est pas surprenant qu'il y ait eu un éboulis.

— On a retrouvé de la terre dans les branches des arbres! Comment vous expliquez ça?

— C'est pas moé, l'enquêteur. On est ici pour décider quoi faire avec le chantier. Comme c'est là, on peut pus travailler, tenta de conclure le maire.

— Quand est-ce que le tuyau sera réparé? demanda monsieur Pettigrew.

Ovila Desmarais se gratta la tête après avoir bu une gorgée. Il se tourna vers le contremaître et lui fit un signe du menton.

— Heu. C'est dur à dire. Va falloir attendre que la pluie arrête, puis un ou deux jours pour que l'eau baisse. Une bonne journée pour nettoyer l'emplacement. Il nous reste pas mal de matériaux à transporter sur place. Le temps de tout raccorder… je dirais deux à trois semaines.

— Jésus-Christ! C'est ben long, se plaignit monsieur Pettigrew. La guerre attendra pas. Ça prend de l'aluminium pour faire des pièces d'avions. On a déjà des commandes. Si c'est pas à La Tuque, ce sera ailleurs qu'on installera la fonderie. Ça va donner de l'ouvrage à plus de mille hommes. On peut pas se permettre d'avoir des problèmes, pis surtout de niaiser pour les régler. Y'en a d'autres qui seraient ben contents de voir se construire une usine dans leur cour!

— On fait tout ce qu'on peut. Je vous signale que nous autres, on s'occupe de la population. J'ai organisé un approvisionnement en eau potable pour les besoins de base. On a des citernes en permanence à la caserne de pompiers. Notre député a obtenu de l'aide financière de notre premier ministre, monsieur Godbout. Et…

— Arrête ta propagande, Ovila! On va commencer à croire que tout ça fait ton affaire, intervint le frère de Matthew.

— Tu peux ben parler! En passant, vous en avez pas de la dynamite, au club?

— Essayes-tu d'insinuer qu'on a quelque chose à voir là-dedans? rugit Allen Brown.

— Si tu le dis! riposta le maire.

Assis sur sa caisse de bois, le frère de Matthew bouillonnait de façon manifeste. La dernière intervention du premier magistrat le mit hors de lui.

— Depuis que t'es rendu maire, Desmarais, tu te prends pour un autre! On le sait que t'es rouge jusque dans le fond de tes culottes! C'est de famille! Toé pis Godbout, c'est du pareil au même! lui cria-t-il en se levant, d'un air menaçant, pour l'affronter.

Matthew tenta de le calmer en lui agrippant le bras.

— Ça a rien à voir! Pis c'est pas moi qui ai parlé de dynamite le premier. C'est vous autres! répliqua le maire.

— Voir si on aurait intérêt à saboter notre propre projet !

— Tout le monde sait que c'est juste un feu de paille, votre aluminerie. La guerre durera pas toujours. C'est ben plus payant pour vous autres que Duplessis revienne au pouvoir pour vous graisser la patte pendant cinq ans. De là à penser que vous voulez nous mettre ça sur le dos !

— Tu dis n'importe quoi, Ovila Desmarais !

— On verra ben !

— En attendant, arrange-toé donc pour réparer l'aqueduc. On a l'air d'une *gang* de poules sans tête !

— T'as entendu comme moé ce qu'a dit le contremaître. On peut pas mettre la charrue avant les bœufs ! Faut que le niveau du ruisseau baisse. C'est plus urgent d'organiser un approvisionnement en eau pour les citoyens. C'est ça qui est le plus important pour le moment.

— Ah ! *SHIT !*

Aristide retint Allen Brown, qui menaçait de s'en prendre au maire. Pendant un instant, je crus que tous ces hommes allaient en venir aux coups. Puis Matthew se dressa et imposa le calme autour de lui. Sa haute stature se déployait dans le hangar, rétrécissant l'espace de confrontation. Chacun reprit sa place et but une gorgée de son verre. Le maire se racla la gorge et déclara que la séance était levée.

— Bien entendu, monsieur Brown, vous savez où me trouver, si des fois, l'envie vous prenait de discuter en gentleman.

Le frère de Matthew fit signe à monsieur Pettigrew. Tous deux sortirent du hangar en remontant le col de leur imper. Ils furent suivis, quelques instants plus tard, par le maire et son contremaître. Je jetai un œil du côté du poulailler pour voir si mon absence avait été remarquée. Rien ne bougeait à la maison. Je pris le risque de poursuivre mon observation. Ne restaient que Matthew et mon père, qui regroupait les verres vides.

— Monsieur Martel, j'aimerais ça pouvoir parler à Fabi.

Aristide ouvrit la petite fenêtre au-dessus de l'établi et rinça les verres un à un en les passant directement sous l'eau de pluie. Derrière lui, Matthew attendait patiemment, le chapeau à la main. Je l'observai à ma guise, essayant de ressentir les émotions qui habitaient Fabi en sa présence. La chaleur qui pouvait l'envahir lorsque son visage venait frôler le sien, lorsque son souffle descendait dans son cou et que son odeur d'homme lui faisait tourner la tête. Qu'éprouvait-elle quand ses mains larges et solides la touchaient? Avait-elle ce même sentiment d'abandon que je sentais monter en moi malgré la cloison qui me séparait de lui? Était-il possible qu'à travers une épaisseur de bois, mon corps soit envahi d'un émoi semblable à celui de ma sœur ? Cet homme dégageait une force sauvage, comme le lac et la forêt tout autour.

— Monsieur Martel ?

Mon père se tourna vers lui comme s'il venait tout juste d'apparaître. Malgré sa prestance, Matthew semblait mal à l'aise.

— Monsieur Martel, j'aimerais ça parler à Fabi.

— Je pensais pas que vous aviez besoin de ma permission pour la voir.

— Avec tout ce qui se passe, c'est plus difficile…

— Ce serait pas plus difficile depuis que vous l'avez clairée ?

— C'est de ça que je veux lui parler.

— Arrêtez donc de nous prendre pour des colons, monsieur Brown. C'est pas parce que vous avez de l'argent, pis un club de chasse et pêche, que ça vous donne le droit de nous mettre à genoux comme ça vous tente. Ma fille est ben où elle est. Allez vous occuper de votre usine pis de vos putains de Montréal !

Matthew se raidissait à mesure qu'Aristide se défoulait. Quand il eut terminé, il le dévisagea sans laisser paraître plus d'émotion. Il venait de comprendre qu'un fossé le séparait de cet homme. Un espace profond qu'il avait peut-être aidé à creuser, en se rangeant du côté de ses invités frustrés par notre mésaventure sur le lac. Il abandonna mon père à sa rancœur. Je tentai de le suivre des yeux, en me déplaçant de planche en planche. Mes mains longeaient le travers de bois au-dessus de ma tête, pendant que mon œil cherchait l'ouverture qui me le montrerait encore une fois. Dans ma hâte, mes doigts rencontrèrent une guenille qui me tomba sur la tête et que je rattrapai avant qu'elle ne touche le sol. Je constatai au toucher qu'elle enveloppait un objet allongé et cylindrique. Sans réfléchir, je le glissai dans ma robe et me dépêchai de retourner au poulailler sous la pluie battante. Avec le ciel lourd, la brunante s'était invitée plus tôt. Je repartis vers la maison après avoir nourri nos quatre poules. Je brûlais d'envie de voir ce que contenait ce morceau de tissu. Il sentait le tabac et une autre odeur que je connaissais, mais que je n'arrivais pas à identifier.

Résidence Clair de lune, Trois-Rivières, hiver 2002

Le temps s'est brouillé dans la tête d'Héléna. Son œil est toujours appuyé contre les planches disjointes, mais derrière Matthew, il y a madame Lafrenière. Pourquoi est-elle entrée dans le hangar de son père? Elle gesticule et grimace en montrant ses dents trop grandes pour sa bouche desséchée.

— Héléna? Je sais qu'il est tard, mais notre partie de 500 finissait pus. Pis, ton docteur, qu'est-ce qu'il a dit?

La lumière jaune a de curieux reflets dansants. Pourquoi Aristide a-t-il accroché le fanal au plafond? Matthew est si beau. Il est plus grand que son père.

Ses épaules sont larges et sa voix chaude. Ses jambes écartées marquent l'autorité.

— Je vois ben que tu es sur le point de dormir. J'te dérangerai pas longtemps. Je veux juste avoir des nouvelles, poursuit madame Lafrenière.

— Il veut voir Fabi.

— Hein? Qu'est-ce que tu dis? Le docteur veut voir Fabi. C'est qui, elle?

Héléna ne comprend pas ce que Matthew vient de dire. Il connaît pourtant bien Fabi.

— Héléna? Dors-tu les yeux ouverts? T'as ben l'air drôle à soir. Tu lis trop aussi. Donne-moé ton livre, je vais le mettre à sa place.

— Ça sent la poudre!

— Ben non. Ça sent rien. Rêves-tu?

— On dirait un bâton de dynamite.

— C'est dans ton livre? demande madame Lafrenière, intriguée par le visage angoissé de son amie.

— Faut que je le cache dans ma robe, poursuit Héléna en glissant sa main dans sa jaquette.

— Arrête! Tu me fais peur.

— Faut le mettre dans mon tiroir... avec du linge pour le cacher.

— Ben oui, je vais serrer ton livre à sa place. Repose-toé, là.

Son père répond à Matthew et celui-ci dépose son livre sur l'établi, près de la bouteille de boisson. Héléna glisse sa main au travers la fente entre deux planches. Malgré l'étroitesse de l'ouverture, son bras s'y étire sans problème, mais pas assez pour rejoindre son manuscrit. Matthew lui sourit.

— Pourquoi tu ris, asteure, Héléna?

L'infirmière de nuit entre dans la chambre et s'approche du lit.

— Comment elle va? demande-t-elle à madame Lafrenière.

— Elle va bizarre! Elle rit, pis a me répond des drôles d'affaires.

— C'est la morphine qui fait effet. Le docteur lui en prescrit au besoin pour la nuit. Ça va l'aider à dormir.

— Mon doux! Es-tu en train de mourir?

— Mais non. C'est pour la douleur. Ça la rend un peu confuse, mais elle devrait se sentir plus reposée au réveil.

— Ah! Bon, ben je vais y aller. Je repasserai demain.

Héléna sent l'odeur du lac porté par le vent. Le visage de Fabi se penche sur elle et lui sourit. Elle prend sa main et ses doigts courent sur son poignet. Comme elle se sent bien, couchée sur le rocher! Près d'elle, les vagues viennent murmurer à son oreille.

— Votre pouls est bon, madame Martel. Faites de beaux rêves!

CHAPITRE 19

Wayagamac, été 1940

Assise sur le lit, ma sœur essuyait son corps avec une serviette. J'utilisai l'eau de la même bassine pour me laver à mon tour. C'était jour de fête, puisque nous allions voir Francis pour la dernière fois avant son départ. Fabi avait retrouvé un peu d'entrain à l'idée de nous rendre sur la rue Joffre, dans la maison de Géraldine.

— Ça va faire drôle de le voir habillé en soldat, dit-elle en enfilant sa culotte.

— Penses-tu que Francis va revenir, Fabi?

— Ben oui, inquiète-toi pas. Tu connais ton frère. Y'é débrouillard, les Allemands vont s'en rendre compte bien vite!

Je ne sentais pas de conviction dans son propos. Je me dépêchai de m'enrouler dans la serviette pour me sécher. J'éprouvais une certaine gêne à me montrer nue. Ma sœur n'avait jamais eu ce genre de malaise. Depuis qu'elle était adolescente, elle se baignait à poil dans le ruisseau, au risque de se faire surprendre par un pêcheur.

Fabi tira un jupon brodé du tiroir de sa commode et le passa par-dessus sa tête. Puis elle fouilla ses affaires et me tendit un soutien-gorge.

— Mets ça, Héléna. T'es une femme. Faut que ça paraisse !

— J'étouffe là-dedans. Tu le sais, j'haïs ça !

— Tu vas t'habituer. C'est juste que j'étais plus maigre que toé à ton âge.

Je m'examinai dans le miroir de la commode. Mes seins semblaient maintenant plus apparents, trop à l'horizontale.

— Ça paraît trop.

— Avec ta robe, ça va être ben correct. Mais de même, les fesses à l'air, c'est sûr que ça fait drôle.

Je pouffai et m'empressai de finir de m'habiller. Ma mère nous cria de nous dépêcher, sinon nous devrions attendre le passage du train de marchandises avec la conséquence d'être en retard chez Géraldine. Il me restait peu de temps pour lui parler de ma découverte. J'avais un peu peur de sa réaction. Mais je sentais que c'était important. Je ne pouvais garder le secret pour moi toute seule.

— Fabi ?

— Quoi ?

— Il faut que j'te dise quelque chose.

— Ça a l'air sérieux.

— J'ai trouvé un objet dans la réserve de glace.

J'allai à ma commode et glissai ma main au fond du troisième tiroir. J'en tirai la guenille que je savais maintenant être la camisole de mon père. Je dégageai le cylindre couleur rouge délavé. À sa vue, les yeux de Fabi s'agrandirent.

— Héléna! Qu'est-ce que tu fais avec ça? Tu vas faire sauter la maison.

— J'étais pas certaine de ce que c'était, mais ça sent la poudre, comme quand papa fabrique ses cartouches.

— C'est de la dynamite, Héléna! C'est avec ça qu'ils ont fendu le cap de roche près du Fer à cheval. C'est pas mal plus fort que des cartouches. T'as volé ça sur le chantier?

— Non, j'te dis. C'était sur un travers dans la réserve de glace. C'est par hasard que je l'ai trouvé. C'était caché derrière un montant.

Fabi me prit le cylindre des mains avec précaution et le tourna entre ses doigts pour l'examiner. Elle le manipulait comme s'il risquait d'exploser à tout moment. Pour un peu, j'aurais pu voir les rouages de son cerveau s'activer.

— Y'é sale. Y'a de la terre de collée dessus. On voit une tache bleue à un bout. R'garde, il y a la mèche. On dirait qu'elle a déjà servi, dit-elle en examinant de près le bâton.

J'avais remarqué ces détails. Ils me tracassaient. J'entendais encore tante Géraldine parler des rumeurs qui affirmaient qu'on avait fait exploser l'aqueduc. Comment ce bâton s'était-il retrouvé caché dans notre réserve? Je voyais apparaître sur le visage de Fabi les mêmes questions qui tournoyaient dans mon esprit. Nul doute que notre père l'avait dissimulé. La camisole le prouvait. Mais pourquoi ? Le chef de police l'avait interrogé sur l'éboulis et sur les traces de Pierre Bélanger, qui aurait remonté la pente. Celui-ci avait-il aperçu ce bâton de dynamite intact qui aurait été projeté par l'explosion, parce que mal amorcé ou trop humide ? Qu'avait été le rôle de mon père, ce soir-là ? J'avais envie de lancer toutes ces questions à la tête de Fabi, mais elle remballait l'objet avec des gestes prudents.

— Tu parles pas de ça à personne ! Tu m'as bien compris, Héléna ? On va le remettre dans le tiroir. Quand on sera revenus de La Tuque, je vais m'en occuper.

— Penses-tu que c'est ça que le chef de police cherchait ?

— Je le sais pas.

— Qu'est-ce que ça veut dire, Fabi ?

Elle haussa les épaules, mais je voyais bien qu'elle était troublée.

— Oublie ça, Héléna. Tu fais semblant de rien, OK ?

Je fis signe que oui. J'avais compris, comme elle, que notre père était dans une très mauvaise posture.

CHAPITRE 20

Wayagamac, été 1940

Quand nous arrivâmes sur la rue Joffre, la plupart des invités étaient déjà présents. Ma tante avait dressé une table sur la pelouse, devant la maison. Elle l'avait recouverte de sa plus belle nappe brodée et y avait déposé un énorme gâteau Reine-Élizabeth, des assiettes, des coupes et trois bouteilles de vin mousseux. Elle nous accueillit avec éclat et nous complimenta sur notre habillement. La radio jouait *Valentine* de Maurice Chevalier, ce qui avait l'heur de l'égayer.

— Eh que je suis contente que vous soyez venus! Carmen a apporté un bon gâteau de la boulangerie, pour après la cérémonie. En attendant, il y a du Coke pis de la bière dans la glacière. J'ai aussi des *chips*, des p'tites bouchées au fromage pis d'autres aux olives. Vous allez voir, c'est bon.

— Quelle cérémonie? demanda Marie-Jeanne, toujours un peu inquiète des manigances de sa sœur.

— Oh! Rien d'extravagant. J'ai invité le curé Caron pour bénir les p'tits gars. Y méritent ben ça. Y m'a dit qu'il viendrait avec son jeune vicaire, Robert... je me souviens pus de son deuxième nom.

Marie-Jeanne n'eut pas été plus ravie si on lui avait annoncé l'arrivée du pape Pie XII en personne. Depuis la mort du curé Corbeil, que ma mère tenait en odeur de sainteté, toute la population ne jurait que par son remplaçant, le curé Caron. Il avait acquis en moins d'une année une notoriété plus qu'enviable dans la petite communauté. Grand diplomate, habile en affaires, il avait redressé les finances de la paroisse et gagné le cœur des travailleurs en devenant l'aumônier de la Ligue ouvrière catholique. Doué d'une mémoire phénoménale, il connaissait ses ouailles chacun par leur prénom.

— Mon Dieu, avoir su !

Je les laissai à leur pâmoison et me dirigeai vers la cuisine. Ma sœur Yvonne expliquait à mon frère Georges son aventure au lac, alors qu'elle avait pris Matthew Brown pour un ours. Sa voix enfla au passage de sa blouse entrouverte. Georges se détourna en riant et me serra dans ses bras. Il était l'aîné de la famille et aussi le plus costaud. Sa ressemblance avec Aristide était frappante à mesure qu'il prenait de l'âge. Les rides traçaient leurs sillons aux mêmes endroits. Les oreilles décollées du crâne se garnissaient d'un duvet qui deviendrait bientôt ces poils hirsutes qui se tortillaient déjà sur celles d'Aristide. La taille, le poids, les intonations de voix et le regard perdu étaient ceux de mon père quand il réfléchissait. La seule faille de l'héritage se trouvait dans le caractère. Jovial et bon vivant, Georges se laissait parfois manger la laine sur le dos. Tout à fait à l'opposé du paternel.

— Salut, ma p'tite sœur! T'es belle en pas pour rire!

— BEN OUI, HÉLÉNA. ON DIRAIT QUE T'AS QUELQUE CHOSE DE CHANGÉ, rugit Yvonne après avoir roté sa liqueur.

Je rentrai les épaules en rougissant, puis j'embrassai Georges sur les deux joues et m'empressai de me déboucher une bouteille de Coke. À l'extérieur, un brouhaha se fit entendre. Je reconnus la voix de Francis que couvraient les cris enjoués de Géraldine.

En sortant, je fus sidérée par les uniformes. Il me semblait qu'on ne voyait qu'eux. Deux garçons aux tempes rasées, portant veste, cravate et pantalon au pli impeccable. Deux soldats, de brun vêtus, souriant à la ronde et serrant les mains tendues. Je n'avais d'yeux que pour Francis. Il était différent. La guerre changeait les hommes avant même de commencer. Je prenais conscience, en avançant sur la pelouse, de sa grande bêtise. Il ne pourrait pas tuer. Il en serait incapable. Francis aimait la vie, mais comme toute ma fratrie, il voulait fuir la famille à tout prix.

Tante Géraldine fut la première à se faire photographier aux côtés de Francis, avec Marie-Jeanne. Aujourd'hui, quand je regarde la photo, je suis étonnée qu'ils aient l'air aussi sérieux. Il me semblait que tout le monde riait à ce moment-là. Que le vin égayait et que chacun s'appliquait à la fête. Je pris mon tour avec Yvonne. Puis Georges et Aristide. Puis Fabi et Francis que personne n'osa rejoindre, connaissant leur complicité.

Un bon samaritain déposa le curé Caron et son vicaire devant la maison. Attirés par l'agitation, quelques voisins sortirent sur le perron. Géraldine se précipita pour les accueillir.

— Bonjour, monsieur le curé. On vous attendait !

Le sympathique représentant de Dieu se faufila parmi ses ouailles avec la plus grande simplicité. Il accepta le verre de vin sans façon. Son crucifix tressautait sur sa poitrine à chaque poignée de main. Il souriait à la ronde et je remarquai que mon père évitait de se retrouver dans sa ligne d'évangélisation, car le bon curé, sous des airs bon enfant, se révélait un rapace pour les brebis égarées. Il ne ratait pas une occasion de leur rappeler quelles étaient les voies du Seigneur.

Le vicaire était beau garçon. Discret, il ne portait pas ombrage à son mentor. Il accepta un verre de vin et se joignit timidement à des membres de la chorale de l'église.

Ma tante prit place devant la grande table et fit s'asseoir ensemble les deux recrues. Puis elle prononça un petit discours sur le courage et la bravoure qui se termina dans les trémolos. Elle invita le curé Caron à s'approcher. Les deux garçons fléchirent le genou dans l'herbe en inclinant la tête devant lui. Ils se signèrent quand retentit la formule latine qu'appuyaient les doigts du curé, en traçant sur un tableau imaginaire le signe de la chrétienté. Mes yeux se mouillèrent de brume et mon frère disparut durant un instant. Je me joignis aux applaudissements et renversai quelques gouttes de ma boisson sur ma poitrine à l'équerre. Yvonne tonitrua un encouragement et le mari de Géraldine fit sauter le bouchon d'une bouteille de mousseux. L'ami de Francis à la gauche de ma tante sursauta. Nul doute que son courage avait traversé l'océan et que le bruit des balles ricochait déjà dans son esprit.

Géraldine entama le découpage du gâteau avec l'aide de Marie-Jeanne. Yvonne tendit une coupe au vicaire et s'approcha de la table en criant qu'elle allait donner un coup de main. Je cherchai Fabi du regard, mais elle semblait s'être évaporée. Je retournai à la cuisine pour me tamponner les yeux avec un mouchoir et nettoyer la tache de Coke sur ma robe. Du coin de l'œil, j'aperçus ma sœur, en compagnie de Matthew. Ils marchaient vers l'arrière de la maison. Prétextant devoir utiliser une débarbouillette, je me dirigeai à la salle de bain. Ils étaient face à face sous le hêtre. Par la fenêtre entrouverte, j'entendis qu'ils discutaient ferme.

— J'avais pas le choix, Fabi. Je pouvais pas faire autrement. La moitié de leur stock s'est retrouvée dans le fond du lac. Sans compter qu'ils ont eu la peur de leur vie !

— Je pensais que tu m'aimais, Matthew.

— Ça a rien à voir, mon frère voulait pas les contrarier. Ils sont venus à La Tuque pour une grosse affaire. L'histoire de l'aqueduc les avait échauffés !

— Mets pas la faute sur le dos de ton frère ! C'est toé qui m'as renvoyée, devant mon père, en plus.

— Fabi, essaye de comprendre. On est un peu dans l'embarras. Le chef de police se fourre le nez partout. Il a l'air convaincu que la montagne a été dynamitée.

— C'est quoi le rapport avec moé ?

— Y'en a pas. Sauf que ça devient embêtant. Tout ça est compliqué. Le gardien du club pense qu'on a peut-être volé de la dynamite dans notre réserve.

— C'est vrai ?

— C'est dur à dire. Son registre est pas toujours à jour. Mais nos bâtons sont tous marqués avec de la peinture bleue. Si on en retrouvait, ce serait embêtant.

Je portai la main à ma bouche. Celui que j'avais remis à Fabi portait une tache bleue. Il avait donc été volé au club. Je savais maintenant où Aristide s'était procuré la dynamite. En découvrant le bâton, j'avais court-circuité leur plan. Ce ne pouvait être que ça ! En plaçant le bâton maculé de terre dans un des chalets du club, on aurait pu détourner l'attention vers les Brown. La mèche entamée aurait placé les dirigeants du club dans l'eau chaude. Pierre Bélanger n'avait peut-être rien trouvé après tout. Aristide avait très bien pu garder ce bâton comme une police d'assurance au cas où l'enquête se rapprocherait trop de la vérité. Il l'aura sali et en aura allumé la mèche pour faire croire qu'on l'avait utilisé. Ce qui impliquerait qu'il n'avait rien à voir dans la mort de monsieur Bélanger. Malgré moi, je m'accrochais à cette idée.

— On va vous accuser? demanda Fabi avec inquiétude.

— Pas encore, mais ça pourrait venir. Le maire veut nous mettre ça sur le dos. Comme ça, il pourrait dire partout que c'est de la faute à Duplessis.

— Je comprends pas.

— C'est de la politique. Si on prouve ou même qu'on laisse supposer que la dynamite vient du club, les gens vont penser qu'on a fait ça pour gagner les prochaines élections. Ils vont croire qu'on voulait nuire à la *gang* du maire en le compromettant.

— Ça a pas de bon sens!

— Fabi, penses-y. Même si on trouve pas le coupable, les gens vont juste se souvenir de la provenance de la dynamite. Pas besoin de préciser qu'on va être sur la défensive.

— C'est pas juste, vous avez rien à voir là-dedans.

— J'aimerais ça que la population en soit aussi sûre que toi. *Anyway*, je suis pas ici pour te parler de ça. Je t'aime, Fabi. Je veux pas te perdre, dit-il en la prenant par les épaules.

— Touche-moé pas! J'te faisais confiance.

— Et t'avais raison.

— T'as eu une drôle de façon de le prouver.

— Fabi, regarde-moi.

Alors, comme dans les films du samedi, projetés à la grande salle du théâtre Empire, Matthew l'embrassa tendrement. Le calme de Fabi ne dura qu'un instant. Elle se dégagea en invoquant la présence des invités qui pourraient les surprendre. Matthew insista :

— Je veux qu'on se voie ce soir. Je vais t'attendre à mi-chemin à la crique des Cascades. Dis-moi pas non, Fabi.

— Je vais y penser. Asteure, va-t'en.

— On se voit ce soir, dit Matthew en tournant les talons.

Je regagnai la fête en cueillant au passage une deuxième bouteille de Coke. Ma mère et Yvonne distribuaient les parts de gâteau, que Géraldine et Carmen découpaient avec le plus grand soin. Les hommes discutaient en haussant le ton, réchauffés par le contenu de leur verre. Parmi eux, les jeunes soldats étaient facilement repérables. J'étais éblouie par leur uniforme. Je ne voyais qu'eux. Ils riaient, mais ils manquaient de conviction. Ils accompagnaient les conversations par politesse, engoncés dans leurs vêtements impeccables. Déjà la guerre leur tenait les couilles et elle n'allait pas les lâcher.

— Héléna ?

Je mis quelques secondes avant de réagir. Francis s'avançait vers moi, une bière à la main.

— Héléna ? As-tu vu Fabi ?

Il était à moins d'un mètre de moi. Je pouvais sentir son eau de Cologne en partie masquée par l'odeur âpre et rude de son habit qui dégageait un remugle de tabac et de désinfectant. Je pouvais voir ses yeux limpides et son sourire moqueur, son grain de beauté sous l'oreille gauche et la carnation rosée de sa peau à la barbe clairsemée. Chaque détail de son visage s'imprégnait en moi avec une force qui me laissait atone.

— Héléna?

Je m'agrippai à lui sans pouvoir retenir mes larmes. Autour de nous, le babillage des invités prit ombrage de mes épanchements. Je me moquais de ce qu'on pouvait penser. J'avais besoin de serrer la réalité de mon frère, de garder la mémoire de son corps. C'est à peine si je l'entendis murmurer à mon oreille.

— Fais-toé-z'en pas, p'tite sœur. J'vais revenir, j'te le promets.

Par-dessus mon épaule, je voyais ma mère qui s'essuyait les yeux et un peu plus loin, mon père qui discutait avec le maire, sans même jeter un regard dans ma direction.

Je gardai longtemps le contact de l'uniforme contre ma joue. Le tissu avait la rugosité de l'affrontement. Francis n'avait rien de cette virilité agressive dont le soldat a besoin pour survivre. Il portait le symbole de la guerre avec une fierté affectée, comme un gueux porte l'habit de noce. Ni l'un ni l'autre ne pouvait tromper la galerie, ni l'un ni l'autre ne deviendrait ce qu'il n'est pas.

Résidence Clair de lune, Trois-Rivières, hiver 2002

La douleur est cuisante. Sous la prothèse, la chair brûle d'un brasier que l'agitation d'Héléna attise. L'infirmière, accompagnée d'Anita la Colombienne, tente de la raisonner.

— Quand je suis venue prendre votre pouls hier soir, j'ai pas vu votre livre.

— Eille, j'suis pas folle! J'étais peut-être droguée par votre maudite pilule, mais je me rappelle très bien avoir lu. Allez chercher madame Lafrenière, si vous dites qu'elle était là quand je me suis endormie, c'est elle qui doit avoir serré mon livre.

— Justement, la voilà!

Huguette s'avance en ralentissant le pas devant l'air grave de l'infirmière et de la préposée.

— Madame Martel trouve pus son manuscrit.

Héléna s'offusque:

— Comment voulez-vous que je le trouve, je peux pas marcher! Grouillez-vous! Appelez la directrice, la police! Ouch! Ma jambe!

— Calmez-vous, madame Martel, ça va sûrement s'arranger.

— Avez-vous regardé dans le tiroir? demande Huguette, décontenancée par l'attitude de son amie que la morphine ne semble pas avoir apaisée.

— On a regardé partout, même dans sa valise et dans la salle de bain. On le trouve pas.

— On me l'a volé, Huguette. On m'a volé ma vie! Fais quelque chose. Aide-moé!

— Inquiète-toé pas, Héléna, on va s'informer sur l'étage. C'est moi-même qui l'ai mis dans le tiroir. Il peut pas être loin.

— C'est du vol! crie Héléna. Amenez-moé la directrice.

— Je vais voir si elle est disponible, dit l'infirmière à regret.

Héléna replace sa jambe en grimaçant. Anita et Huguette l'aident à se repositionner dans le lit.

— Si je le retrouve pas, je veux mourir drette là! Comprends-tu ça, Huguette?

Son amie lui caresse les cheveux et la réconforte avec des mots d'encouragement. Héléna se calme et poursuit la lecture de son livre dans sa tête. Elle l'a relu tant de fois qu'elle en connaît des passages par cœur. La fête chez Géraldine, le gâteau, le Coke, les invités, le curé et Francis dans son uniforme. L'uniforme haï contre lequel elle a versé des larmes en pensant ne plus jamais revoir son frère.

— Pleure pas, Héléna. Il va te revenir, murmure madame Lafrenière. La Saint-Valentin est toute proche. Jamais je croirai qu'on va te briser le cœur pour la fête de l'amour!

CHAPITRE 21

Wayagamac, été 1940

Le retour au lac se fit dans le plus grand silence. Nos yeux cherchaient en vain l'apaisement dans le feuillage des trembles et des bouleaux qui bordaient la voie ferrée. Chacun de nous emportait l'image de Francis en sachant que c'était peut-être la dernière fois que nous avions entendu son rire. Cette pensée nous unissait et nous séparait à la fois. Nous n'osions la partager ni même croiser nos regards de peur de nous mettre à brailler comme si nous revenions d'un enterrement.

Francis prendrait le train de huit heures le lendemain matin. Il passerait près du lac et je savais que je serais là pour le saluer. Mon frère, le soldat volontaire, qui fuyait sa patrie bien plus qu'il n'allait en protéger une autre.

À l'approche du campement des travailleurs, Aristide allongea le pas pour se rapprocher d'un petit groupe qui discutait avec animosité. Ma mère se signa comme chaque fois qu'elle avait un mauvais pressentiment. Je m'immobilisai la première quand un des hommes parla d'un accident avec le traîneau et le cheval. Deux travailleurs étaient blessés. Mon père avait l'air contrarié, puis fâché. Il ôtait et remettait son chapeau sans arrêt pendant qu'on lui pointait la direction du ruisseau. Après avoir laissé échapper quelques jurons, Aristide partit à grandes enjambées vers la *dam*. Je courus derrière lui avec Fabi sur les talons.

Aristide se précipita dans le hangar et en ressortit presque aussitôt avec son fusil de chasse. Il n'avait même pas pris le temps d'enlever ses habits du dimanche. Il se dirigea vers le nouveau chemin utilisé par les travailleurs de l'aqueduc. Fabi lui cria :

— Qu'est-ce qui se passe, le père? Où c'est que vous allez de même?

— Restez à la maison avec vot' mère!

— C'est encore la faute de l'ours?

— Non, c'est le cheval. Un accident. Je leur avais dit de pas le sortir sans moé. Je veux pas vous voir là!

Fabi s'arrêta net et allongea son bras devant moi pour me retenir. Ti-Gars, impliqué dans un accident! Aristide qui prenait son fusil. Il n'était pas difficile de comprendre ce qui suivrait. Notre cheval était blessé et mon père allait l'abattre. Je perdis la maîtrise de moi-même et m'élançai sur la *dam* avec l'intention de descendre le ruisseau sur la rive opposée. C'est à peine si j'entendais les cris de Fabi. Il fallait que j'arrive avant lui.

Le sol était glissant par endroits. Mes « souliers propres », comme je les appelais, dérapaient facilement et ma robe me nuisait. Jamais je n'avais parcouru le sentier à cette vitesse. Fabi, qui était pourtant une habituée de la forêt, peinait à me suivre. À mi-chemin, mon pied se prit dans une racine et mon élan me projeta contre un arbre. Une branche sèche empala le tissu de ma robe et de mon jupon. Je tirai d'un coup sec pour me dégager. Le bois se cassa en emportant un morceau de mes vêtements. Je poursuivis avec une jambe découverte au-dessus du genou. Arrivée en surplomb de l'aqueduc, à l'endroit de l'éboulement, je vis d'un coup le lieu de l'accident.

Un glissement de terrain avait déchiré une section de la voie ouverte par les hommes sur la forêt. Sans doute que le poids du cheval, du traîneau et des matériaux avait suffi à déstabiliser la terre gorgée par les pluies torrentielles des derniers jours. Ti-Gars gisait près du ruisseau, couché sur le flanc, alors qu'une douzaine d'hommes s'affairaient à enlever les débris qui recouvraient sa croupe et l'empêchaient de remuer les pattes arrière. Armés de pics et de pelles, d'autres à mains nues, tous s'évertuaient à dégager le cheval.

C'est à peine si je ressentis la main de Fabi autour de mes épaules. Un poids bien plus lourd pesait sur mon cœur. Coupée de ma raison, je sautai sur un contrebas à plus d'un mètre. Je m'enfonçai dans une boue collante jusqu'à mi-mollet. Je m'agrippai à un rocher pour poursuivre ma descente, comme nous l'avions fait, Fabi et moi, plusieurs jours auparavant. Sauf qu'à présent, la terre était molle et rendait la

progression aussi lente que dans mes pires cauche-
mars. Fabi me cria de revenir. Quelques hommes
levèrent la tête et pointèrent le bras dans ma direction.
Le hennissement de notre cheval redoubla mes efforts.
Je mis presque autant de temps à descendre la falaise
qu'il m'en avait fallu pour l'atteindre. Quand je me
dressai sur un rocher, en bordure du ruisseau, j'étais
couverte de boue, ma robe était en lambeaux et mon
bras gauche lacéré était maculé de sang.

De cet endroit, j'apercevais l'irréparable. Une des
pattes avant de Ti-Gars était cassée. Sur son dos, une
plaie sanguinolente rougissait son poil et s'écoulait
jusqu'au ruisseau. Je ne pris pas la peine de sauter sur
les rochers, je traversai l'étang avec de l'eau jusqu'à
la taille. Le courant me fit perdre pied à quelques
reprises.

Ti-Gars sentit ma présence et cambra la tête par
en arrière. Les hommes s'arrêtèrent un moment pour
m'observer. Ils donnaient l'impression d'excuser
leur impuissance. Je m'agenouillai près du cheval et
le caressai comme il aimait, entre les naseaux. Les
chevaux ne pleurent pas, mais leurs yeux sont recon-
naissants. Il avait passé sa vie à nous rendre service
jour après jour. Il avait labouré, tiré, transporté sans
jamais faillir à la tâche. Nous l'avions nourri et soigné
comme notre bien le plus précieux. Je m'en étais fait
l'ami dont notre vie champêtre me privait. Alors je
pleurais sans ménagement, en maudissant le sort qui
semblait prendre plaisir à m'enlever tous ceux que

j'aimais, Yvonne happée par la ville, Francis parti pour la guerre, Fabi volée par l'amour de Matthew et maintenant Ti-Gars qui agonisait. C'était trop injuste. Ma fibre de jeune femme grinçait sous ma peau. J'en voulais au monde entier.

Mon père se présenta en haut de la côte avec son fusil sous le bras. Il descendit d'un pas décidé pendant que Ti-Gars renâclait et que je pleurais tout mon soûl. Les hommes s'écartèrent. Fabi me tira par l'épaule pour tenter de m'éloigner. Je la repoussai violemment. Ti-Gars essaya de se dégager d'un coup de reins. L'odeur des intentions d'Aristide parvenait à ses naseaux. Comme tous les animaux, il connaissait d'instinct la peur de la mort.

Je fis alors une chose qui m'apparaît aujourd'hui insensée. Je marchai en direction d'Aristide en criant qu'il était responsable de l'accident. Il me laissa approcher sans broncher. Quand je fus à portée de main, il me gifla. La force du coup me projeta au sol.

— Retourne à la maison !

Il n'y avait aucune réplique attendue. Son autorité ne souffrait pas la contestation. Surtout pas devant le regard attentif de tous ces hommes. Je l'entendis demander haut et fort qui avait pris la décision d'atteler son cheval sans sa permission. Personne n'osa briser le silence. Mon père arma son fusil d'un bruit sec. Ti-Gars tendait le cou, dans un effort désespéré pour se redresser. Aristide épaula et son doigt mit de longues secondes avant de s'exécuter, le temps que les ouvriers se retirent. Puis l'arme tonna deux fois et la tête du cheval se coucha dans la boue. Il y eut un dernier frémissement et j'eus l'impression que l'œil livide s'éteignait sur mon image. Ainsi moururent Ti-Gars et la part de moi-même qui en avait pris soin.

Fabi m'aida à me relever pendant que j'entendais les hommes se remettre à l'ouvrage. Cette fois avec l'intention de se débarrasser de cette carcasse devenue inutile. Soit ils la brûleraient, soit ils l'enterreraient après l'avoir débitée. Notre cheval n'était plus qu'une corvée dont il fallait se décharger.

Résidence Clair de lune, Trois-Rivières, hiver 2002

Héléna a réécrit dix fois la mort de son cheval. Elle a essayé de rendre avec justesse l'émotion qui l'a chavirée ce jour-là. Peine perdue. Il n'y avait que des trop et des pas assez. Maintenant qu'elle se repasse la scène sans l'aide des mots de son manuscrit, c'est encore pire. Ti-Gars n'en finit plus d'agoniser, son père la frappe d'un coup de poing, elle se jette sur la tête ensanglantée de son cheval, les hommes du chantier la pointent du doigt avec le sourire aux lèvres. Sa colère trompe sa mémoire. Personne n'avait le goût de rire. Sa douleur a migré de sa jambe à son estomac. La perte de son livre est pire que le crabe qui la ronge. Le récit de sa vie n'appartient qu'à elle, jusqu'à ce qu'elle en décide autrement. Pourquoi lui a-t-on volé ce dernier projet?

Elle pousse du doigt le godet contenant la pilule de morphine. Il est tentant d'endormir le mal, mais cela fonctionne-t-il pour le vide qui lui écrase la poitrine? Ce soir, la douleur est bien plus dans son esprit que dans les vieilles cellules de son corps.

Ti-Gars était un bon cheval. Courageux, fort et loyal. Il est mort à la suite de la perte d'un membre. Il est ironique de penser qu'Héléna mourra de la même façon, mais, dans son cas, le fusil n'aura pas la même portée. Il lui faudra souffrir avant de mourir. Elle croyait que cela lui donnerait le temps de se relire. On le lui enlève en volant ses écrits. Comment ne pas s'enrager?

La directrice est montée la voir en fin d'après-midi. Elle l'a écoutée poliment après s'être informée de sa santé sur le ton d'une maman qui s'inquiète pour sa petite fille. Puis elle a rappelé le règlement de non-responsabilité de la résidence concernant la perte des objets de valeur. Elle allait quand même demander au personnel d'avoir l'œil ouvert. Le tout a duré moins de cinq minutes. De sa position couchée, Héléna n'a pu que la remercier faiblement.

Héléna soulève le godet et le porte finalement à ses lèvres. D'une gorgée d'eau, elle avale la pilule. Elle actionne le bouton pour qu'on vienne la préparer pour la nuit. Que s'est-il passé après la mort du cheval?

CHAPITRE 22

Wayagamac, été 1940

Arrivée à la maison, je ne répondis à aucune des questions de Marie-Jeanne. Je me dirigeai vers ma chambre. Je retirai mes vêtements et je m'étendis sous les couvertures. De l'autre côté du battant, la voix de Fabi rassurait ma mère sans que je comprenne rien de ce qui se disait. Il n'y avait que les coups de feu qui éclataient et la tête de Ti-Gars qui retombait inerte, puis tout recommençait en boucle.

Au bout d'un long moment, Fabi entra, après avoir cogné faiblement. Elle apportait de quoi me laver. Avec son aide, je fis ma toilette et enfilai une jaquette. J'allais me remettre au lit quand mon père fit irruption dans la maison et ouvrit la porte de ma chambre sans frapper. Il me pointa de son gros doigt et me dit avec colère :

— Toé ! Fais-moé pus jamais ça !

C'était la première fois que je n'avais pas peur de lui. D'habitude, son regard suffisait à me figer comme un lièvre. Mais là, il aurait pu me gifler à nouveau et me faire mal, mais il ne pouvait plus me terroriser. J'étais remplie de la mort de Ti-Gars et les menaces me semblaient dérisoires devant une telle fatalité. Ma mère le repoussa dans la cuisine en lui ordonnant de se calmer. Fabi referma la porte et vint s'asseoir près de moi sur le rebord du lit.

— Est-ce que ça va aller?

— Je veux pas que tu partes toé aussi, Fabi.

— Voyons, Héléna. Y'é pas question que je m'en aille. Pourquoi tu dis ça?

— Vas-tu voir Matthew, tantôt?

— Comment ça se fait que tu sais ça? T'as encore écorniflé.

— Vas-tu te marier avec lui?

— Héléna! Arrête! Y'é ben fin, mais c'est le gérant de l'usine. Où c'est que tu vas pêcher des idées de même?

Elle me serra contre elle et c'est alors que mon corps se relâcha, libérant la douleur sur ma joue, sur ma hanche, mes bras et mes jambes. Là où la main, les branches, les rochers avaient frappé, lacéré et égratigné en essayant de mater ma fureur. Fabi fredonna une chanson où il était question de canot, de vent et d'un grand lac tumultueux. Entre deux couplets, elle me murmura à l'oreille qu'elle n'irait pas à son rendez-vous. Je m'endormis lorsque le canot croisa le chemin de la loutre qui indiquait un passage secret vers un lac si calme que son reflet révélait le bonheur d'un ciel sans nuages.

Résidence Clair de lune, Trois-Rivières, hiver 2002

Huguette Lafrenière remet de l'eau fraîche dans le pichet. Elle replace une liasse d'enveloppes et de prospectus, sur le bureau face au lit, puis enlève le cellophane sur la boîte de chocolats aux cerises avant d'en fourrer un dans sa bouche. Comme d'habitude, la télévision murmure dans son coin une quelconque émission qu'Héléna n'écoute jamais. Elle s'assoit dans le fauteuil et consulte sa montre qui indique 14 h 15. Le matin même, elle a fait courir la rumeur qu'on allait enquêter sur le vol du manuscrit de son amie. Bien entendu, il n'en est rien, mais elle espère que le voleur ou la voleuse paniquera et commettra un impair. C'est une stratégie qui a fonctionné dans un film qu'elle a vu et dont elle a oublié le titre.

Héléna tourne la tête et ouvre les yeux. Madame Lafrenière se lève et se penche vers son amie.

— Comment ça va?

— Je suis un peu fatiguée aujourd'hui.

— Attends que je t'aide à te remonter. T'as-tu pogné ça, pour le couple Pelletier-Salé?

— Je trouve que tu commences raide avec les nouvelles.

— C'est pas de ma faute, on parle juste de ça.

— Je sors pas de la chambre. Tu sais bien que je connais pas tout le monde à la résidence.

— Ben non. C'est pas du monde d'ici. C'est un couple de patineurs aux Jeux olympiques, aux

États-Unis. C'est des Canadiens. Les juges leur ont donné des mauvaises notes.

— Pis?

— Pis c'est un scandale! Ils ont été obligés de revenir sur leur décision pis de leur donner la médaille d'or plutôt que celle d'argent. Y paraît que les juges vont écoper.

— Huguette, je m'intéresse pas ben ben .aux Olympiques. Dis-moi plutôt si tu as des nouvelles de mon livre.

— Non, mais j'suis pas restée les bras croisés. Ça devrait bouger.

— Je sais pas c'est quoi ton idée, mais moé, on dirait que j'en ai pus. Pourrais-tu remonter mon grabat?

Pendant que madame Lafrenière peste contre la vétusté du lit d'hôpital, Héléna porte un peu d'eau à ses lèvres.

— À matin, j'ai essayé de repasser dans ma tête le chapitre avec mon frère dans le train. Mais il y a des bouts qui m'échappent.

— Ça doit être la morphine que tu prends. C'est fort c'te patente-là!

— Ouais, mais si tu savais comme on se sent ben! Avec ça, je me réveille plus la nuit.

— Es-tu sûre que ça t'endort pas le jour aussi?

— Je viens de me rappeler ce que mon frère m'a lancé par la fenêtre du train. C'était sa montre. Ben oui! Pis je l'ai encore! Regarde dans ma valise, elle doit être dans un petit sac en tissu. Le bracelet est magané.

Madame Lafrenière récupère le sac en question et le place devant Héléna. Celle-ci glisse la fermeture éclair et en sort des bijoux.

— Il me semble que je l'avais mise là-dedans.

— T'as dû l'oublier en partant, dit madame Lafrenière.

— Elle marchait pus. La vitre était fêlée. T'as raison, je dois l'avoir laissée à l'appartement.

— Tu l'as jamais fait réparer?

— Ça aurait été facile, mais… j'ai jamais pu. Ça me revient, la journée du train. J'ai couru comme une folle dans le bois. J'étais en jaquette.

Ses yeux s'enfuient par la fenêtre. Madame Lafrenière attend un peu, puis se retire devant le mutisme de son amie. Il est inutile de vouloir la suivre, son train n'est pas le sien.

CHAPITRE 23

Wayagamac, été 1940

Le cri déchirant de la locomotive se répercuta sur les parois de la montagne. Une buse affolée prit son envol à grands coups d'ailes, portée par les courants chauds. Les roues grinçaient dans les virages et les wagons tanguaient et s'étiraient du bout de leurs amarres. Le train peinait à sortir de cette longue pente qui se terminait au-delà du tunnel et du Fer à cheval. Le bruit de ces efforts portait jusqu'au grand chalet. Le lac créait un espace favorable à la propagation du son. Souvent, nous entendions les castors abattre les arbres et les orignaux patauger sur les rives. Assis sur le quai, nous les écoutions s'activer, parfois à des distances respectables. Quand le vent se calmait et que l'air semblait s'être retiré, on pouvait même entendre, à plus d'un kilomètre, la voix des pêcheurs s'exclamant sur leurs prises.

Le monstre de fer et de bois rugit à nouveau et l'écran de mes rêves vola en éclats. D'un bond, je sautai hors du lit et cueillis mon pantalon d'une main sans prendre le temps de l'enfiler ni d'attacher mes bottines. Marie-Jeanne s'activait dans sa chambre

LA FAMILLE DU LAC

et n'entendit que le claquement de la porte-moustiquaire. Le soleil éblouissant me fit plisser les yeux. Je
savais que j'avais une chance d'arriver à la voie ferrée
en même temps que le train. Pour cela, il faudrait que
je coure sans arrêt sur le sentier battu qui montait sur
la moitié de son trajet. En me voyant passer, trois travailleurs du campement se demandèrent sans doute
quelle mouche m'avait encore piquée. Mais je filais
comme l'éclair sans me préoccuper de rien. Je soule-
vais ma jaquette des deux mains pour libérer le mouvement de mes jambes. Je ressentais la fatigue de la
veille et, rapidement, j'abandonnai mon pantalon qui
me nuisait dans mes efforts. Ma seule priorité était de
ne pas rater le passage de Francis.

Plus je me rapprochais, plus la cadence du bruit
des roues sur les rails augmentait. Cela signifiait qu'il
s'arrachait petit à petit à la résistance de la pente. Il ne
me restait à franchir que le dernier talus bordant la
voie ferrée, lorsque le gros nez du train apparut entre
les branches. Je le gravis à moitié sur les genoux et les
mains en pensant que mes poumons allaient exploser.
Puis je me dressai en levant le bras. Un inconnu
répondit à mon salut, suivi de quelques autres qui
jaillissaient un à un des fenêtres. Mais je ne voyais
pas parmi eux le moindre uniforme. Le second wagon
défilait à son tour sans que j'aperçoive mon frère.
Restait le troisième, qui précédait celui à bagages.
Je criai son nom de toutes mes forces en espérant
qu'il m'entende. Quelques visages se présentèrent

aux fenêtres par curiosité en lançant des bonjours et quelques blagues sur ma jaquette. Je courus en suivant le wagon malgré les irrégularités du terrain et les buissons qui faisaient obstacle. Le train prenait de la vitesse et je criais de plus belle. Soudain, la tête de Francis apparut à l'extérieur.

— J'vais revenir, p'tite sœur! cria-t-il en agitant les bras.

Pour l'instant, le train l'emportait loin de moi. À bout de souffle, je tombai sur le sol et restai assise à lui envoyer la main. Juste avant qu'il ne disparaisse dans le prochain virage, il lança un objet dans ma direction. Je me remis en marche, mais cette fois, plus lentement, en me rapprochant de la voie ferrée. L'arrière du train fuyait au rythme du staccato des roues qui accéléraient. Après un moment, je dus poser l'oreille sur le rail pour percevoir le bruit qui me rattachait encore à mon frère. La mort dans l'âme, j'entrepris de retrouver ce qu'il avait jeté par la fenêtre. Durant de longues minutes, j'arpentai le terre-plein qui s'étendait de la voie ferrée jusqu'en bordure de la forêt. Les moustiques se faufilaient sous ma jaquette et, sans aucune pudeur, me piquaient haut sur les cuisses. Je cueillis des rameaux de fougère et m'en servis pour les éloigner. Je zigzaguais en examinant le sol avec attention, tout en fouettant l'air autour de moi avec mon chasse-moustiques improvisé. En me voyant, un observateur aurait cru à une folle échappée d'un asile.

Je trouvai la montre grâce au reflet du soleil sur le verre. Je la portai à mon nez pour sentir l'odeur du bracelet imprégné de la sueur de Francis. Dans la chute, la vitre de la montre s'était fêlée et ses aiguilles s'étaient arrêtées. Huit heures seize. Je la mis à mon poignet et repris fièrement le chemin du retour. J'aimais à penser que le temps s'était vraiment immobilisé pour lui et qu'il resterait dans le train jusqu'à ce que la guerre soit finie.

Tout le long du sentier, je levais mon bras pour admirer la montre. Jamais je n'en avais porté. De toute façon, nous n'avions pas assez d'argent pour ce genre de luxe. Mon père avait hérité, à la mort de grand-papa, d'une grosse «patate» de poche qu'il ouvrait solennellement les rares fois où quelqu'un lui demandait l'heure. Nous vivions en marge de la société, avec les saisons, sans nous préoccuper de l'heure exacte. Le soleil au zénith suffisait à nous aider à nous repérer. L'heure précise appartenait aux gens de la ville, pour l'ouverture de leurs magasins, pour les horaires de l'usine et pour ceux qui fréquentaient l'école. Nous n'avions besoin que de notre instinct pour évaluer les distances et le temps nécessaire pour les parcourir. À part pour la tombée de la nuit et ses inquiétantes bêtes folkloriques, nous n'en étions pas à une minute près.

Mon esprit vagabondait d'une idée à l'autre à mesure que je me rapprochais du campement des travailleurs. Bientôt, j'allais atteindre l'endroit où j'avais abandonné mon pantalon. J'accélérai le pas jusqu'à ce que j'arrive à la hauteur d'un homme assis sur une souche en retrait du sentier. Je poussai un cri de surprise. Sans broncher, il chassa les moustiques de son cou d'un geste las.

— Désolé, je ne voulais pas te faire peur.

Je reconnus le policier à la bouche de poisson que nous avions rencontré le long du ruisseau. Que faisait-il là avec mon pantalon à la main?

— J'imagine que c'est à toi. Il était au milieu du chemin, pas très loin d'ici. Ça fera un mystère de moins à résoudre.

Je récupérai mon bien en le pressant contre ma poitrine. Je réalisais qu'à part mon père et mes frères, aucun homme ne m'avait vue de si près en jaquette. Je me sentis rougir.

— Je ne pensais pas rencontrer quelqu'un de si bonne heure dans le bois. Je m'en retournais en ville. J'ai couché au club hier soir. Vu la jaquette, je suppose que tu es partie de chez toi assez rapidement. Ça a un lien avec le bleu sur ton visage?

Je touchai ma joue. Avec mon empressement à rejoindre le train, j'avais oublié mes ecchymoses de la veille. Maintenant qu'il en parlait, la douleur revenait dans ma mâchoire. Je fis non de la tête. L'homme s'alluma une cigarette avec lenteur. Il prenait tout son temps pour m'examiner.

— Tu es Héléna, la plus jeune des filles de monsieur Martel. On s'est rencontrés près du ruisseau.

Cette fois, j'acquiesçai avec l'envie de poursuivre mon chemin, mais mes bottines refusaient de bouger. Le policier tirait sur son mégot en arrondissant les lèvres et recrachait la fumée en gardant la bouche en cul de poule.

— Comment c'est arrivé pour ton visage?

J'étais paniquée à l'idée que cela se voyait autant. Je cherchais quoi dire pour mettre fin à cette conversation. J'étais hypnotisée par les yeux qui se cachaient derrière la mince fente des paupières plissées. Il est sûr que d'avoir le pantalon à la main me rendait vulnérable.

— Tombée. Je suis tombée.

— Remarque que c'est pas de mes affaires. Je demandais ça comme ça, dit-il comme si de rien n'était. Hier soir, au club, on m'a raconté que ton cheval était mort?

— Oui.

— Ton père l'a abattu. Il avait pas le choix, mais il devait être très fâché, non?

Pourquoi posait-il toutes ces questions, alors qu'il semblait avoir toutes les réponses? Je me sentais de moins en moins à l'aise avec la familiarité qu'il essayait manifestement d'imposer à notre échange. Il continua tout en tétant sa cigarette avec application.

— C'est normal, un cheval est très utile quand on habite dans cet endroit. Bien entendu, si y avait pas eu ce bris d'aqueduc, tout ça serait pas arrivé. Mais on contrôle pas les orages. Ce soir-là, t'étais avec ta sœur et ta mère?

— Oui. Mon autre sœur, Yvonne, était là aussi.

— Yvonne. Je l'ai rencontrée à La Tuque. Une personne charmante. Alors vous étiez toutes les quatre à la maison quand ça a commencé?

— C'est ça.

— Heureusement, parce que ça tombait dru. Il y avait des ruisseaux qui coulaient dans les rues à La Tuque. On aurait presque pu faire flotter un canot dedans. Y'a plusieurs arbres qui ont perdu des branches.

Il continuait à raconter l'orage avec bonhomie, comme s'il discutait avec un passant. J'avais noté au passage qu'il avait rencontré Yvonne. Il n'y avait pas de doute qu'il poursuivait son enquête. Au tournant d'une phrase inoffensive, il demanda à brûle-pourpoint:

— Ton père était avec vous à la maison?

Je compris à l'immobilité de sa moustache et à l'extrême fermeture de ses paupières que tout son baratin n'avait servi qu'à aboutir à cette question. Que répondre? Que savait-il? Il avait sûrement déjà interrogé Yvonne sur le sujet. Je ne pouvais lui parler de la lueur du fanal que j'avais cru apercevoir sur la *dam*, comme si quelqu'un revenait de l'autre côté du ruisseau. Pas plus que des bottes boueuses de mon père, qui n'avait pu les salir de cette façon simplement en marchant du hangar à la maison. Sans parler du bâton de dynamite. Je me sentais coincée. J'avais encore de la rancune envers lui pour la mort de

Ti-Gars, mais il était impensable que je mette mon père dans l'embarras.

— Je me souviens pus. Je me suis couchée de bonne heure, quand on est entrées dans la maison. J'ai peur des orages.

— Ouais. Le tonnerre, ça peut être dangereux. Mais il y a pire, hein? ajouta-t-il en tournant la tête et en frottant sa joue.

Je baissai les yeux devant l'allusion manifeste à propos de mon visage. Il écrasa son mégot contre la souche, entre ses jambes, trop près de sa fourche. Je ne pensais même plus aux morsures de moustiques. Je me sentais aussi immobile que le temps sur ma montre. J'attendais, comme une prisonnière, que mon bourreau me libère. Mais il ne semblait pas pressé de s'exécuter.

— Sais-tu ce que je crois? Ton père était pas avec vous au moment de l'orage. Il était occupé ailleurs. Quand j'ai posé la question à ta sœur Yvonne, elle non plus se rappelait pas. Puis elle m'a dit que ton père avait affirmé revenir de son hangar. Tu te souviens de ça?

Je haussai les épaules en essayant de ne plus regarder ses yeux.

— Tu savais qu'il y avait de la dynamite au club? Ça se pourrait qu'on en ait volé quelques bâtons. Il y a des méchantes langues qui ont vite fait le lien avec le bris de l'aqueduc. Tu sais ce que c'est, de la dynamite?

— Oui.

Ma réponse vint trop rapidement.

— Tu en as déjà vu?

Je me sentais comme une bête traquée qui se cherche une issue pour s'échapper. Je tripotais la montre de Francis, comme si elle avait le pouvoir de me sortir de ce mauvais pas.

— Non, c'est ma sœur qui m'en a parlé.

— Ta sœur? Laquelle?

— Moi! dit Fabi d'une voix forte en émergeant du sentier.

Mon soulagement était sans doute visible à des kilomètres à la ronde. Fabi allait me tirer de là!

— Veux-tu ben me dire où c'est que t'étais? M'man se fait du sang de cochon, me dit-elle.

— J'étais au train. Je voulais saluer Francis.

— Ben, avertis, la prochaine fois! Viens-t'en, on t'attend pour déjeuner. Bien le bonjour à vous, monsieur.

— Encore une chose!

Il se leva et s'approcha de nous. Immédiatement son pouce gauche s'agrippa à la poche de son pantalon.

— J'ai demandé à quelqu'un qui est habitué avec le dynamitage. J'l'ai emmené voir en haut de la côte. Selon lui, il y a de fortes chances qu'on ait utilisé de la dynamite pour provoquer l'éboulement. Il a trouvé des débris accrochés dans les arbres autour du trou. C'est sûr qu'avec les pluies qu'on a eues, y restait pas grand-chose, mais il y en avait assez pour avoir un doute. Ça fait que j'aimerais ça savoir comment ça se fait que tu connais ça, la dynamite?

Cette fois, la question s'adressait à ma sœur. Elle me prit la main et son regard défia celui du policier.

— J'en ai vu quand ils ont fait sauter la montagne pour réparer les rails au Fer à cheval. Aussi au lac Tom quand les gars du club ont fait un petit barrage.

— Qu'est-ce que tu faisais là?

— Mon père m'avait emmenée voir ça.

— Mais ta sœur était pas là?

— Si ça vous dérange pas, on va retourner à la maison. On nous attend.

Il fit un signe de tête. Je sentis qu'il nous regardait nous enfoncer dans le sous-bois. J'avais la fâcheuse impression qu'il ne lâcherait pas le morceau. Il nous harcèlerait jusqu'à ce qu'il obtienne la vérité. Il fallait que Fabi se débarrasse du bâton que j'avais trouvé, sinon il pourrait finir par en découvrir l'existence.

Quand nous fûmes certaines qu'il ne nous avait pas suivies et que personne ne remontait le sentier, j'enfilai mon pantalon. Fabi mit sa main sur ma bouche et je crus qu'elle voulait par ce geste empêcher que je revienne sur ma discussion avec le policier. Son visage exprimait une tout autre inquiétude. Elle scrutait le sous-bois et tendait l'oreille en portant la main à son couteau. C'est alors que j'entendis le bruit d'une souche ou d'un tronc d'arbre qui éclate. Fabi, en se penchant, me pointa un endroit de la forêt où je ne distinguai tout d'abord que des buissons et des branches qui s'entrecroisaient. Il me fallut un certain temps pour m'apercevoir que le noir derrière cet écran de verdure appartenait à la fourrure d'un ours. Il était à une vingtaine de mètres de nous et semblait occupé à nettoyer un tronc d'arbre de ses larves et de ses insectes.

Fabi appuya sa main sur mon épaule et me força à m'accroupir. Nous connaissions les histoires d'ours. Elles étaient aussi populaires au club que les histoires de pêche. Les glacières éventrées sur la galerie ne se comptaient plus, de même que les chalets saccagés. Mais les meilleures restaient celles d'une rencontre avec l'ours dans son milieu naturel. Les descriptions du monstre abondaient, ainsi que les recettes pour s'échapper : faire le mort, se mettre à gesticuler et crier comme un damné, ou, au contraire, lui parler gentiment pour l'amadouer. Il était proscrit de courir ou de monter dans un arbre, l'ours était trop habile à ce genre d'activité. Bien entendu, la tension enflait de plusieurs crans lorsque les histoires se pimentaient d'une femelle avec ses petits.

Le nôtre avait l'air de se régaler et de ne pas se formaliser de notre présence. Fabi décida que nous pouvions poursuivre notre chemin, car le sentier s'éloignait de l'animal. Avec précaution, le cœur battant, je la suivis en regardant où je posais les pieds.

Les travailleurs virent passer deux sœurs qui se tenaient par l'épaule et qui riaient comme des folles. Personne ne savait que nous venions d'échapper aux griffes d'un ours mal léché et d'un chef de police qui le devenait de plus en plus.

Résidence Clair de lune, Trois-Rivières, hiver 2002

Héléna sent une main se poser sur son épaule. Une odeur de tabac et de lotion après-rasage flotte au-dessus de son lit. Son corps engourdi met du temps à réagir. La drogue s'est répandue jusque dans les moindres recoins de sa vieille carcasse. Les signaux de détresse sont apaisés, le crabe s'est replié sur lui-même. Hormis ces doigts sur son épaule, la nuit serait parfaite.

— Héléna? Réveille-toé.

— Hum… C'est quoi?

À la faible lueur de la lampe de chevet, Héléna tente de recomposer les traits de l'homme penché vers elle. Son esprit embrumé ne voit que les détails sans prendre le recul nécessaire. Le nez est énorme et rempli de buissons de poils. Les oreilles tortueuses se creusent de sillons, dont les méandres aboutissent à un ravin abrupt et noir. L'œil, d'abord glauque et solitaire, se dédouble et se constelle de dunes de sable parsemées de taches sombres. L'éveil combat la béatitude dans lequel Héléna a sombré avec délice.

— Héléna? C'est moé, Roméo.

— Méo?

— ROMÉO. Je veux te demander pardon.

— Gaston ?

— Non. Ro-mé-o. Je viens te demander pardon pour avoir pris ton livre. Je voulais pas te faire de peine. Je voulais juste voir comment t'écris. J'sais pas lire, mais je trouve ça beau l'écriture. Des pages complètes remplies de petits signes.

Héléna n'entend que des sons, que son esprit est trop lent à classer. Ils se succèdent comme le ricanement modulé par un souffle, qui éteint les syllabes comme des bougies. Elle confond le policier dans les bois et son père debout dans la porte de sa chambre.

— Au début, j'avais pensé que je pourrais te le remettre à la condition que tu écrives ma vie. C'était pas une bonne idée. Je m'étais pas rendu compte que c'est le temps qui va manquer. Plus je tournais les pages, plus je voyais tout ton ouvrage. Toutes les heures que ça a dû te prendre pour tracer tous ces signes-là. Je sais pas ce que c'est que les p'tits poteaux de téléphone, ou les p'tites vagues que tu mets partout, par deux ou par trois, ou des fois la tête en bas. Mais je peux te dire que je me suis souvent arrêté sur les bosses avec un dossier. À gauche ou à droite, comme si y fallait pas seulement regarder par en avant, mais aussi par en arrière. Comme dans la vie, y'a pas juste ce qui est à venir qui vaut la peine, y'a aussi tout ce qu'on a fait ou défait. C'est pour ça que j'aurais aimé te raconter la mienne, pour que t'en écrives des bouts. Il y en a des beaux, mais y sont trop loin, y vont se perdre avec moé. En tous les cas, tu dessines… t'écris bien, Héléna. Si tu parles de toé, là-dedans, ça doit être ben beau pis ben intéressant. Je suis certain que tu vas me pardonner. Je vais remettre ton livre où je l'ai pris. Dans le fond, Héléna, je voulais juste que tu sois mon amie…

Le vieux monsieur Lacoste s'en retourne, accompagné par les ronflements d'Héléna.

CHAPITRE 24

Wayagamac, été 1940

L es semaines suivantes marquèrent la fin des
années heureuses au Wayagamac. La vie s'essayait à reprendre un cours à peu près normal. Marie-
Jeanne s'activait au fourneau et au jardin. Les pots de
conserves s'alignaient sur les étagères dans la dépense.
Tomates, carottes, oignons, fèves jaunes rejoignaient
les confitures de fraises, de framboises et de bleuets.
Je contribuais à la tâche pendant que Fabi fendait le
bois à l'arrière de la maison. Depuis la mort de notre
cheval, la colère de mon père s'était muée en une
sourde rancune. Il passait le plus clair de son temps
à sculpter ses gourdes, assis devant son hangar. Il se
levait pour le repas, pour l'entretien de la *dam* et pour
se mettre au lit. De temps à autre, il disparaissait dans
son antre pour faire du rangement ou s'occuper d'une
réparation. Puis il revenait s'installer face à la forêt,
seul sur sa chaise, en ruminant et en tétant sa pipe.

Il évitait de me regarder. Le bleu sur ma joue était
comme un gouffre entre nous. Malgré le fait qu'il
s'estompa après une semaine, mon père continuait de
m'ignorer. D'avoir défié son autorité devant d'autres

hommes représentait à ses yeux une faute dont le pardon lui restait en travers de la gorge. Je savais qu'il m'aimait à la façon des hommes de son époque, comme une possession qui existe dans les limites qu'il avait fixées. Lorsqu'elles étaient franchies, sa condition d'homme ne savait plus en créer de nouvelles, plus souples. Il se produisait alors une série d'affrontements qui avaient eu raison de mes frères et sœurs avant moi. Chacun s'était éloigné de lui sans jamais trouver la façon de rétablir les ponts nécessaires à de bonnes relations.

Le travail sur l'aqueduc avançait à pas de tortue, jusqu'à ce qu'un nouveau cheval prenne la relève. On l'envoya par le train avec le reste des matériaux. Je le regardai prendre la place de Ti-Gars dans l'écurie. Mon père avait acquiescé mollement à la demande du gérant du chantier. J'avais les larmes aux yeux d'entendre à nouveau hennir et piaffer. Mais je gardais mes distances. Entre les périodes de travail à la cuisine, je préférais observer Fabi près du tas de rondins. Elle s'activait avec régularité, abattant sa hache d'un geste circulaire qui jamais ne ratait son objectif. De temps à autre, elle me souriait ou replaçait une mèche rebelle sur son front. Il m'est impossible de repenser à ce temps-là sans entendre le son du bois qui se fend. Clair et sec, il se propageait de l'aube jusqu'à la brunante. Pour quiconque s'approchait, il était le premier indice qui annonçait notre territoire. On savait d'emblée que des gens coupaient le bois pour survivre aux longs hivers, pour dégager un espace où cultiver la terre et pour montrer à la nature qu'ils étaient là pour rester. Mais en ce mois de septembre, les hommes représentaient une bien pire épreuve à surmonter.

Nous le constatâmes le lendemain, avec l'arrivée du chef de police. Il s'avança sur le sentier, vêtu de son uniforme, et franchit la *dam* comme un conquérant. Il nous rejoignit alors que nous étions toutes les trois à nettoyer le jardin.

— Bonjour, madame. Est-ce que votre mari est dans les environs?

Il s'était adressé à Marie-Jeanne, sans même un regard dans notre direction. Le port de son uniforme le rendait plus confiant. Son badge brillait au soleil et son arme, portée à la hanche, impressionnait. Il ressemblait à l'homme-poisson, mais il en avait abandonné la sournoiserie. On le sentait bien en selle et prêt à appliquer la loi.

— Il est au p'tit coin.

La réponse de Marie-Jeanne sembla le désarçonner. Son uniforme perdait du galon en face de l'homme qui défèque. Il oscilla d'une jambe à l'autre, cherchant quoi dire devant ce contretemps. Ma mère continua de brasser la terre pour en extraire les patates, qu'elle essuyait grossièrement et plaçait dans un seau. Fabi me fit un clin d'œil et changea de position. Dos au policier, elle se pencha vers l'avant sans plier les jambes. Comprenant le manège, j'exhibai moi aussi mon postérieur à la contemplation. Nous étions en avance de trente ans sur notre époque en offrant une résistance passive aux forces de l'ordre. Le chef de police se racla la gorge, cherchant les mots pour faire la conversation avec ma mère.

— Vous avez de belles patates…

Fabi me regarda en échappant un fou rire. Je croquai une carotte en espérant contrer le mien, que je sentais monter de mes entrailles. Une envie d'éclater franchement, pour exorciser toute cette noirceur qui nous entourait depuis quelque temps.

Mon père sortit de la « bécosse » que nous utilisions été comme hiver, bien que, pour ma part, dans les grands froids, je préférais le pot de chambre malgré son odeur. Aristide s'arrêta en apercevant le chef de police. Il remonta ses bretelles une à une en prenant bien son temps, avant de s'approcher.

— Ouais?

— Il faut que je vous parle.

— J'écoute, dit mon père en bourrant sa pipe.

— Ici?

Aristide haussa les épaules et sortit une allumette de sa poche. Il se servit du bâtonnet pour tasser le tabac dans le fourreau, puis il frotta le soufre sur la pince de métal qui retenait son pantalon à la bretelle.

— Bon, c'est comme vous voulez, dit le chef de police. Je suis venu vous annoncer qu'une enquête est ouverte pour un vol de dynamite sur la propriété du club.

Je me redressai la première, suivie de Fabi et de Marie-Jeanne. Nous attendions ce qui allait suivre. Nos yeux allaient de mon père au chef de police, qui reprenait de l'assurance devant nos mines déconfites.

— En quoi ça me regarde? dit Aristide en projetant un nuage de fumée devant lui.

— Je me suis dit que vous étiez peut-être au courant pour la dynamite.

Aristide haussa à nouveau les épaules en homme qui avait choisi d'économiser ses mots.

— Vous saviez qu'on en gardait au club? continua le chef de police.

— Comme tous les membres du club!

— Il y avait plusieurs bâtons dans un coffre en fer dans la réserve en arrière du pavillon.

— Si vous le dites.

— D'après le gardien, il pourrait manquer trois ou quatre bâtons. Matthew Brown a revérifié le registre avec lui. Vous savez ce que je pense. C'est avec ces bâtons qu'on a provoqué l'éboulement sur l'aqueduc.

Mon père restait de marbre, alors que je sentais mon cœur caracoler comme un cheval sauvage. Marie-Jeanne suivait la discussion sans en comprendre le sens ni l'aboutissement.

— C'est grave de faire sauter les montagnes pour priver d'eau toute une ville pis embêter une usine. Ça l'est encore plus quand il y a mort d'homme. Pierre Bélanger serait vivant sans cet éboulement.

Aristide prononça alors sa plus longue phrase depuis des jours.

— Un accident, ça peut arriver n'importe quand n'importe où. Tout le monde sait ça.

— Mais pas un meurtre, monsieur Martel.

— Doux Jésus! s'exclama Marie-Jeanne.

— Désolé, madame. C'est une possibilité. Le corps de monsieur Bélanger avait bien les poumons remplis d'eau. Y'a pas de doute, le docteur a confirmé qu'il est mort noyé. Le problème, c'est qu'il avait une côte fracturée dans le dos, avec un grand bleu sur la peau, comme si on l'avait frappé par-derrière ou encore, si on avait appuyé sur son corps pour le maintenir sous l'eau. C'est pas impossible.

— Bonne sainte Anne! Ça a aucun bon sens ce que vous dites là! Qui c'est qui aurait pu faire du mal à c'te pauvre homme? demanda ma mère.

— Probablement le même qui a fait sauter la montagne. Comme vous êtes le premier à être arrivé sur les lieux, monsieur Martel, je me demandais si vous auriez vu quelque chose de bizarre.

— J'ai déjà dit ce que j'ai vu.

— Ça m'avance pas beaucoup. Mais j'ai l'intention d'envoyer deux ou trois gars pour fouiller la terre dans le flanc de la côte. C'est comme chercher une aiguille dans une botte de foin, mais on sait jamais. Les bâtons de dynamite du club étaient marqués en bleu. On pourrait peut-être en trouver un morceau. En attendant, ça vous dérangerait si je jetais un coup d'œil à votre hangar? Pis tant qu'à y être, à votre maison?

— Y'a rien à voir.

— Pis y'é pas question que vous mettiez les pieds chez nous! ajouta Marie-Jeanne, offusquée par un tel sans-gêne. On est pas des bandits!

— Bon. Dans ce cas-là, je vais continuer mon enquête. Je finirai ben par savoir la vérité.

— C'est ça, conclut Aristide. Allez donc fouiner du côté du club.

Ce qui restait de notre famille le regarda s'éloigner. Il avait fait son travail. Il était évident qu'il manquait de preuves, alors il avait choisi la voie de l'intimidation. Il espérait maintenant que quelqu'un craque et entraîne le coupable avec lui. Le gros poisson se cacherait derrière une pierre et attendrait patiemment que sa proie sorte de l'ombre.

༺ঔ༻

Ce soir-là, mon père revint du hangar avec un mauvais éclat au fond des yeux. Pour la première fois, depuis la mort de Ti-Gars, il cherchait à croiser mon regard. J'en connaissais la raison. Il avait découvert sa cachette vide. La démarche du policier avait fait mouche. Par crainte de le voir revenir et mettre son nez partout, il avait voulu se débarrasser de l'objet encombrant. Devant sa disparition, il avait dû paniquer et tempêter. Mais avec Marie-Jeanne et Fabi dans les pattes, il n'osait pas me questionner. Il connaissait ma manie d'écornifler. Ce soir-là, je me couchai tôt de peur qu'il ne lise la vérité sur mon visage. Au creux de mon lit, je tentai de parler à ma sœur. Elle m'arrêta aussi sec et me dit qu'il était temps de dormir. Nous étions tous à cran et j'entendais les hommes du chantier, restés pour surveiller le matériel, se mettre à fredonner un air mélancolique au son de l'harmonica. Quand Fabi commença à ronfler de fatigue, une idée germa dans mon esprit. Plus j'y pensais et plus elle me séduisait.

Résidence Clair de lune, Trois-Rivières, hiver 2002

Héléna lisse le papier de son manuscrit. Ses yeux brûlent d'avoir trop lu. Elle n'a pas résisté à l'envie de revoir les derniers chapitres qu'elle s'était remémorés, faute de les avoir noir sur blanc. Maintenant, sa souvenance est revigorée par le texte écrit il y a plus de quinze ans. Elle a porté toute sa vie un secret bien lourd. Peut-être aurait-il été préférable de l'emporter dans l'oubli ? Mais comment réparer la faute qui l'a éloignée de son fils si ce n'est par la vérité ? Il est le dernier à porter les gènes de sa famille. Francis n'a jamais eu d'enfant, Georges non plus, celui d'Yvonne est mort avant d'être né, et Fabi... Fabi s'apprête à changer le cours de sa vie.

Ce soir, Héléna décide d'ignorer la morphine. Il lui semble qu'un peu de souffrance lui est nécessaire pour se rappeler que le temps n'est pas encore venu pour elle de fuir à tout jamais. Il lui reste à refermer la dernière boucle de sa vie.

En attendant, elle pointe la télécommande pour que cesse le verbiage sur la soirée des Jutra. La jolie chroniqueuse semble pâmée d'interviewer le réalisateur du film *Un crabe dans la tête,* qui a toutes les chances de récolter un trophée selon elle. Héléna soupire en pensant au sien, qui n'est pas que dans sa tête.

CHAPITRE 25

Wayagamac, été 1940

L'odeur des crêpes de sarrasin me tira du lit. Fabi était déjà levée et Marie-Jeanne m'informa qu'elle était partie pêcher sur le lac. Je m'installai à table de façon à ne pas faire face à mon père. Il mâchait de gros morceaux de crêpes qu'il coupait grossièrement avec sa fourchette. Comme à son habitude, il s'assoyait pour manger et non pour discuter, je n'avais donc rien à craindre tant que ma mère le fournissait en crêpes.

L'atmosphère avait changé depuis la visite du chef de police. On le sentait aux gestes nerveux et aux phrases hésitantes, dont la chute se perdait le plus souvent dans un murmure. Même le silence, auquel nous étions habitués, portait une sourde menace que nous appréhendions comme une sorte de Bonhomme Sept Heures. Fabi et moi savions que le policier se rapprochait du but. J'avais l'intime conviction que mon père s'était acoquiné de trop près avec le maire. Pour des considérations que j'ignorais, il était responsable du bris de l'aqueduc. Mais je peinais à croire qu'il avait pu assassiner un autre homme. J'étais alors persuadée que le chef de police avait moussé cette hypothèse pour apeurer Aristide et l'obliger à avouer pour la dynamite. J'y voyais la méchanceté d'un homme perfide que sa position d'autorité permettait d'étaler sous le couvert de la loi. Je ressentais encore la brûlure de son regard examinant ma jaquette là où mes tétons en boursouflaient le tissu. L'idée que ce policier puisse être dangereux pour nous devenait la source de ma motivation. Je ne pouvais risquer de tout perdre à cause de l'acharnement de ce chef trop zélé et perturbé par la mort de son meilleur ami.

— Tu viendras me rejoindre au hangar, Héléna. J'ai besoin de toi, dit mon père en repoussant son assiette vide.

Je savais ce qu'il voulait, mais pas ce que je lui répondrais. Marie-Jeanne m'offrit un répit pour y réfléchir. Elle n'avait pas encore digéré l'attitude de son mari la veille au soir. Elle n'attendait que l'occasion de lui remettre la monnaie de sa pièce. Surtout que depuis le départ de Francis, la mort de notre cheval et la déclaration sulfureuse du chef de police, sa tension n'avait cessé d'augmenter. On la sentait sur le point d'exploser, mais les évènements se succédaient sans lui en donner l'opportunité.

— Héléna va rester avec moé, aujourd'hui! Pis on revient pas là-dessus! Ça commence à faire les cachotteries pis les messes basses. Je veux savoir ce qui s'passe, Aristide! Tu traînes ta face de Carême, pis la police vient te relancer jusque dans mon jardin. Ça fait que tu s'rais mieux de nous avertir si y faut s'attendre à ce que le ciel nous tombe sur la tête. T'as ben compris, là! On dirait que toute marche de travers depuis quelque temps. Dis quelque chose!

Deux coups de feu vinrent sauver mon père de la semonce de Marie-Jeanne. Leur proximité nous fit bondir sur la galerie. Ma mère maugréait et se plaignait en évoquant les dix plaies d'Égypte. Les gars du chantier étaient eux aussi sur le qui-vive. L'un d'eux pointait le chemin qui mène au camp principal. Bientôt, Matthew apparut, le fusil à la hanche. Il marchait d'un bon pas en surveillant la forêt. Puis il épaula et tira à nouveau avant de baisser les bras de dépit. Aristide cria pour attirer son attention. Il se dirigea immédiatement vers nous. Il avait l'air excité et ses mains tremblaient légèrement.

— Vous l'avez vu? C'est le maudit ours! Il a encore défoncé un camp, hier soir. Mais je pense que je l'ai touché.

— Faut pas juste le blesser, faut l'abattre! reprocha mon père en ajustant ses bretelles.

— Allons voir, il doit y avoir des traces.

— J'vais chercher mon fusil, dit mon père en se dirigeant vers le hangar, trop heureux d'échapper à ma mère.

Matthew toucha le rebord de son chapeau pour nous saluer.

— Fabi est pas là?

Je répondis avant Marie-Jeanne de peur qu'elle ne recommence sa litanie de réprimandes et que Matthew Brown n'en fasse les frais.

— Non. Elle est allée pêcher sur le lac.

— Tu lui diras que j'aimerais ça lui parler.

Ma mère préféra retraiter près de l'évier pour manifester son mécontentement. L'insistance de cet homme riche lui apparaissait de mauvais augure. J'étais certaine qu'elle n'y voyait que d'autres problèmes à survenir, et je ne pouvais l'en blâmer.

Je fis mon plus beau sourire en opinant de la tête avec un brin de charme que je n'aurais jamais osé avant la gifle. Mon père avait réveillé en moi quelqu'un que je ne connaissais pas. Un double de moi, à la fois ravi et apeuré par son nouveau projet. J'avais affronté l'autorité paternelle et m'en étais sortie avec un bleu et la victoire d'être celle qui peut marcher la tête haute. La découverte de la dynamite me donnait une importance que mon statut de benjamine de la famille m'empêchait d'acquérir. Comme en ce moment, où je sentais que le regard de Matthew voyait la femme en moi. La pointe de mes seins libres se dressa sous ma chemise, ma peau devint d'une moiteur doucereuse en souhaitant qu'il continuât à me sourire. Mais il toucha le bord de son chapeau et fit demi-tour, non sans se retourner après quelques pas pour m'examiner d'un air songeur. Je restai appuyée contre le poteau de la galerie avec ce visage qui n'était plus le mien.

Résidence Clair de lune, Trois-Rivières, hiver 2002

Madame Lafrenière est assise dans le fauteuil près du lit. Son corps filiforme est replié vers l'avant. Son ensemble de coton ouaté bleu poudre est d'une taille trop grande, comme tout ce qu'elle porte. Dans moins d'une demi-heure, elle descendra à la salle commune au sous-sol pour son cours de gymnastique douce. Pour l'instant, elle aimerait que son amie soit plus volubile. Héléna a les yeux fixés sur l'écran de télé, où deux animateurs aux dents immaculées se disputent l'aura du meilleur dispensateur de bonheur. Aucune chance que leurs efforts n'atteignent les deux femmes. L'une souffre de sa jambe et l'autre se désespère de la voir souffrir.

— Pourquoi t'as pas pris tes médicaments, hier soir?

C'est la troisième fois qu'Huguette Lafrenière pose la question. Elle ne comprend pas l'attitude de son amie. Pourquoi endurer la douleur dans sa jambe, alors qu'elle a ce qu'il faut pour la calmer?

— Ça fait cent fois que je te le dis. Je veux pas en prendre chaque jour. J'ai besoin d'avoir les idées claires.

— T'as pas besoin d'idées en pleine nuit. T'as besoin de dormir pis de te reposer!

— Si t'as pas d'autres choses à me dire, tu peux t'en aller à ton cours.

Madame Lafrenière soupire et dodeline de la tête. L'envie lui prend de soustraire un chocolat aux cerises de la boîte, qui n'a pas l'air d'avoir reçu beaucoup de visites. Elle se retient de peur de détruire l'effet bénéfique de sa gymnastique à venir.

— Dis-moi qui t'a rapporté ton manuscrit? Il a beau être important, y'a toujours ben pas de pattes!

— Je le sais pas. Je dormais à moitié, pis mon autre moitié était droguée quand on me l'a rapporté.

— OK. Parle-moi de ton fils, est-ce qu'il va venir te voir bientôt?

— Coudonc! Travailles-tu pour la police?

— Je fais juste m'informer. J'aime pas ça te voir souffrir, toute seule dans ton coin. Y me semble qu'un enfant devrait être auprès de sa mère quand elle est malade.

— Il va venir quand ça va être le temps!

— Ça fait quasiment quatre mois que t'es ici. Qu'est-ce qu'il attend?

— Il réfléchit.

— À quoi?

— À ce qui nous sépare.

— C'est si grave que ça?

— Crois-tu au pardon, Huguette?

— Oui... Je pense que oui...

— Moi, je sais pas si j'ai pardonné à celle que je porte en moé. Des fois, c'est pas facile. Y'a des fautes qui sont dures à avaler. T'en parleras au p'tit curé, il a failli s'étouffer avec.

Le mutisme des deux femmes s'installe à nouveau. Les minutes s'écoulent, pendant lesquelles les deux femmes semblent intéressées par la recette de carrés au chocolat fondant qu'un jeune chef prépare avec enthousiasme sous l'œil amusé des deux animateurs. Ceux-ci portent du rouge pour la Saint-Valentin. Le studio est décoré à l'avenant pour l'occasion.

— Huguette, j'peux te demander quelque chose?

Elle se redresse, trop heureuse de lâcher la position de l'inquisitrice.

— Tout ce que tu veux, Héléna. Tu sais ben que je suis là pour t'aider.

— J'aimerais ça que tu me fasses la lecture. C'est rendu que mes yeux chauffent après trois ou quatre paragraphes. Puis mon livre commence à me peser au bout des bras. J'ai moins de force. Ça me donne un point dans le dos. J'ai pas besoin que tu viennes chaque jour. Des fois je suis trop fatiguée. Pis va falloir que tu lises ben tranquillement. J'en perds des p'tits bouts avec les pilules.

Huguette en est bouche bée. C'est comme si elle recevait une demande de concubinage. Elle se dresse au bord du lit et presse de ses doigts déformés par l'arthrite le bras de son amie.

— Oui, je le veux!

Héléna la regarde avec curiosité.

— Tu commenceras après le souper. Asteure, je vais faire un p'tit somme. Pis lâche-moi le bras, tu me coupes le sang!

— Oh! Excuse-moi. J'suis tellement contente. Je serai là à sept heures, c'est correct?

— C'est parfait. Referme la porte en sortant.

— Ah! J'oubliais! J't'ai mis un p'tit cœur en chocolat dans ton tiroir. Je voulais que tu aies une petite surprise pour la Saint-Valentin.

— Pourquoi tu me le dis, d'abord?

— Parce que c'est toé qui m'as fait la plus belle surprise!

CHAPITRE 26

Wayagamac, été 1940

En quelques jours, les travaux sur l'aqueduc s'accélérèrent grâce à un groupe de travailleurs fourni par l'usine de pâtes et papiers. Devant la grogne populaire, le maire avait accepté que la Brown Corporation prenne la direction des opérations. Les hommes inexpérimentés furent remplacés ou aidés par d'autres, plus compétents. On fit venir un second cheval et le reste des matériaux. On remplaça même notre vieux *speeder* par un autre véhicule à moteur que j'avais bien hâte d'étrenner. Pendant ce temps, mon père arpentait les bois à la recherche de l'ours. Bien que blessé, l'animal demeurait inatteignable. Aperçu par les hommes du chantier et ceux du club, il prenait de plus en plus l'allure d'un fantôme, qui apparaissait et disparaissait sans laisser plus de traces qu'une empreinte dans la mousse ou du crottin au pied d'un arbre.

Résidence Clair de lune, Trois-Rivières, hiver 2002

— Je lis-tu trop vite ? demande Huguette. Je peux parler plus fort aussi, si tu veux. Je pourrais m'installer de l'autre côté du lit. Ta tête est souvent tournée vers la fenêtre.

— Arrête juste de poser des questions, pis ça va être ben correct.

— Ça a l'air bon, ton livre.

— Ben continue d'abord !

Madame Lafrenière replace le gros manuscrit sur ses genoux. Elle a mis une de ses plus belles robes avec un petit collier de perles fines. Agencement oblige, elle a troqué ses souliers de jour pour des mocassins en cuir repoussé. L'infirmière en chef lui a demandé si elle allait aux noces. Elle a rougi comme une jeune fille. Lire le manuscrit d'Héléna est un honneur, faire la lecture à son amie est un bonheur.

CHAPITRE 27

Wayagamac, été 1940

À mesure que les jours raccourcissaient, la couleur se déployait dans le faîte des arbres en taches jaunes ou orangées, disséminées sur les montagnes, préparant le Wayagamac à revêtir ses parures d'automne. Dans moins d'un mois, il aurait des allures de courtepointe avant de se dénuder pour la saison froide.

Le chef Picard ne manquait pas à son devoir. L'amitié qu'il portait à Pierre Bélanger motivait son entrain. Plusieurs fois, il était venu avec deux hommes, en prenant bien soin de se faire voir par l'un d'entre nous. Il descendait jusqu'à l'éboulement et quadrillait le sol de la pente avec l'espoir de découvrir un indice quelconque. En fait, la manœuvre visait bien plus à nous intimider, car l'abondante pluie de la fin de l'été avait érodé et lavé la côte de toutes traces.

Je m'arrangeais pour me faire remarquer de lui, en traversant le barrage au moment où il revenait de sa corvée, ou en cueillant des noisettes le long du ruisseau sur son passage, ou lorsque nous descendions en ville et que nous le croisions sur sa grosse moto. Jamais il n'essaya de me parler; je voyais le gris de ses yeux, derrière la mince fente de ses paupières, descendre sur mon corps. J'exerçais mon nouveau pouvoir de séduction comme s'il m'avait été donné par quelque fée marraine usant de sa baguette magique.

Je ne saurais dire si mon plan était bien clair dans ma tête. Mais je pressentais qu'à ne rien faire d'autre qu'attendre, notre famille était condamnée. Elle n'allait pas résister à l'acharnement du chef de police. Tôt ou tard, il trouverait l'indice pour accuser mon père et l'emprisonner. Cette évidence me torturait. Qu'adviendrait-il alors de nous? Comment pourrions-nous survivre sans lui? Ces questions m'obsédaient, car elles sonnaient le glas de notre vie de famille.

De son côté, Aristide avait renoncé à me questionner concernant la dynamite. Il avait compris qu'en le faisant, il s'accuserait lui-même. Il préférait s'emmurer dans le silence et attendre que ça passe.

Je supposais que Fabi avait toujours le bâton de dynamite en sa possession, mais ni elle ni moi n'osions aborder le sujet. Par peur d'être surprises par une oreille indiscrète, mais aussi par crainte de nous avouer que notre père avait bel et bien fait sauter la montagne.

Ce que je ne savais pas, à ce moment-là, c'est que ma sœur aussi réfléchissait à une solution. Entre ses corvées, elle s'éloignait de nous et évitait de rester seule avec Aristide, qui, de toute façon, devenait de plus en plus apathique. La plupart du temps, elle ramait jusqu'au dos d'hippopotame et s'y assoyait, face au large, sans bouger. Il m'eût été facile de contourner la rive et de la rejoindre, nous aurions pu alors échanger nos idées et comprendre que nous faisions fausse route. Mais je me contentais de l'observer en prenant son attitude pour de l'anéantissement. Comment ai-je pu penser que Fabi pouvait se laisser briser par la tempête qui secouait notre famille? De nous tous, elle était la plus solide. Peut-être ai-je cru que son cœur avait été ébranlé par l'amour de Matthew et qu'elle se désintéresserait de notre sort? Qu'importe, l'engrenage de cet été continua de tourner et de nous rapprocher du gouffre.

Résidence Clair de lune, Trois-Rivières, hiver 2002

— Je comprends pas tout, mais ça a l'air ben dramatique. C'est-tu une histoire qui est arrivée pour de vrai?

— Je commence à être fatiguée. C'est l'heure de ma pilule. Je vais la prendre aujourd'hui. Tu reviendras demain matin, après mon bain. Ah! Pis c'est pas nécessaire de te mettre sur ton trente-six.

— J'aimerais ça lire le début. Pour mieux comprendre.

— J'ai pas besoin d'une «compreneuse», mais d'une liseuse. Mets mon livre dans son tiroir. Je vais dormir sur mes deux oreilles si je sais qu'il est à sa place.

— Bonne nuit, Héléna.

— Bonne nuit, Huguette.

CHAPITRE 28

Wayagamac, automne 1940

L'automne continuait de s'écouler en délavant la forêt de ses couleurs. Les matins frisquets se succédaient avec régularité. Les outardes charriaient dans leur sillage un nordet forcissant qui ridait le Wayagamac avec insistance. Nous avions cueilli les noisettes comme chaque année en descendant le long du ruisseau. De pleines poches de jute que nous avions frappées sur les pierres pour en écosser les petits fruits à l'enveloppe piquante. Mon père nous avait accompagnées avec son gros fusil de calibre 28 qu'il tenait sur la hanche en scrutant le sous-bois. Bien que le tuyau de l'aqueduc fût réparé, il restait encore des ouvriers qui inspectaient l'ensemble de la canalisation pour s'assurer de son intégrité. Certains d'entre eux avaient entrevu la fourrure de l'ours à travers les branchages. Régulièrement, des hommes avaient signalé des pistes d'ours qui traversaient leur sentier. La bête était devenue une sorte de génie malfaisant dont la légende enflait de jour en jour.

J'étais plus inquiète du chef de police, qui menaçait ouvertement Aristide d'obtenir le mandat pour fouiller le hangar et la maison. C'était de l'acharnement. Il s'obstinait à vouloir prouver que la montagne avait bien été dynamitée et que la noyade de son ami n'était pas un accident. Son insistance alimentait la rumeur. Pourtant, la police avait fort à faire avec les hommes, qui devenaient agressifs depuis l'annonce de la conscription. À La Tuque, les chicanes de tavernes abondaient, opposant les « pro » et les « anti » conscription, chauffées par les discours des politiciens, dont certains soufflaient avec trop d'ardeur sur la braise nationaliste. Aristide n'allait presque plus à La Tuque. C'était Fabi qui nous y emmenait pour nos commissions. Le *speeder* à moteur facilitait le transport.

Sur le chantier, les ouvriers racontaient qu'Allen Brown jouait du coude avec l'opposition pour obliger le maire à démissionner à l'approche des élections municipales. Il laissait à Matthew la gestion de l'usine et la négociation du projet de fonderie d'aluminium, qui reprenait de la vigueur. La population voyait d'un bon œil l'installation d'une nouvelle usine. La plupart des citoyens accueillaient plutôt froidement les insinuations du maire Desmarais, suggérant que les partisans de Duplessis soient à l'origine du bris de l'aqueduc. Il n'y avait encore aucune preuve formelle que la dynamite provenait de la réserve du club.

Mon père passait beaucoup de temps à traquer l'ours. Il s'était désintéressé complètement du chantier depuis la mort de Ti-Gars. Il partait tôt le matin et arpentait la forêt en disposant, ici et là, des pièges que l'animal contournait habilement. La plupart du temps, il revenait avec un lièvre ou une perdrix, qu'il confiait à Marie-Jeanne. Puis il s'enfermait dans son hangar et sculptait ses écuelles en chauffant la truie. Il cuvait son gin, qu'il se faisait livrer par l'entremise d'un ouvrier du chantier qui retournait en ville chaque jour.

Durant la deuxième semaine d'octobre, nous reçûmes une première lettre de Francis. Son séjour à Valcartier avait été de courte durée. Il fut du premier contingent de volontaires à traverser l'Atlantique pour poursuivre l'entraînement en terre d'Angleterre, à Aldershot. Il disait n'avoir jamais vu autant de « blokes ». Il se débrouillait de mieux en mieux en anglais. Il s'était lié d'amitié avec un Chinois de Montréal qui baragouinait le français. Son ami Germain avait été affecté à une autre garnison. L'entraînement était rude et le climat humide. Ses seules sorties étaient au pub du village. Sa courte lettre se terminait ainsi : « Je pense fort à vous autres. J't'embrasse, maman, et mes sœurs aussi. Francis ». Rien pour mon père. Marie-Jeanne avait placé la lettre bien en évidence au pied de la statue de la Vierge Marie. Elle la relisait chaque jour en buvant son thé noir.

Les premiers flocons se pointèrent à la fin octobre. Le sol se couvrit d'une poudre blanche que les premiers rayons du soleil eurent vite fait d'effacer. Les travaux à l'aqueduc étaient terminés. Ne restait qu'à remblayer et à démonter les installations près du barrage. Nous pensions retrouver la tranquillité de notre train-train quotidien. C'était sans compter la hargne du chef de police.

Résidence Clair de lune, Trois-Rivières, hiver 2002

— J'ai la gorge sèche. Je vais arrêter un peu pour boire.

— Apporte-toé un verre d'eau, comme ça, t'auras pas besoin de te lever une autre fois. Il y en a encore beaucoup à lire.

— Ton père, c'était-tu un terroriste?

Héléna prend un temps pour répondre. Pour ce qui était de terroriser, son père en était capable. Nul besoin de bombes pour cela. Un regard. Un sacre. Un poing abattu sur la table lui était suffisant. Il menait ses enfants au doigt et à l'œil. Il savait laisser planer la menace qui torturerait le sommeil et accompagnerait le fautif jusqu'au lever. Il prêchait le bien-être de la famille pour justifier sa rigueur. La résistance était à proscrire, particulièrement celle des garçons, qu'il ne se privait pas de frapper à l'occasion.

— Il était pas comme ceux qui lancent des avions sur les buildings à New York, si c'est à ça que tu penses.

— Un building ou un barrage? Qu'est-ce que ça change?

— Rien pantoute! Mais avec le recul, j'pense qu'on lui a forcé la main. Au rayon des malfaisants, on trouve toujours «pire que le plus pire». J'en sais quelque chose.

— Pis la mort de Bélanger?

— D'après le rapport du coroner, il était bien mort noyé. Quant aux blessures sur le corps, y'a rien qui prouvait que c'était pas en tombant qu'il se les était faites. On l'a su plus tard. Le chef de police se servait de ça pour nous faire peur. On peut dire qu'il a réussi.

— Ton père disait vrai.

— Si y avait dit toute la vérité, le reste serait pas arrivé !

Madame Lafrenière va à la salle de bain et revient avec un verre à moitié plein. Elle a mille autres questions à poser à Héléna, mais elle ne sait trop par où commencer. Elle reprend donc sa lecture avec une application affectée qu'elle n'interrompt qu'en présence d'une préposée venant s'enquérir des besoins d'Héléna.

CHAPITRE 29

Wayagamac, automne 1940

Un soir, après le souper, alors que ma mère débarrassait la table, mon père nous fit deux annonces. La première choqua Marie-Jeanne et lui arracha un chapelet de «Jésus, Marie, Joseph». Mon père avait appris par l'un des ouvriers, sans doute son livreur d'alcool, que le chef de police avait obtenu un mandat pour fouiller la maison et le hangar tôt le lendemain matin. Aristide coupa court aux jérémiades de ma mère en affirmant que nous n'avions rien à cacher. En disant cela, il posa un regard lourd de sous-entendus en direction de ma sœur et de moi. Nous étions prévenues. Puis il annonça qu'il irait chasser l'ours au lever du jour. On avait aperçu la bête à plusieurs reprises sur le chemin menant au camp numéro 2. Matthew avait demandé l'aide de mon père pour en venir à bout.

Fabi rougit lorsque je lui jetai un œil. Je ne savais pas laquelle des deux nouvelles lui faisait le plus monter le sang aux joues. Depuis le rendez-vous avorté, elle n'avait eu aucune nouvelle de Matthew, à part les papotages des ouvriers du chantier qui le disaient fort occupé à l'usine. En plus de remettre en marche la production de la pâte à papier, il devait voir au projet de la fonderie. C'était exceptionnel de savoir que Matthew était au club. Probablement que des invités de marque y étaient pour une partie de chasse.

— Tu seras pas là quand la police va venir? rugit Marie-Jeanne.

— Pour le moment, c'est l'ours le plus important!

La discussion était close. Ma mère n'avait qu'à bouder en brassant sa vaisselle. Aristide alluma sa pipe et regarda par la fenêtre la noirceur qui, sournoisement, s'amenait plus tôt de jour en jour.

Je compris que je devais tenter quelque chose pour nous soustraire à l'inquisition du chef de police. J'avais l'intime conviction que s'il fouillait notre maison ou le hangar, il trouverait un indice pour incriminer mon père, quitte à l'y déposer lui-même. Marie-Jeanne ne s'en remettrait pas. J'irais au-devant de lui demain matin, comme celle que je portais en moi me l'avait suggéré plusieurs fois. Nous l'attendrions à l'endroit où le sentier longe la falaise près du lac. Là où la rive est couverte de grosses roches. Cela pourrait passer pour un accident. Elle en était persuadée, moi j'étais hésitante. J'avais encore la nuit devant moi pour en débattre.

CHAPITRE 30

Wayagamac, automne 1940

La journée débuta comme toutes les autres. Mon père alluma sa pipe, sitôt levé, avant de prendre son thé noir. Ma mère fit une courte prière pour Francis devant la statue et les lampions. Fabi s'occupa du gros poêle L'Islet pendant que je dressai la table. L'odeur du déjeuner se répandit dans la maison. Notre engrenage quotidien fonctionnait au quart de tour. Il y avait du bois à fendre et à corder, du pain à pétrir, un ours à chasser, des conserves à ranger, du ménage à faire et bien d'autres tâches pour des jours à venir.

Mon père fut le premier à partir, le fusil sous le bras, en empruntant le chemin qui menait au pavillon. Fabi annonça qu'elle irait pêcher au ruisseau avant de fendre les bûches. Ma mère, quant à elle, s'activait au fourneau. Je lui criai que j'allais au jardin récolter les dernières patates.

Personne ne questionna personne. Chacun organisait sa fuite à sa façon, convaincu de retrouver les autres membres du clan intacts à la fin du jour. Comment pouvais-je avoir cette certitude, alors qu'Yvonne et Francis n'étaient plus avec nous ?

Je fis semblant de ramasser quelques patates en attendant que les deux ouvriers du chantier retraitent dans leur tente pour le déjeuner. Je traversai la *dam* et courus dans le sentier. Mon cœur battait à tout rompre à mesure que j'approchais du lieu de rencontre. Depuis mon réveil, j'étais aspirée par une conviction qui me dépassait: il n'y avait que moi qui pouvais enrayer le mécanisme de destruction de notre famille. Je devais m'abandonner à l'autre en moi, lui laisser le champ libre. Elle avait en elle la force de réussir. Le bruit d'un *speeder* enfla, puis s'éteignit d'un coup. Je parcourus les derniers mètres en serrant les dents. Arrivée à destination, je m'appuyai à un gros pin et je mis plusieurs secondes à reprendre mon souffle.

À cet endroit, le sentier longeait le Wayagamac sur une dizaine de mètres en le surplombant du haut d'une falaise escarpée. La forêt d'épinettes et de pins y était clairsemée et les rochers affleuraient un peu partout. Parmi les plus grands arbres, quelques-uns avaient la cime noircie par la foudre.

Je m'installai, dos au lac, jambes écartées. Le vent du large s'engouffrait sous ma veste de laine et ma chemise, enveloppant mes seins nus d'une caresse désagréable. Je n'avais pas envisagé que le chef de police puisse m'arrêter et me passer les menottes. J'étais certaine d'avoir interprété avec justesse l'éclat de concupiscence au fond de ses yeux. Le plus difficile n'était pas de l'attirer, mais de le faire chuter.

Je ressentais une véritable excitation. Bien plus grande que celle que m'offraient mes séances d'espionnage. J'en percevais les signes sur ma peau, dont le duvet se dressait en lignes sinueuses. Mon corps tout entier se tendait comme un arc qu'une force nouvelle étirait. Une vigueur inconnue qui montait de très loin au-dedans de moi. Je n'avais aucune envie d'en retenir la fougue, car elle m'apparaissait libératrice d'une partie de moi-même dont j'ignorais l'existence. Je ne saurais dire qui j'étais à ce moment précis.

Malgré toute ma détermination, je faillis abandonner mon idée quand le bruit de ses bottes martela le sol du sentier. Il avançait d'un bon pas, sûr de lui, fort d'avoir en poche l'autorisation de nous humilier en fouillant notre intimité. Il émergea, d'entre les arbres, vêtu de son uniforme de policier. Il marchait vite, la tête basse, en surveillant où il posait les pieds. C'était plus facile de l'interpeller dans mon imagination que dans la réalité. Je ne pus extraire de ma gorge qu'un cri rauque et informe. Il sursauta, s'arrêta net et posa la main sur son arme, qu'il portait dans un étui.

— Ah! C'est toi. Tu m'as fait peur.

Il se trompait. C'était moi qui étais effrayée. Je tremblais de tout mon corps, sans savoir si la cause en était le souffle du Wayagamac ou celui de ma conscience. Il s'approcha de quelques pas, le pouce accroché à son ceinturon. Sa bouche de grosse truite respirait en cadence. Ses yeux fouillaient mon corps comme à son habitude.

— T'es de bonne heure dans le bois, toé. Qu'est-ce que tu fais là ?

— Je vous attendais.

Sans le vent pour porter ma voix, je ne suis pas certaine qu'il m'aurait entendue tellement je manquais d'assurance.

— T'as quelque chose à me dire ?

Je hochai la tête et, d'un geste nerveux, j'entrouvris ma veste de laine. Il fronça les sourcils à la vue de ma peau blanche et s'avança encore de deux pas. Il était beaucoup plus grand que moi. Je réalisai à cet instant qu'il devait être également beaucoup plus fort.

— Tu veux quoi au juste, ma petite ?

Mes doigts glissaient sur les boutons de ma blouse. J'étais sûrement aussi pâle que les moutons sur le lac. Je me tournai de côté et m'adossai contre un arbre. J'étais à un mètre du bord de la falaise ; il me fallait un bon appui pour la suite des choses. Lentement, je lui montrai la courbe d'un de mes seins pour l'attirer dans mon piège. Je voyais au scintillement de ses yeux que mon manège fonctionnait. Les miens s'agrandirent quand je vis se lever derrière lui une masse plus noire que le diable en personne. Un grognement sourd accompagna cette apparition. L'ours leva ses deux pattes vers la cime des arbres. Le policier se retourna d'un coup.

— Jésus-Christ ! cria-t-il en reculant d'un pas.

Sa main chercha immédiatement à sortir l'arme de son étui. L'ours se jeta en avant et le prit de vitesse.

Omer Picard poussa un cri de douleur en roulant sur le sol. L'ours se dressa à nouveau sur ses pattes arrière et rugit de toute sa mâchoire découverte. J'étais terrorisée. Le policier se releva en se tenant le ventre. Du sang coulait entre ses doigts, qui retenaient des bouts d'intestin. Son autre main cherchait désespérément à rejoindre son revolver, mais n'y parvenait pas. Tout allait trop vite. Sentant la menace, la bête fonça sur lui. Omer Picard recula en panique et trébucha près du bord. Pendant un instant, je crus que l'ours le rattraperait. Le policier disparut sans un cri.

J'étais transformée en statue de pierre. L'animal leva le nez dans le vent, donna un coup de patte sur le rocher et tourna sur lui-même en rugissant à nouveau. Je vis sur son dos une plaque de sang séché. C'était la bête que mon père poursuivait et que Matthew avait blessée. L'ours continua à renifler le sol et à hésiter sur la suite des choses, comme s'il était furieux d'avoir échappé sa proie. Il ne semblait pas se rendre compte de ma présence.

Une forte explosion retentit en direction de la *dam*. Surpris, l'ours s'enfuit à toute vitesse. Je n'arrivais pas à remuer une seule partie de mon corps. Mon dos était soudé à l'écorce de l'arbre. Le vent me gelait la poitrine. Je peinais à retrouver la maîtrise de moi-même. Je m'avançai avec précaution vers le bord, juste assez pour constater que le policier s'était écrasé face contre le roc. De ma position, je voyais une tache sombre s'élargir près de la hanche et une autre à hauteur de tête. Avec la blessure que lui avait infligée l'animal, il ne pouvait qu'être mort. Je levai les yeux vers le lac et respirai un bon coup. Était-ce le Wayagamac qui m'avait envoyé l'ours pour m'éviter le pire? De la même façon qu'il nous avait sauvés de la noyade quand Fabi et moi étions en panne de moteur au milieu des vagues avec les deux invités du club? Les Indiens croient que les dieux sont partout, dans la nature, dans les arbres, les animaux, les rochers, les rivières et les lacs. Debout sur le bord de la falaise, je n'avais aucune peine à donner crédit à ces légendes.

À mesure que je reprenais mes esprits, l'explosion entendue plus tôt soulevait des images qui se bousculaient dans ma tête. La dynamite. Fabi. Notre maison. Ma mère. Je me reboutonnai en vitesse et courus comme une désespérée dans le sentier. J'aperçus dans le ciel bleu, entre les arbres, une sombre boule de fumée que le vent dispersait. Je pensai que, finalement, nous ne serions peut-être pas tous là, à la tombée du jour.

☙

Je sortis du couvert forestier au pas de course. Ma mère se tenait au milieu du jardin, une main devant sa bouche et l'autre dans la poche de son tablier. Je sentis qu'il flottait une odeur de poudre. Sans hésiter, je m'avançai vers la *dam*. Quelque chose clochait dans son arrangement. La rampe pendait dans le vide du côté ruisseau et l'extrémité d'un billot équarri pointait par-dessus la rive. À mesure que j'approchais, je vis des morceaux de rocher, gros comme des melons, qui jonchaient le sol. Où étaient les ouvriers chargés de démanteler le camp ? J'eus réponse à ma question quand j'atteignis la *dam*. Un homme tirait le corps d'un autre pour le sortir du ruisseau. Dans leur sillage, l'eau se colorait de rouge. Il sacrait en grimaçant sous l'effort. J'essayais de comprendre ce que cela signifiait, mais ma tête semblait engorgée par trop d'informations.

Un troisième homme, à bout de souffle, surgit de la forêt le long du cours d'eau. Dans sa hâte, il trébucha, se releva et descendit rejoindre les deux autres. J'entendis qu'il disait l'avoir échappée. Il parlait d'une « crisse » de femme qui courait aussi vite qu'un chevreuil. Puis il aida à transporter le blessé. Ils passèrent près de moi sans me regarder. L'estropié avait la jambe qui traînait sur le sol. Il gémissait en se tortillant de douleur.

Je me souviens que je tremblais des pieds à la tête. Après avoir vu couler le sang du policier, je trouvais difficilement supportable la vue de ce jeune homme, à la jambe écorchée, qui se vidait du sien. Une série de nausées me détourna de la scène.

Deux chevaux s'amenèrent au galop par le chemin du camp numéro 2. Sur le premier, je reconnus Matthew, la tête recouverte de son chapeau de feutre brun. Aristide arriva sur le second, assis sur la croupe, derrière le gardien du club.

— Tu vas bien, Héléna ? me demanda Matthew.

Je fis oui de la tête. Il me toucha l'épaule et se tourna vers mon père, qui marchait maintenant à grands pas dans notre direction.

— T'étais là, toé! Qu'est-ce qu'y est arrivé? Parle! cracha-t-il avec colère en me regardant.

Matthew, de son bras levé, le garda à distance. Je m'avançai d'un pas pour le défier.

— J'ai rien vu.

Je ne reconnaissais pas ma voix. Elle portait le mensonge avec une assurance troublante. J'avais vu le chef de police se faire éventrer et chuter sur les rochers, mais ce n'était pas ce qui importait à l'instant même.

— T'étais où? me demanda-t-il, connaissant ma propension à fouiner.

Je cherchai à la vitesse de l'éclair une réponse plausible.

— Je voulais lever les collets en allant vers la *track*.

— Ta sœur était pas avec toé?

Cette fois, sa colère s'était transformée en crainte. Il savait pour la dynamite. Il savait aussi que nous savions, Fabi et moi. Alors il tremblait à l'idée de ce qui venait de se passer. Le jeune homme, qui était auparavant sorti de la forêt, interrompit notre échange.

— Je pense pas, monsieur Martel, que votre fille était avec elle.

Sa voix était chargée de nuages prêts à se fendre de déception.

— Je l'ai vue s'enfuir le long du ruisseau.

— T'as dû mal voir! riposta Aristide.

— J'pense pas. Elle était habillée comme un homme, mais ses cheveux sont sortis de son chapeau quand elle courait. Pis en ce moment, y'a pas d'autres femmes icitte au lac, à part la vôtre, pis mademoiselle Héléna.

Mon père se tourna vers la *dam*, songeur. Il renifla bruyamment et ses traits se figèrent. Pendant un bref instant, son visage exprima une douleur profonde.

— Je vais la ramener !

Matthew tenta de le raisonner.

— Attendez, Aristide ! On va s'occuper du blessé, pis prendre le temps de réfléchir. Il doit y avoir une explication.

— Je vais aller la chercher, moé, l'explication !

Un des ouvriers s'approcha de nous.

— Il faut l'emmener à l'hôpital ! Il perd trop de sang !

Après un instant de flottement, mon père partit en direction du ruisseau à grands pas. Matthew organisa le transport de l'homme blessé vers La Tuque. Mon cœur s'était fracturé devant la mort du policier, mais là, il venait de se fendre comme une bûche gelée sous le fil de la hache.

Résidence Clair de lune, Trois-Rivières, hiver 2002

— Pourquoi t'arrêtes de lire ?

Madame Lafrenière referme le manuscrit sur ses genoux. Elle évite le regard d'Héléna. Un malaise plus grand que le cancer s'installe dans la chambre.

— Je pense que ce serait important pour moi de lire le début de ton livre.

— Tu sais, Huguette, on se retrouve tous au bord d'une falaise au cours d'une vie.

— Y'en a des plus à pic que d'autres !

— On les choisit pas. Donne-moi de l'eau fraîche, j'ai les lèvres sèches.

Madame Lafrenière s'exécute. Son amie a des cernes de plus en plus prononcés. Ses joues se creusent et sa peau devient ictérique. Malgré tout, la détermination reste présente au fond de ses yeux. Avait-elle la même quand le chef de police s'est approché d'elle ? Aurait-elle osé si l'ours ne s'en était chargé ? Même si la question lui brûle les lèvres, Huguette préfère la retenir.

— Je vais apporter ton livre dans ma chambre.

— Prends pas trop de temps. Moi, y m'en reste pus beaucoup.

— À quoi ça te sert de le passer à relire ça ?

— T'es pas obligée de continuer si ça te tente pas.

— C'est pas ce que j'ai dit. Je parlais pour toi.

— J'suis encore capable de décider pour moi-même !

— Demain soir, au souper, on fête madame Gervais. Ce serait le *fun* si tu venais. C'est juste le temps du repas. Ça te changerait les idées.

— J'ai-tu l'air de quelqu'un qui veut se changer les idées?

— Non, mais ça veut pas dire que tu devrais pas le faire! Inquiète-toi pas pour ton livre. Y'é entre bonnes mains.

Héléna grimace. Un peu pour la proposition de madame Lafrenière, beaucoup pour l'éclair de douleur qui traverse sa jambe.

— C'est ben juste pour te faire plaisir, Huguette Lafrenière!

&

— Je suis contente que tu manges avec nous autres, Héléna. Ça prenait ben ma fête pour te sortir de ta chambre! dit Rolande Gervais le rouge aux joues.

— Ça prenait plutôt la tête de cochon à Huguette. C'est elle qu'il faut remercier.

Madame Gervais baisse les yeux et modère son enthousiasme. Héléna en profite pour replacer sa jambe allongée à l'horizontale le long de la table. L'énorme fauteuil roulant encombre le passage. Les cinq autres personnes doivent se serrer les coudes autour de la table ronde. Il y a là les partenaires habituels de leurs parties de cartes. Huguette est assise près d'Héléna avec l'intention ferme de l'aider durant le souper. Suit madame Tremblay, toujours souriante, mais incapable de soutenir la moindre conversation. À ses côtés, madame Gervais, toute fière d'être le centre d'attraction, et finalement monsieur Lacoste, qui a revêtu veston et cravate pour l'occasion.

La direction de l'établissement a offert un verre de vin blanc à chacun, comme c'est l'habitude pour chaque anniversaire des résidents. Une carte de fête trône au centre de la table, avec une bonne quinzaine de signatures. Huguette s'est occupée de l'achat du cadeau, qu'elle a dissimulé dans le panier arrière du fauteuil roulant. Bien entendu, la fêtée aura droit à son petit gâteau blanc au crémage trop sucré surmonté de quelques chandelles en lieu et place des soixante-dix-neuf que nécessiterait son âge. Deux ou trois membres du personnel viendront entonner le chant de bonne fête traditionnel, que la moitié de la salle reprendra à son tour avant d'applaudir poliment. Le scénario est le même avec ou sans la présence de la famille. Dans le cas de madame Gervais, ses proches ont préféré l'amener au restaurant, par prudence culinaire, sans doute.

Héléna souhaiterait être à La Tuque, alors qu'elle s'apprête à faire une découverte troublante. Elle a l'impression, du haut de sa chaise, de dominer la salle à manger.

— T'es-tu correcte, Héléna? Veux-tu que je te redresse un peu?

Madame Lafrenière fait mine de se lever, mais son amie l'en empêche.

— Pas la peine. J'suis ben assez visible de même!

— Coudonc, Héléna, y paraît que t'as retrouvé ton livre.

Madame Gervais tente de briser l'instant de flottement qui a suivi la réplique d'Héléna. À sa grande surprise, le malaise se prolonge. Elle tripote son collier de fausses perles et le centre sur son cou. Sa robe à motifs de roses trémières tombe à la perfection sur son buste. Toujours bien mise, elle s'attire des quolibets allant de la snob à la « péteuse bien plus haut que le trou ».

— C'est bien fait, ces chaises roulantes-là, pareil !

Tout le monde se tourne vers madame Tremblay qui, fidèle à son habitude, est hors propos. Monsieur Lacoste vide son verre de vin d'un trait et propose de porter un toast à madame Gervais. Voyant son air contrit devant son verre vide, Héléna lui propose le sien, qui lui soulève le cœur juste à le regarder. L'ordre des choses étant rétabli, les vœux de bonne santé sont unanimes.

— En parlant de santé, comment va ta jambe, Héléna ?

Rolande Gervais croit cette fois avoir lancé un bon sujet de conversation.

— Le fauteuil roulant, c'est pas pour faire chic. Mais peut-être que si je continue à maigrir, on aura juste à m'accrocher une corde pis m'a flotter comme une balloune !

— Eh que t'es drôle, Héléna. Ça doit être comique, ton livre. Quand est-ce qu'on va pouvoir le lire ? demande madame Gervais en mouillant ses lèvres fines d'une trace de vin blanc.

— J'ai pas fini de le relire.

En tous les cas, Huguette est chanceuse de pouvoir le lire avant les autres! Pas vrai, monsieur Lacoste?

Le vieil homme se contente d'un sourire et d'une gorgée de vin. Il évite de croiser le regard d'Héléna.

— Vous êtes ben tranquille aujourd'hui, monsieur Lacoste? Vous aimez ça, les fêtes, pourtant.

L'arrivée du curé retraité lui permet de maintenir un profil bas. L'homme de Dieu pose une main solennelle sur l'épaule de la fêtée et de l'autre la bénit.

— Bonne fête à vous! Que Dieu vous bénisse pour cette belle journée!

— Et moi, monsieur le curé, vous m'avez toujours pas bénie. Le temps m'est compté, dit Héléna d'un air espiègle.

— Le Seigneur a l'éternité devant lui pour rassembler ses enfants.

— Y prend moins de temps pour les laisser abuser par ses représentants!

— Héléna! dit Huguette, offusquée par la déclaration.

— Ben quoi, c'est dans tous les journaux. Pas vrai, monsieur le curé?

Celui-ci se contente de sourire à la ronde. Puis il serre encore une fois l'épaule de madame Gervais.

— Je vais vous laisser à votre petite fête. Amusez-vous bien!

Pendant qu'il retourne à sa table, Héléna émet une plainte en se frottant la jambe. Madame Tremblay mastique un morceau de pain et l'avale en déglutissant avant de proclamer que ses souliers sont trop serrés.

— Coudonc, as-tu quelque chose contre lui, Héléna? demande Rolande Gervais en tournant discrètement la tête vers le petit homme qui s'éloigne en trottinant.

— Laisse faire, j'me comprends.

Huguette Lafrenière se demande ce qui mijote dans la tête d'Héléna. L'arrivée de la soupe tiède reporte à plus tard ses supputations. Son amie a décidément quelque chose d'attirant, à la façon des lampes allumées contre lesquelles les insectes vont se brûler les ailes.

CHAPITRE 31

Wayagamac, automne 1940

Cette journée fut la plus longue de toute ma vie. L'absence de Fabi me privait du réconfort sur lequel je m'étais toujours appuyée. Pire, elle était devenue l'objet de mon plus grand souci. Elle fuyait comme une bête traquée. Elle avait dynamité la *dam*. Les blessures infligées au jeune homme étaient un malheureux concours de circonstances, mais cela comptait-il aux yeux de la loi?

Matthew avait examiné rapidement le barrage pour conclure que les dégâts étaient mineurs. Les pierres du ruisseau avaient plus souffert de la décharge que la structure du barrage. Supputant que le chef de police serait bientôt là, il partit à sa rencontre par le sentier. Je savais qu'il ne le croiserait pas. Il verrait le *speeder* sur la voie parallèle et chercherait à comprendre où était son propriétaire.

Je restai auprès de Marie-Jeanne. Elle s'était réfugiée devant la statue de la Vierge Marie. Elle pleurait en égrenant son chapelet et murmurait ses «Je vous salue Marie» comme si elle avait le diable aux fesses. Je m'agenouillai près d'elle en priant dans ma tête.

Pas tellement pour me faire pardonner d'avoir attiré le chef de police dans un piège avec l'intention de le pousser du haut de la falaise. L'ours se débrouillerait lui-même avec son pardon. Je voulais plutôt que la journée passée puisse s'effacer et que chacun, au réveil, décide d'entamer la prochaine autrement. Je restai longtemps à écouter ma mère marmonner ses supplications.

Matthew frappa à la porte sur l'heure du midi. Mes genoux se déplièrent avec difficulté. Mon esprit s'était enlisé dans un marais de suppositions d'où émanait une terrible odeur de catastrophe. J'eus du mal à réintégrer la réalité. Je voyais Matthew, je l'entendais, mais je mis un long moment avant de saisir son propos. Il venait s'informer pour Aristide et pour le chef de police. Je répondis que je n'avais vu ni l'un ni l'autre. Il me réconforta en disant qu'il allait organiser une battue pour retrouver Fabi. Il eut un bon mot à l'intention de ma mère, qui ne se retourna même pas et continua sa litanie de prières.

Sitôt la porte refermée, je ravivai le feu du poêle et mis à réchauffer un chaudron de soupe. Après beaucoup d'insistance de ma part, Marie-Jeanne accepta de venir s'asseoir à table.

— Pourquoi ta sœur a fait ça?

— C'est peut-être pas elle, dis-je sans conviction.

— Pourquoi elle s'est sauvée d'abord?

Je ne pouvais pas lui dire qu'elle avait voulu épargner notre père et notre famille et aussi les Brown par le fait même. Toutes mes réflexions convergeaient dans ce sens. Fabi comptait sur la présence du chef de police et sur l'absence d'Aristide, parti chasser en compagnie de Matthew. Son idée était claire : lancer le policier sur une autre piste. Après l'explosion, elle serait sans doute revenue par le sentier avec sa canne à pêche et quelques poissons à la main. Elle avait sûrement prévu raconter avoir vu un homme s'enfuir le long du ruisseau. Avec la tension qui régnait à La Tuque depuis des mois avec l'annonce de la conscription, on pourrait conclure à un acte de vandalisme visant à protester contre les politiciens.

Son plan avait été contrecarré par un ouvrier qui s'était approché au mauvais moment, alors que l'amorce venait d'être allumée. Peut-être avait-il même souhaité désamorcer la dynamite ? Seule Fabi pourrait en témoigner quand on la retrouverait.

Je haussai les épaules et portai une cuillerée de soupe à ma bouche. Je savais que le drame comprenait un autre tableau. Ma mère n'avait pas fini d'implorer la Vierge.

⚭

Le temps s'était arrêté. Après le repas, Marie-Jeanne s'allongea sur son lit avec son chapelet. J'essayai de briser l'embâcle qui me serrait la gorge en m'occupant avec le ménage. Peine perdue, je tournais en rond dans la cuisine. Par la fenêtre, je voyais que le vent du lac avait charrié quelques flocons, qui tourbillonnaient comme mes pensées sans savoir où retomber.

Fabi connaissait le pourtour du Wayagamac comme sa poche. Nul besoin pour elle de suivre les sentiers. Elle pouvait s'enfoncer dans l'arrière-forêt et trouver sans problème les caches abandonnées par les chasseurs. J'étais certaine qu'elle saurait se débrouiller pour manger et se tenir au chaud. Je craignais bien plus l'ours et les hommes. J'avais constaté *de visu* la fureur de la bête blessée. Avec son seul couteau, Fabi ne ferait pas le poids. Quant à ses poursuivants, je n'arrivais pas à décider qui d'Aristide ou de Matthew était le mieux placé pour la retrouver, ni même s'il était souhaitable qu'on la retrouvât. Ma sœur avait estropié un homme en essayant de détourner les soup-çons qui planaient sur mon père et sur les dirigeants du club. Au final, j'étais convaincue qu'elle n'avait fait sauter la *dam* que dans l'intention de nous protéger, Matthew et moi. Nul doute qu'elle risquait la prison pour de tels actes.

Durant l'après-midi, un groupe d'une dizaine de personnes vint examiner le barrage. Quelques-unes portaient une arme en bandoulière. Je ne vis pas le chapeau de Matthew. J'en conclus que l'adjoint du chef de police avait organisé une recherche dès l'arrivée du blessé et de son accompagnateur. La nouvelle se répandrait à La Tuque comme une traînée de poudre. Comment Yvonne recevrait-elle l'information selon laquelle Fabi était en fuite après avoir tenté de détruire la *dam*? J'aurais aimé qu'elle fût près de moi.

L'angoisse me serra si fort que je sentis le besoin de prendre l'air. Mon cœur chavirait et me provoquait des chaleurs et des nausées. Après avoir vérifié que Marie-Jeanne s'était endormie, les doigts serrés sur la croix de son chapelet, je m'habillai en vitesse et pris la direction du quai. J'avais envie de respirer le grand air du large et d'invoquer le manitou des Indiens.

Face au Wayagamac, je restai la tête vide pendant un long moment. Le vent et les flocons me fouettaient le visage. Au loin, sur le lac, la neige formait un rideau de blancheur où mon regard se diluait. Je me sentais couler comme toute cette eau qui, à mes pieds, frappait le quai avec régularité. Le clapotis des vagues m'engourdissait mieux que le froid. Il me semblait que le quai, pourtant ancré au fond du lac, se détachait de la rive et m'emportait vers ma sœur. Je la retrouvais au dos d'hippopotame et je lissais ses cheveux avec son peigne de bois franc. Elle riait, le nez en l'air et le visage fantasque. Mes doigts glissaient dans sa chevelure et j'éclatais à mon tour, heureuse du bonheur qui nous était donné.

Les images se dessinaient avec netteté dans ma tête parce qu'elles avaient existé. Le Wayagamac ne faisait que les ranimer.

À mesure que je retrouvais un peu de calme intérieur, j'eus le sentiment que quelque chose clochait. Il manquait au bruit du lac, cognant sur le quai, le grincement des ferrures de la chaloupe. Je cherchai des yeux si le vent ne l'avait pas détachée de son amarre. Rien le long de la rive ni à l'entrée de la *dam*, que j'apercevais dans le rétrécissement de l'embouchure du lac. Je pensai sur-le-champ à Fabi. Elle devait l'avoir attachée quelque part sur le bord du Wayagamac et comptait s'en servir en cas de fuite. En longeant le lac, elle espérait déjouer d'éventuels poursuivants. Mais quelle était son idée ? Elle ne pouvait pas trouver refuge dans les camps de pêche. C'est le premier endroit où on allait la chercher. Rejoindre l'île de Steamboat au milieu du lac n'était pas plus envisageable. Non, elle avait sûrement une meilleure solution. Mon cerveau repassait toutes nos conversations et nos excursions dans les bois. J'entendis ma mère qui me criait de rentrer. Je tournai les talons en essayant de démêler ce qui se bousculait dans ma tête.

杹

Le groupe de Matthew fut le premier à revenir. Je distinguai les voix et j'ouvris toute grande la porte de la maison sans me préoccuper du froid et de la neige. Matthew marchait d'un bon pas, suivi de cinq hommes. Je reconnus un des ouvriers du chantier et le gardien Lavoie, qui avait ramené mon père à cheval. Les trois autres m'étaient inconnus, sans doute des chasseurs du club venus prêter main-forte.

— J'espère qu'ils ont pas des mauvaises nouvelles, dit ma mère dans mon dos en serrant son châle sur sa poitrine.

Matthew gravit les trois marches de la galerie avant d'enlever son chapeau. Mon cœur se débattait comme un loup pris au piège.

— On peut utiliser votre chaloupe? demanda-t-il avec empressement.

— Avez-vous retrouvé Fabi? ajouta Marie-Jeanne avec autant de précipitation.

— Non. Mais on a trouvé le chef Picard. On aurait besoin d'une embarcation pour aller le chercher par le lac. Il est tombé du haut de la falaise près du sentier. Sur les rochers. Il bouge pas. On peut pas le rejoindre, c'est trop à pic, pis le lac est trop profond dans ce coin-là.

— Mon Dieu!

Je soutins ma mère, qui chancela à l'annonce de ce nouveau drame.

— Vous pouvez pas prendre notre chaloupe, dis-je en passant mon bras autour des épaules de Marie-Jeanne.

Matthew me jeta un regard noir d'incompréhension. Je m'empressai d'expliquer:

— ...parce que la chaloupe est pus au quai.

J'entendis un des hommes sacrer sans retenue et les autres s'agiter comme les chiens d'une meute. Matthew réfléchissait sur les conséquences de cette nouvelle information. Il utilisait ses propres chemins mentaux, mais je voyais dans ses yeux qu'il aboutissait à la même conclusion que moi : Fabi en avait eu besoin pour fuir, il fallait donc la chercher près du lac. Il se retourna vers les hommes et aboya ses ordres d'un trait.

— Lavoie et moi, on prend les chevaux pis on va chercher la grosse barque du club ! Les autres, vous restez ici. Vous informerez ceux qui vont venir de La Tuque.

Je n'eus pas le temps de dire qu'ils étaient déjà passés. Tous partirent au pas de course, espérant sauver le chef de police. Je savais qu'une telle précipitation était inutile. La blessure de l'ours m'avait semblé profonde et les rochers, impitoyables. Je refermai la porte.

— Bonne sainte Vierge ! Pourquoi Aristide r'vient pas ? Pis Fabi ?

— Faut attendre les nouvelles, maman. Essayez de vous reposer un peu.

J'ai vieilli ce jour-là. J'étais la seule qui pouvait rassurer ma mère. Je n'avais pas le droit de m'effondrer ni de montrer le moindre signe de panique. Je savais que Marie-Jeanne était affectée depuis le départ de Francis pour la guerre. Ses remparts s'étaient fissurés et les évènements des dernières semaines n'avaient fait que les affaiblir. J'avais besoin d'elle, alors je devais la soutenir pour ne pas sombrer à mon tour. Je la laissai s'asseoir à la table et se répéter les mêmes questions. Elle n'attendait pas vraiment de réponses de la part de sa plus jeune fille et j'en étais fort aise. J'allumai deux lampes à l'huile et j'attendis que le destin vînt à nouveau frapper à notre porte.

∽

À mesure que la nuit s'installait, les peurs de Marie-Jeanne venaient la hanter. Un coup de vent dans les arbres, le cri d'un hibou, la plainte du bois qui éclatait dans le poêle ou les craquements de la maison sous l'assaut des premiers gels, tout était prétexte à un mauvais présage, un «avertissement», comme elle disait. Comme si nous avions besoin de signes de l'au-delà pour constater que tout allait de travers!

Plusieurs fois, j'ai alimenté le feu de notre gros L'Islet. Nous n'arrivions pas à nous réchauffer. Nous étions dans les bois, avec Fabi, marchant dans les ténèbres. Le froid traversait nos vêtements, accentué par l'humidité du lac que le vent plaquait de force contre la peau. Avait-elle de quoi faire un feu? Oserait-elle, se sachant poursuivie? Les hommes avaient-ils abandonné leurs recherches devant la noirceur? S'était-elle aventurée sur le Wayagamac en pleine nuit avec la chaloupe? Les questions étaient sans réponses et nous préférions le silence à l'incertitude. Marie-Jeanne sursautait au moindre «avertissement» et je me laissais envahir par ses peurs irrationnelles.

Elle m'obligea à installer deux fanaux sur la galerie devant la maison, l'un à chaque extrémité. Leur lueur grignotait la noirceur en s'accrochant à la neige, qui se raréfiait. Je savais l'opération destinée à éloigner le diable et les fantômes bien plus qu'à être un phare dans la nuit. Ma mère craignait les ténèbres, car ils étaient porteurs du mal. Sa peur était contagieuse, nous l'avions maintes fois expérimentée.

Quand on entendit des pas gravir les marches de la galerie, elle poussa un cri que je m'empressai d'imiter. L'image de l'ours blessé était encore fraîche à ma mémoire. Le bruit familier du fusil qu'on dépose contre le mur, près de la porte, me rassura. Aristide fit son entrée au ralenti. Il semblait épuisé. Des glaçons s'accrochaient à ses cheveux et des flocons de neige étaient visibles sur ses épaules et son chapeau, qu'il retira d'un geste las et laissa tomber au bout de la table.

— Où c'est que t'étais? On se fait du sang de cochon icitte! cria Marie-Jeanne qui, d'un coup, retrouvait ses énergies.

— Dans le bois.

— Pis, as-tu vu Fabi?

— Non. J'ai suivi sa trace un bon bout. Pis j'l'ai perdue, il faisait trop noir.

— Où ça?

— Près de la *track*. Plus loin que le Fer à cheval. Au bord du Wayagamac.

— Où c'est qu'elle va de même, en pleine nuit? gémit ma mère.

— Elle se sauve! répliqua mon père en s'approchant du poêle pour se réchauffer.

— Ma fille est pas une criminelle!

L'affirmation ne fut démentie ni approuvée par personne. Elle resta suspendue dans l'air comme une guirlande qu'on vient d'accrocher au sapin. On savait tous qu'il faudrait bientôt l'enlever.

Après s'être frotté les mains près de la plaque brûlante, Aristide se dirigea vers la chambre et referma la porte derrière lui. On entendit ses bottes tomber sur le sol. Ma mère se défoula en le traitant de tous les noms. Rarement je l'avais vue aussi fâchée. Quand elle eut épuisé l'étendue de son vocabulaire, elle franchit la porte à son tour en murmurant une prière. Le silence revint me tenir compagnie. J'éteignis les lampes à l'huile, mais je laissai les fanaux sur la galerie. Au cas où le fantôme du chef de police déciderait de passer faire un tour.

Résidence Clair de lune, Trois-Rivières, hiver 2002

Huguette Lafrenière lève la tête. C'est sa pause de fin de chapitre. Le moment de reprendre son souffle et aussi ses esprits. Un peu d'eau pour sa gorge devenue rugueuse devant le drame qui ne cesse de se déployer. Un coup d'œil vers Héléna. Elle ne dort pas bien et ses paupières n'ont qu'une mince fente à offrir à ses yeux fatigués. Malgré une mauvaise nuit, elle a exigé sa séance de lecture. « Le temps est jamais fatigué… » a-t-elle dit. « Il s'arrête pour personne. Pas même pour ceux qui tombent en route. »

— Tu l'aimais beaucoup, Fabi.

— Hein ? fit Héléna.

Elle est ailleurs. Dans la petite maison de bois. Derrière la cloison de planches, son père épuisé ronfle aux côtés de Marie-Jeanne. Sa mère jongle avec ses pensées, les yeux grands ouverts. On n'a pas sommeil quand son enfant est en danger. Quand la sœur qu'on aime a disparu, on reste abattue dans le noir avec l'envie de ne jamais revoir la lumière.

— J'ai pas dormi de la nuit.

— J'le sais, Héléna. Si tu veux, je vais te laisser te reposer.

— Non ! Non, tu comprends pas. Cette nuit-là, j'ai pas dormi. Quand j'ai éteint les lampes… dans la maison au Wayagamac. J'suis restée à table, à fixer le noir. J'arrivais pas à éteindre le visage de ma sœur. La noirceur en était remplie. Au mitan de la nuit, j'ai cru entendre marcher sur la galerie. J'ai tassé le rideau de la fenêtre de la cuisine pour m'apercevoir que les fanaux s'étaient éteints. En plein bois, par une nuit sans lune, on voit rien pantoute. J'ai mis la main sur la poignée de la porte.

— Arrête, Héléna. T'as l'air épuisée. J'vais fermer les stores, pis tu vas faire un somme.

— Je regrette de pas l'avoir ouverte. J'avais trop peur du fantôme du chef de police. Pourquoi j'ai pas écrit ça ?

— Parce que tu l'avais oublié, c'est tout.

— Tu te trompes, Huguette. J'ai jamais oublié Fabi de toute ma vie. Jamais.

Madame Lafrenière se retient d'argumenter. Son amie a l'air trop mal en point.

— Veux-tu que je demande qu'on te donne un peu de morphine ?

Héléna acquiesce d'un mouvement de la tête. Huguette lui embrasse le front avec tendresse. Elle ose caresser les cheveux gris.

— J'aurais aimé ça, être ta Fabi.

Huguette croit voir un sourire sur le visage de son amie. Peut-être a-t-il été tracé par son imagination. Ou peut-être qu'Héléna est simplement retournée au Wayagamac.

CHAPITRE 32

Wayagamac, automne 1940

Aussi loin que portaient mes souvenirs, je n'avais jamais vu mon père rester au lit le matin. Même malade, toussant et crachant, il était debout avant l'aube, prêt à vaquer à ses travaux. C'était la première fois que sa chaise demeurait collée contre la table. Marie-Jeanne semblait s'en désintéresser. Le visage blême, les yeux rougis, elle s'occupait du poêle à la place de Fabi. À petits pas, elle allait et venait autour de moi, sans rien dire. De temps à autre, elle s'arrêtait devant la fenêtre et marquait sa déception d'un coup de tête. Comme elle, je me demandais comment Fabi avait passé la nuit. Le sol était recouvert d'une fine couche de neige, annonciatrice d'un hiver rigoureux. Le gel avait dû être mordant au petit matin.

Je savais, pour avoir fouillé notre chambre au lever, que ma sœur avait emporté des vêtements supplémentaires. Il manquait un chandail de laine, des bas, des mitaines et sa tuque la plus chaude. Tant qu'à faire, elle avait peut-être pris un peu de nourriture parmi les conserves. Je le souhaitais. Cette fuite organisée m'attristait autant que son absence. Je n'avais rien vu de ses manœuvres, moi qui étais si proche d'elle et si fouineuse. Mais pouvais-je le lui reprocher, alors que moi-même, dans l'ombre, j'avais ourdi le pire complot contre le chef de police?

L'avant-midi se déroula dans cette morne atmosphère. Mon père se leva tel un mort sortant de son tombeau. Ma mère ne lui proposa pas de déjeuner et lui ne demanda rien. Il s'assit à table et fuma sa pipe en regardant devant lui. Il n'y avait que le retour de Fabi pour remettre en marche les rouages de notre vie familiale.

Ce fut plutôt Matthew qui cogna à notre porte au milieu de la matinée. Il était venu avec la grosse chaloupe à moteur du club. Il venait annoncer la nouvelle pour le chef de police. Son corps à moitié gelé avait été déplacé au grand chalet. Son adjoint allait s'occuper de le faire transporter à La Tuque aujourd'hui même. Il ne faisait aucun doute, à ses yeux, que l'ours était responsable de sa mort.

Cette fois, ma mère ne dit rien. Elle se contenta de s'appuyer sur le rebord de la table. Mon père mordillait le tuyau de sa pipe et écoutait Matthew en dodelinant de la tête. Je savais mieux que tout le monde ce dont l'ours était capable.

— Fabi est peut-être en danger, seule dans la forêt... dis-je en énonçant tout haut ce que les autres pensaient tout bas.

Matthew s'emporta contre l'animal et jura de lui trouer la peau, mais il devait auparavant partir à la recherche de Fabi. Il ferait le tour du lac pour retrouver notre chaloupe. Elle devait forcément y être, car elle était trop lourde pour qu'une personne seule puisse la portager. Un groupe d'hommes partirait du club en longeant le lac par le bois. Vu la dimension du Wayagamac, l'opération risquait de s'étirer jusqu'au soir. Matthew espérait de cette façon avoir une indication sur les intentions de ma sœur en dépit de la fine couche de neige tombée durant la nuit. Mon père retrouva un peu de couleur à la suite de cette annonce. Matthew insista pour qu'il l'accompagne. Aristide remonta lentement ses bretelles et l'espoir reprit du galon à nos yeux.

൭ഗ

Mon père et Matthew venaient à peine de partir quand j'entendis des voix du côté de la *dam*. Un groupe d'hommes examinait les dégâts causés par la dynamite. Une silhouette se détacha d'eux et traversa le petit barrage. C'était une femme qui marchait d'un pas déterminé vers notre maison. Mon cœur fit un bond dans ma poitrine en reconnaissant la démarche d'Yvonne. J'ouvris la porte toute grande pour être bien sûre que ce n'était pas une illusion.

— Yvonne !

Mon cri attira l'attention de quelques hommes, qui suspendirent, pendant un instant, leurs efforts pour dégager la poutre brisée qui pointait vers le ciel. Marie-Jeanne marmonna dans mon dos, alors que je m'élançais, sans manteau et chaussée de mes seules bottines de cuir, à la rencontre de ma sœur. Je glissai à deux reprises sur la neige avant de lui tomber dans les bras. Elle m'accueillit en me soulevant de terre.

— Ah! J'suis contente que tu sois là!

— Comment vas-tu, p'tite sœur?

Plutôt que de répondre, j'éclatai en larmes. J'avais trop retenu mes émotions devant ma mère. Je sentais que je pouvais passer le flambeau du réconfort à ma sœur.

— Inquiète-toi pas, Héléna. Je suis là. Viens, on va aller se réchauffer en dedans. Tu vas attraper du mal à moitié habillée comme ça.

Quand j'entrai dans la maison, les yeux pleins d'eau, Marie-Jeanne se mit à pleurer à son tour. Yvonne offrit ses bras à nouveau.

— Ben non, la mère. Ça va s'arranger. C'est juste qu'on comprend pas tout.

— C'est pas difficile à comprendre! Ta sœur a essayé de faire sauter la *dam*. Pis y'a un des hommes qui est estropié, Yvonne! Il est peut-être mort! C'est grave, ça!

— Calmez-vous. J'ai pris des nouvelles du blessé avant de venir. Il est ben vivant, mais il va rester boiteux. À part ça, il est correct. On est-tu sûr que c'est Fabi?

— Un des ouvriers l'a vue s'enfuir. Ton père a essayé de la rattraper. Pourquoi elle se sauve si c'est pas elle?

— On va commencer par se calmer. Je prendrais ben une tasse de thé chaud. C'était pas mal frette sur le *speeder*. Les hommes ont été ben fins de me faire une place. C'est monsieur Allen Brown qui les a envoyés pour réparer la *dam*. Je m'attendais à pire que ça, avec la rumeur qui court en ville, que le barrage était quasiment parti. Vous savez comment c'est, le mémérage à La Tuque!

— Restes-tu pour quelques jours? demanda Marie-Jeanne avec espoir.

— Non. Faut que je redescende en fin de journée, quand les hommes vont s'en retourner. J'en pouvais pus d'entendre les racontars. Je voulais voir de mes yeux. Asteure, je vais pouvoir boucher une couple de clapets! Merci, Héléna.

Je posai une tasse de thé fumant devant ma sœur et une autre pour Marie-Jeanne. Je m'en servis une que je coupai à moitié avec de l'eau. L'âcreté du thé noir me râpait la gorge. Ma mère s'essuya les yeux avec son mouchoir. Elle souffla sur la vapeur en approchant la tasse de ses lèvres.

— Qu'est-ce qui est arrivé avec ta voix? demanda-t-elle à Yvonne.

Ma sœur et moi restâmes bouche bée devant ce changement de sujet de conversation. Marie-Jeanne connaissait par cœur les caractéristiques de ses filles. Le ton uniforme d'Yvonne ne lui avait pas échappé. Trop préoccupée par nos problèmes, je ne m'étais pas rendu compte de ce détail, pourtant remarquable maintenant que j'y portais attention.

— Quoi? Qu'est-ce qu'elle a, ma voix? demanda Yvonne en levant sa tasse de thé.

— Tu cries pus.

— Ça doit être la grippe que j'ai eue la semaine passée.

— As-tu vu le docteur?

— Pour ma voix?

— Non, pour ta grippe. J'ai perdu des enfants avec la grippe espagnole. J'ai pas envie d'en perdre d'autres. Ça va ben assez mal de même!

— Ben non, inquiétez-vous pas. J'suis revenue correcte. P'pa est pas icitte?

Je sentais que ma sœur avait hâte qu'on parle d'autre chose. Ce fut assez pour réveiller ma curiosité. Son malaise était palpable.

— Sur le lac, avec Matthew Brown. Ils cherchent Fabi. Les hommes de l'adjoint du chef de police aussi. Ils ont couché au camp principal du club pour pouvoir continuer les recherches à la première heure à matin.

— Sur le lac? questionna Yvonne perplexe.

Je pris sur moi d'expliquer le déroulement des évènements depuis l'explosion au barrage. Yvonne blêmit lorsqu'elle apprit la mort du policier Picard. Elle entrevoyait déjà les cancans que cela susciterait en ville.

— Si je comprends ben, Fabi avait organisé son coup. J'arrive pas à le croire! Ma sœur! Une poseuse de bombe. Ça veut dire que ça serait elle qui aurait fait sauter l'aqueduc?

C'était le genre de raccourci que les gens de La Tuque se feraient un plaisir de prendre. Je m'empressai de rafraîchir la mémoire d'Yvonne.

— Tu sais ben que c'est pas elle. On était toutes ensemble ce soir-là!

— C'est ben vrai. Pourquoi elle a fait ça d'abord?

Yvonne tisserait-elle les liens qui unissaient le geste de Fabi à notre père? Elle aussi avait constaté son absence le soir de l'orage. Mais elle ne savait pas que j'avais trouvé la dynamite dans la cabane à glace adjacente au hangar d'Aristide. D'une certaine façon, tout ce qui arrivait maintenant était de ma faute. Mais je ne pouvais plus rien y changer.

La présence d'Yvonne nous procura de l'apaisement. De fil en aiguille, la conversation prit une tournure plus légère. Les potins de la ville atténuaient quelque peu nos angoisses. D'autres personnes vivaient à l'extérieur de notre bulle et leurs petits drames étaient une occasion de nous apitoyer sur leur sort plutôt que sur le nôtre. Marie-Jeanne retrouva de l'énergie et prépara une fricassée de lièvre avec nos conserves. Malgré mon manque d'appétit, j'avalai le contenu de mon assiette. Ma mère avait en horreur le gaspillage. Seuls les os et les arêtes avaient la permission de quitter la table.

Quand la morosité revint pointer le bout de son nez, Marie-Jeanne ressentit le besoin de s'étendre.

Yvonne m'invita à marcher à l'extérieur. Je l'accompagnai, trop heureuse de me retrouver en tête-à-tête avec elle.

Le soleil était au zénith et ses rayons fabriquaient de la dentelle sur la fine couche de neige. L'éclairage éblouissant redonnait à notre coin de forêt ses airs de paradis. Je passai mon bras sous celui d'Yvonne en regrettant aussitôt mon geste. Il me rappelait qu'en d'autres temps, Fabi aurait saisi l'autre bras et nous aurions sautillé en riant comme des folles. Nous nous contentions d'avancer en coordonnant nos pas. La température s'était agréablement radoucie. Nous entendions les hommes cogner et fredonner des bouts de chansons, qui se perdaient dans le bruit de l'eau jaillissant du barrage.

— C'est vrai, Yvonne, que ta voix a changé. Tu peux me le dire, à moi, ce qui s'est passé.

— J'suis pas sûre que c'est le temps pour ça. Y'a ben assez de problèmes au lac.

— C'est si grave que ça ?

Ma sœur s'arrêta, me prit les deux mains et me regarda dans le blanc des yeux. Son visage de lune avait une carnation rosée accentuée par la fraîcheur de l'air. Elle mordillait ses lèvres pulpeuses et ses pupilles brillaient d'une étrange lueur.

— Je m'en suis pas aperçue tout de suite que ma voix avait changé. Ça a commencé pas longtemps après la fête qu'on a faite à Francis, quand il est parti pour l'autre bord. Ma patronne, la tante Géraldine, tout le monde me disait que je criais pus en parlant. C'est comme si ma tête avait compris qu'il fallait que je baisse le ton pour pas l'effaroucher.

— J'comprends pas. Effaroucher qui?

— Le bébé.

— Quel bébé? demandai-je les yeux ronds.

— Le mien.

Elle l'avait dit dans un souffle. Même si j'avais entendu, je n'arrivais pas à saisir le sens de son message. Nous étions dans le drame et la mort depuis la veille et voilà qu'une naissance se pointait le nez!

— Je suis en famille, Héléna. Comprends-tu ça?

En réalité, le tourbillon de mes pensées m'en empêchait. J'essayais de reprendre pied, mais il me semblait qu'il n'y avait qu'un trou dans lequel les informations tombaient une à une sans pouvoir remonter.

— Il faut pas que t'en parles à personne. Tant que ce sera pas réglé icitte, t'as ben compris?

— Comment tu le sais que t'as un enfant dans ton ventre?

— J'ai vu le docteur.

— Vas-tu te marier?

— Non! C'est impossible. Pis pose-moé pus de questions, j'pourrais pas répondre.

— Mam'zelle Yvonne! cria un des ouvriers en nous faisant signe.

Ma sœur leva la main dans sa direction.

— On a presque fini! On repart bientôt. On vous prend toujours sur le *speeder*? cria l'homme à nouveau.

LA FAMILLE DU LAC

Yvonne fit un geste d'assentiment. Sa confidence lui avait cimenté les cordes vocales. Elle réussit quand même à articuler un message à l'intention de Marie-Jeanne.

— Tu diras à maman que je vais penser à vous autres. J'suis sûre que tout ça va s'arranger.

— Moé aussi, j'ai quelque chose d'important à te dire, Yvonne !

Les mots avaient jailli de ma bouche contre ma volonté. Mon âme se rebellait de ne pouvoir se soulager. J'avais projeté de tuer un homme et cette idée ne cessait de me ronger malgré le fait que l'ours m'avait évité l'infamie. Une force intérieure réclamait une forme d'absolution. Il me semblait que ma sœur aurait compris mon tourment. Lui avouer mon secret aurait mis du baume sur le sien. Donner la vie, même dans le péché, m'apparaissait moins grave que de vouloir l'enlever.

— On s'en parlera une autre fois. Ils m'attendent. J'vais essayer de r'venir, Héléna. J'le sais à quel point tu l'aimes, Fabi. Mais moé aussi, je l'aimais. Il faut que je parte.

Elle me laissa en plein soleil avec le verbe aimer, qu'elle utilisait déjà au passé. Elle avait toujours su que je lui préférais Fabi. Elle assumait son rôle de deuxième sœur comme elle acceptait d'être la deuxième fille d'Aristide, car mon statut de benjamine me reléguait d'emblée au dernier rang. Peut-être son inconscient venait-il d'éliminer Fabi pour être enfin la première ?

Je m'en voulais d'avoir de telles pensées, mais depuis la mort de Ti-Gars, je n'étais plus la même.

Je restai sans bouger jusqu'à ce que le calme retombe autour de moi. Je n'entendais que les gargouillis du ruisseau qui, dès l'instant de notre arrivée au Wayagamac, avaient accompagné chacune de nos journées. On finissait par ne plus y porter attention, mais on savait qu'il suffisait de tendre l'oreille pour se rassurer, pour comprendre que la vie s'écoulait quoi qu'il arrive.

Résidence Clair de lune, Trois-Rivières, hiver 2002

Héléna a la tête tournée vers la fenêtre. Le soleil s'accroche aux branches dénudées. Le gris de l'écorce se noircit par endroits, là où de fines plaques de glace scintillent comme des parures. Un peu plus loin, derrière le grand érable, une galerie agrippée à un mur de briques a l'air accueillante. Pourtant Héléna n'y a jamais vu personne. Peut-être redoute-t-on le regard des vieux ou préfère-t-on ignorer qu'ils attendent de mourir dans son arrière-cour.

— On est quelle date?

Huguette lève les yeux du manuscrit. Depuis quelques instants, elle a cessé de lire. Sa voix s'est éteinte avec cette grossesse annoncée. Une vie sans enfant, cela aura été son choix. Elle a bien songé à se faire mettre enceinte par un donneur quelconque.

C'est le courage qui a manqué. Son entourage n'était pas prêt à accepter une famille sans père. Déjà que sa relation lesbienne leur restait en travers de la gorge.

— Dors-tu, Huguette?

— Hein? Je pensais.

— Pense donc à me dire la date.

— D'aujourd'hui?

— Je vois pas quelle autre date me serait utile. Ouch! Maudite jambe!

— On est le 25 février. J'peux-tu faire quelque chose?

— Oui. Pose ma vie sur la chaise et «slaque» ma prothèse.

Huguette s'empresse d'obtempérer. Elle écarte le drap et ses bras s'agitent au-dessus de la jambe, sans oser y toucher.

— Qu'est-ce que tu fais? Une séance d'exorcisme? Arrête tes simagrées, pis tire sur les courroies. C'est juste du Velcro.

Son amie s'exécute avec un excès de précaution. La gaine de fibres s'ouvre comme une coquille.

— Ta jambe a l'air correcte. On voit rien.

— Quand t'auras des rayons X à la place des yeux, on s'en reparlera. C'est en bas du genou que ça fait mal. Pareil comme un poignard planté dans l'os.

— Parle pas de même, tu me donnes la chair de poule.

— À quoi tu pensais tantôt?

— J'pensais à ta sœur Yvonne et à son bébé. Dans ce temps-là, c'était pas comme aujourd'hui.

— Tu te trompes, Huguette. Ça change pas vraiment. Les hommes sont pareils. Leur pouvoir attire les femmes comme un fanal attire les papillons. Quand les ailes sont brûlées, ça repousse pus. Pis ça fait que le reste de ta vie, tu voles tout croche.

— C'était qui le père de l'enfant?

— C'était un écœurant, Huguette!

CHAPITRE 33

Wayagamac, automne 1940

En fin de journée, je ne tenais plus en place. Il me semblait que chaque minute m'éloignait davantage de la possibilité de revoir Fabi. Je m'habillai chaudement et informai Marie-Jeanne que j'allais attendre l'arrivée de mon père sur le quai. Avec le soleil qui descendait derrière la montagne, j'estimais qu'ils devaient être sur le chemin du retour.

Mon instinct s'avéra juste : entre les jeunes sapins et les branches d'un bouleau, je les vis accoster. Monsieur Lavoie les accompagnait. Il sauta sur le quai et manœuvra l'embarcation. Mon père et Matthew étaient tournés vers l'arrière de la grosse barque. Matthew tirait sur une corde pendant que l'autre fixait les amarres. Aristide s'empara lui aussi de la corde et notre chaloupe apparut au bout du quai.

Je les observais, immobile, craignant le pire. Après quelques efforts, ils la tirèrent à moitié sur la terre ferme. Matthew s'empara d'un sac de toile, qui était coincé sous la pointe du bateau. Il le tendit à mon père, qui le prit et le tint à bout de bras. Comme moi, il reconnaissait celui qu'utilisait Fabi quand elle partait en forêt.

Je n'entendais rien de ce qu'ils disaient. Je prenais racine sur la rive.

Aristide n'avait pas eu besoin d'ouvrir le sac. Il s'avança vers moi et me le tendit. Le Wayagamac l'avait imprégné de part en part. Il s'en échappait de lourdes gouttes qui cognaient sur le quai. Je le pris avec l'envie de le lancer au large en maudissant le lac. Les yeux de mon père me suppliaient de le faire disparaître. À quelques pas derrière, Matthew gardait la tête penchée. Sous le rebord de son chapeau, je ne voyais qu'une bouche crispée.

— On l'a trouvé à l'envers, pas ben loin du gros rocher. Le sac était dans la pointe du bateau, dit Aristide d'une voix éteinte.

Le dos d'hippopotame. Nul autre lieu n'était mieux approprié pour nous livrer un signe de Fabi. C'était là son jardin secret.

Stoïque, je leur tournai le dos et marchai en direction de la maison. Je serrais le sac contre moi, comme s'il contenait l'âme de ma sœur. L'attitude des trois hommes m'avait ébranlée. Ils portaient un message de mort. La chaloupe retournée et le sac de Fabi indiquaient une noyade. Moi, je ne voulais pas y croire. À mes yeux, Fabi était la plus forte. Mais je ne pouvais pas oublier notre aventure sur le lac et la traîtrise du Wayagamac. Aussi beau soit-il, il pouvait prendre les vies sans avertissement et il ne rendait pas toujours les corps de ses victimes. Dans sa fuite précipitée, ma sœur aurait-elle négligé ce danger aussi grand que celui des hommes lancés à sa poursuite ?

Marie-Jeanne était assise sur une chaise face à la Vierge et elle égrenait son chapelet. Je déposai le sac sur la table sans dire un mot. Elle tourna la tête et plia l'échine. Elle reprit ses prières entremêlées de sanglots. Le sac contenait un quignon de pain détrempé, deux carottes, quelques allumettes ramollies, deux paires de bas et une photo où on voyait trois sœurs riantes qui se tenaient par les épaules. Sans même m'en rendre compte, je fis les gestes que Fabi aurait exécutés si elle était rentrée à ma place. Je ravivai le feu et vérifiai s'il y avait suffisamment de bois pour la nuit. Je fis le tour des lampes à l'huile et posai ma main, sans rien dire, sur l'épaule de Marie-Jeanne.

Durant les jours qui suivirent, plusieurs équipes se succédèrent pour rechercher le corps de ma sœur. Ils sondèrent les bords du lac sans succès. Mon frère Georges se joignit à eux à plusieurs reprises. Chaque jour, nous attendions leur retour la mort dans l'âme. Ma mère semblait résignée et reprenait peu à peu le contrôle de son quotidien. Quant à moi, je vaquais à de nouvelles tâches qui me laissaient sans force le soir venu. Après dix jours d'intenses efforts, les hommes regagnèrent leur vie, car le Wayagamac refusait de nous rendre celle de Fabi.

Aristide ne put réintégrer la sienne. Distrait, sans énergie, il restait de longues heures assis à la table à fumer. Marie-Jeanne tenta de l'aiguillonner, mais il demeurait imperturbable. Quand il en avait assez des remontrances, il partait chauffer sa truie dans le hangar. Le tas de bois se figea sous la première bordée de neige. Le club renonça à solliciter mon père pour les travaux de fin de saison. Je dus trimer moi-même comme une forcenée pour mettre notre chaloupe à l'abri sous un amas de branches de sapin. Nous vivions de nos réserves de conserves comme si nous étions au beau milieu de l'hiver. Aucun de nous trois n'était pressé d'aller se ravitailler à La Tuque.

J'étais aussi inquiète pour ma sœur Yvonne. Elle portait un enfant qu'elle ne semblait pas désirer. Rien ne se voyait encore. Sa stature et ses rondeurs masquaient bien son secret. Mais pour combien de temps? Le jour viendrait où elle n'aurait plus le choix d'en parler. Marie-Jeanne ne s'en remettrait pas et nul doute qu'Aristide la renierait pour de bon. Yvonne ne méritait pas ce genre de problème. Elle était une sœur attentionnée, joyeuse, pleine de vie, toujours prête à nous couver sous son aile pour nous consoler. J'enrageais de ne pouvoir l'aider. Comme pour Fabi, je me sentais impuissante, prisonnière d'évènements sur lesquels je n'avais aucune maîtrise.

Nous reçûmes des nouvelles de Francis à la mi-décembre. Mon père cueillit la lettre en même temps que son gin, au bout de la longue perche tendue au chef de train. Mon frère s'inquiétait pour Fabi et posait mille questions. Il disait ne rien comprendre des échos qui lui parvenaient par Géraldine. Pour lui, la guerre était de son bord, pas au Wayagamac. Il nous implorait de lui confirmer que toute cette histoire n'était qu'un malentendu. Il nous précisait qu'il avait demandé une permission pour rentrer au pays pour Noël. En Angleterre, la menace des bombardements se faisait plus intense. Il n'était pas certain qu'on la lui accorderait.

Quand j'en eus terminé la lecture à Marie-Jeanne, je caressai sa montre que j'avais toujours au poignet. Le temps se moquait de mon heure arrêtée. Peu importe les engrenages coincés, le destin poursuivait sa route impitoyable.

Malgré l'évidence de la disparition de Fabi, je gardais espoir qu'elle ait pu échapper aux eaux glacées du Wayagamac. Je ne pouvais envisager la perspective de sa mort. Cela m'était trop pénible. Je me mis dans la tête d'explorer la rive du lac du côté du chemin de fer, là où mon père disait l'avoir vue pour la dernière fois.

Raquettes aux pieds, j'allongeais ma *run* de collets à chaque sortie. Je prenais soin d'apporter le fusil. Aristide m'en avait expliqué le maniement en utilisant moins d'une dizaine de mots. Sa crainte de l'ours était toujours présente et je la partageais. Mais l'animal semblait s'être volatilisé en même temps que ma sœur. Sans doute se cherchait-il un trou pour hiberner?

L'hiver était précoce et la neige s'accumulait déjà de belle façon.

Je partais tôt le matin, sac au dos, hachette à la main et fusil à l'épaule. Je battais le sentier en marquant les arbres d'une encoche pour m'y retrouver, au cas où une bordée soudaine viendrait masquer mon passage. De jour en jour, je m'enfonçais un peu plus dans la forêt. Je m'éloignais de la rive du lac, en progressant sous le silence des grandes épinettes. Le gibier abondait. Sans difficulté, je récoltais trois ou quatre lièvres chaque fois. Je m'exerçais au tir sur les perdrix. J'en pulvérisai plusieurs avant de réussir à en rapporter une qui n'était pas truffée de plombs.

Je n'étais pas portée par le même désir que Fabi. Je n'étais pas faite pour la forêt. Je m'empêtrais trop souvent dans mes raquettes. Je mettais un temps fou pour installer le fil de laiton qui étranglerait le lièvre de passage. Je ne choisissais pas toujours le meilleur endroit pour traverser une sapinière ou contourner un grand arbre couché. J'avais l'habitude d'accompagner ma sœur. Je la regardais s'activer, je suivais ses conseils et j'exécutais ses ordres. La forêt était son royaume et j'y étais l'invitée. Aussi, j'avançais avec lenteur et je mis du temps à trouver la cache de Jos Pitre.

Il l'avait installée sur un promontoire surplombant une clairière près d'une tourbière. Faite de petits troncs d'arbres attachés les uns aux autres et reliés à deux grandes épinettes, elle était recouverte d'une vieille toile trouée. Par terre, un tapis de branches de sapins desséchées et deux rondins, dont le plus gros devait servir de table. À première vue, on n'y était pas venu depuis longtemps. J'examinai avec soin chaque parcelle du sol. Par endroits, je devais enlever la neige apportée par le vent. À part une douille vide, un morceau de paquet de cigarettes Export A, quelques boîtes de conserve rouillées et quelques cadavres de bouteilles de bière, je ne trouvai rien qui indiquait le passage de Fabi. Je savais que plus au nord, en contournant la montagne, il y avait la cache des Américains. Celle-là était en planches, avec une petite truie pour se chauffer et des meubles rustiques. Ma sœur m'en avait parlé, mais je n'y étais jamais allée. Il me faudrait beaucoup de courage pour m'y aventurer en plein hiver. Je n'étais pas encore mûre pour ce genre de défi.

Je quittai l'abri sommaire de Jos Pitre. Le soleil, presque au zénith, m'éblouissait. Les ombres rétrécies étaient tranchées au couteau. Je chaussai mes raquettes et repartis en sens inverse. Je savais que j'avais quatre lièvres gelés à ramasser sur le chemin du retour. Je les avais laissés pour ne pas m'encombrer inutilement.

Je suspendis le premier à mon sac à dos, mais le deuxième n'était plus en place. Il ne restait de lui que des bouts de pattes et de peau. J'écartai l'action du renard ou de la belette, vu l'importance des empreintes dans la neige. À vrai dire, il n'y avait aucun doute sur l'identité du chapardeur. Un ours de belle taille avait englouti mon lièvre dans son estomac. Je scrutai la forêt aux alentours, bien que la trace de l'animal suivait celle de mes raquettes. Il avait sûrement remonté ma piste en se dirigeant vers moi et s'en était retourné de la même façon. Pourquoi ce gros déplaisant n'était-il pas en train d'hiberner ? Était-ce sa blessure qui l'en empêchait ? J'étais certaine que c'était lui. Ce ne pouvait être que l'ours qui avait provoqué la mort du chef de police. Il se retrouvait sur mon chemin parce qu'il avait senti l'odeur de mes intentions sur la falaise. Il revenait pour me hanter ou m'éliminer. Les superstitions et les craintes de ma mère refluaient à mon esprit. J'avais beau les repousser, elles s'avançaient entre les arbres et rampaient sous la neige jusqu'à moi. Sa voix me murmurait que quelque chose de plus terrible que l'ours me pourchassait : l'expiation du mal qui avait fleuri en moi et qui avait attiré le chef de police au bord du gouffre.

J'armai mon fusil et le tins devant moi, la crosse appuyée sur ma hanche. De cette façon, j'avançais à pas de tortue. Je savais très bien que j'avais peu de chance d'abattre un ours avec une seule cartouche. Le temps de recharger serait suffisant pour qu'il me fauche d'un coup de patte. Je ne pouvais qu'espérer l'effrayer. Mais s'il était devenu maléfique, comme les hantises de ma mère me le suggéraient, il n'aurait peur de rien.

J'entrai dans un secteur de la forêt où les repousses étaient nombreuses et les arbres, plus serrés. Un bon endroit pour tendre les pièges. Je savais que j'y trouverais mon troisième lièvre et qu'au-delà, j'apercevrais l'étendue du Wayagamac. J'avançai, l'arme pointée, attentive au moindre bruit. Il me prit l'idée de chanter *À la claire fontaine*. J'espérais ainsi qu'il m'entendrait et s'enfuirait. J'arrêtai net de fredonner quand je vis que mon gibier avait été emporté avec le collet et la branche qui le retenait en place. Cette fois, pas de restants. Je ne pus m'empêcher d'uriner dans mon pantalon, tant le froid et la peur contractaient ma vessie. Il me semblait que l'affrontement approchait. Je n'avais devant les yeux que la main du chef de police qui soutenait ses entrailles éventrées par les griffes acérées. Je sentis la glace me mordre la cuisse à l'endroit où ma pisse commençait à geler.

Je franchis une centaine de mètres dans un état second. Je prenais conscience de mon éloignement et de la folie de mon entreprise. Je n'étais pas Fabi. Je n'avais pas son courage ni sa force. Elle aurait su quoi faire pour me tirer de ce mauvais pas. Moi, je ne pouvais que pisser dans ma culotte.

Quand je vis la fourrure noire s'agiter au tournant de la piste, je sus que j'y étais. Je ne pouvais pas fuir mon destin. Je pris une seconde cartouche dans ma poche. À cette distance, si je le blessais, j'aurais peut-être une deuxième chance pour l'abattre. Le problème était que je pouvais facilement le rater.

Je levai mon arme, qui me parut plus lourde. L'ours ne m'offrait que son dos. Il fallait qu'il se retourne. Est-ce que Fabi aurait attiré son attention?

L'aurait-elle défié pour qu'il ressente la peur de l'humain ? Je ne m'en sentais pas capable. L'extrémité de mon fusil traçait des cercles de plus en plus grands dans l'espace. Mon œil cherchait à aligner la mire. Les sanglots se bloquaient dans ma gorge. Puis l'ours se redressa brusquement. Il grogna une plainte sourde et profonde avant de se coucher sur le côté en labourant la neige. Il tenta à quelques reprises de se remettre sur ses pattes. Il fit un bond et s'effondra au travers d'une talle d'aulnes.

Je voyais des éclaboussures de sang autour de lui. Je n'y comprenais rien. Je n'avais pas tiré et je n'avais pas entendu de coups de feu. Il s'écoula un long moment avant qu'une jeune Indienne n'apparaisse entre les arbres. Elle tenait un arc bandé et une flèche qui menaçait la carcasse de l'ours.

Résidence Clair de lune, Trois-Rivières, hiver 2002

— J'ai envie d'une tasse de thé. En veux-tu ? demande madame Lafrenière en replaçant sa veste de laine sur ses épaules.

— Non, mais je prendrais deux biscuits secs. Je vais les faire descendre avec mon eau.

Quelques minutes plus tard, Huguette Lafrenière revient de la cuisinette de l'étage en portant un plateau. Elle le pose devant son amie.

— J'ai apporté une pointe de gâteau blanc avec deux fourchettes. Il en restait du souper. Les biscuits sont ramollis.

— Je sais pas comment ils font icitte pour que le sec soit mou pis que le mou devienne sec.

— Essaye le gâteau. Il a l'air pas pire.

— J'ai assez de misère à dormir de même.

— Ta sœur, est-ce qu'elle s'est noyée ?

— Tu le sauras ben assez vite. Mets pas la charrue avant les bœufs.

— Moé, il y a personne qui est mort tragiquement dans ma famille. Ça mourait du cœur pis des poumons. Faut dire que tout le monde avait la cigarette au bec. On aurait pu fumer du hareng dans une soirée de cartes ! Je me demande comment ça se fait que j'aie pas eu le cancer.

— Moé, je le sais pourquoi j'en ai un dans ma jambe. C'est parce que j'ai trop essayé de m'enfuir. Comme mes frères et mes sœurs, je me sauvais de la vie que notre père nous avait tracée. J'ai couru comme une folle, les souvenirs aux fesses. Mais je courais par en dedans. J'ai fini par me rattraper pis pus savoir qui j'étais. J'ai fait des choses horribles, Huguette. J'aimerais ça qu'il soit là.

— De qui tu parles ?

— De mon gars. Il sait pas toute la vérité. Je veux pas mourir avec mon secret.

Huguette n'a plus envie de son gâteau. Elle n'a plus de salive pour l'avaler. Pas plus qu'elle n'a de mots pour réconforter son amie. Elle se contente d'être là et de respirer de concert avec elle. Le silence se dépose entre elles comme un drap tiré sur la fraîcheur de la nuit.

CHAPITRE 34

Wayagamac, automne 1940

Ce n'était pas fréquent de rencontrer des Indiens au lac. J'en avais croisé plus souvent à La Tuque qu'en pleine forêt. Ils n'étaient pas les bienvenus, car le club préservait son territoire.

Je posai mon fusil tout en surveillant les derniers spasmes de l'ours. L'Indienne abaissa son arme. Puis elle marcha vers l'animal agonisant. Elle portait un casque en peau de renard d'où émergeaient deux tresses de cheveux noirs. Sa robe longue, aux manches garnies de motifs colorés, était recouverte d'une veste de fourrure grise. Elle avançait avec aplomb sur ses raquettes arrondies. Je ne pus m'empêcher d'admirer ses mocassins de cuir ornés de morceaux d'écorce. Quand l'Indienne fut à quelques pas de l'ours, je m'approchai à mon tour. C'est alors que je vis la flèche qui avait eu raison de l'animal. L'œil avait été transpercé et la pointe du projectile ressortait à l'arrière du crâne. La force et la précision du tir m'impressionnèrent. Jamais je n'aurais pu faire mieux avec ma carabine.

— C'est un ours qui a déjà été blessé, dit-elle d'une belle voix sans accent.

Elle me toisa de ses yeux clairs et perçants. Sa peau avait la couleur du caramel. Son sourire se dessinait sur des lèvres magnifiques et pulpeuses. Elle avait l'air un peu plus âgée que moi. Elle dégageait une assurance qui me rappelait Fabi.

— Moi, c'est Mikona Deslile. Tu peux m'appeler Miko.

J'acceptai sa poignée de main en sourcillant. Son visage s'éclaira et elle s'empressa de m'expliquer.

— Mon père est un trappeur canadien-français et ma mère est une Attikamek. Je suis métisse. Mikona signifie « petite plume », dit-elle en pointant celle, d'un blanc immaculé, qui ornait son casque.

— Moi, c'est Héléna Martel. J'habite au Wayagamac. Près de la *dam*.

Elle hocha la tête et ses yeux s'attardèrent un instant à mon pantalon souillé. Je sentis la rougeur me monter aux joues.

— Il y a pas de mal à avoir peur d'un ours blessé. Il peut être très dangereux. Tu chasses le lièvre ?

Du doigt, elle pointait le cadavre gelé qui pendait à mon sac. J'étais intimidée par cette femme sûre d'elle-même.

— C'est pas un peu loin de la *dam* pour tendre des collets ?

Sans répondre, je détournai mon regard vers la carcasse de l'animal. Je localisai facilement la blessure sur son dos. Elle était maintenant refermée.

— C'est l'ours qui a tué le chef de police.

Miko perdit son sourire. Je lui expliquai le drame en omettant de préciser que j'étais présente quand il était tombé de la falaise.

— C'était peut-être pas le même ours, dit-elle en l'examinant.

— C'est le même! affirmai-je avec conviction.

La jeune femme me regarda en cherchant à comprendre d'où me provenait cette certitude. Je détournai les yeux.

— Ça se pourrait, dit-elle en tirant un long couteau de sa ceinture. Avec la blessure qu'il a sur le dos, il devait être agressif. Il est aussi facilement reconnaissable.

Cette dernière remarque jeta un froid sur mes épaules. Comprenait-elle que je l'avais déjà vu de près?

Miko plongea son couteau sous la peau de l'animal et commença à la détacher de la chair. La fourrure était abîmée par la blessure et ne valait sans doute pas grand-chose. Je pensai qu'elle en tirerait un usage personnel. Pendant plusieurs minutes, j'observai son habileté. À mesure qu'il se dénudait, le corps de l'ours perdait sa chaleur. Une vapeur blanche s'en échappait. Autour de sa tête, la neige était rougie par le sang. Il me vint à l'idée que j'avais peut-être une seconde peau sous la mienne. Qu'elle avait commencé à se durcir avec la gifle de mon père. Que si on soulevait la mienne, on verrait que l'autre s'était raffermie avec la mort du policier et que, si je n'y prenais garde, je muerais comme une couleuvre en laissant la peau d'Héléna derrière moi.

— T'es pâle. T'es pas obligée de regarder, dit Miko en immobilisant son couteau.

— Non, ça va. Je pensais à autre chose. Je cherche ma sœur, Fabi. Elle est… partie, il y a plusieurs jours. On a retrouvé sa chaloupe renversée, sur le lac. Elle a peut-être réussi à gagner la rive.

— C'est pour ça que tu chasses par ici? Tu crois pas que ta sœur serait revenue à la maison, si elle était sauve?

— Elle avait ses raisons de rester cachée.

— Au point de défier le Wayagamac?

— Quelquefois, on a pas le choix.

— Alors il vaut mieux avoir beaucoup de courage.

— Fabi en avait.

Je faillis pleurer en parlant d'elle au passé.

— Alors tu fais bien de la chercher. Ceux qu'on aime méritent le temps qu'on leur consacre.

Je hochai la tête et lui offris un sourire fatigué.

— Il est tard. Je dois rentrer. Merci, pour… l'ours.

— C'était seulement son destin. Chacun a le sien. Il faut garder espoir. Attends, j' vais te faire un cadeau. Prends!

Elle tira de sa besace une peau d'hermine enroulée sur elle-même et d'une blancheur immaculée.

— Pourquoi?

— Parce que les manitous du Wayagamac ont voulu qu'on se rencontre. Garde-la en souvenir de moi et de l'ours. Je suis certaine que ta sœur serait fière de toi.

Je restai un moment suspendue à son regard intense. Son encouragement à espérer m'allait droit au cœur. J'acceptai son cadeau et laissai la métisse à sa corvée. Je repris la piste du retour. En marchant d'un bon pas, je serais à la maison pour le repas du soir.

⁓

Marie-Jeanne avait dressé la table. Le fumet d'une soupe aux pois réveilla mon appétit. J'oubliai d'un coup la fatigue de ma longue marche en forêt. Je posai mon sac à dos et mes deux lièvres près de la porte, sur le tapis tressé avec des lanières de guenilles multicolores. J'allais me déshabiller quand ma mère me demanda d'avertir mon père que le souper était prêt. À contrecœur, je ressortis dans le froid.

Une fumée blanche s'échappait de la cheminée du hangar. Aristide s'y cantonnait du matin au soir. Il sculptait ses bouts de bois et buvait. Une fois par semaine, il se rendait jusqu'à la voie ferrée pour récupérer sa bouteille de gros gin. Le chef de train la lui larguait juste avant que sa locomotive ne reprenne de la vitesse au sortir du Fer à cheval. Mon père avait à peine l'énergie d'accomplir ses tâches. Je l'aidais comme je pouvais.

J'ouvris la porte du hangar avec appréhension. Quand il avait bu, son humeur se détériorait. Mais je n'entendais aucun bruit. Moi qui espérais lui annoncer la bonne nouvelle pour l'ours, j'allais peut-être devoir le réveiller.

La pièce était déserte. Sur l'établi, près de ses couteaux à sculpter, une bouteille de gin était aux trois quarts vide. Dans l'étau attendait la tête d'un cheval qu'il avait manifestement sablée avec soin. De la grosseur de mes deux mains réunies, l'œuvre était criante de vérité. Jamais, il n'avait peaufiné autant les détails dans une sculpture. Il avait habilement utilisé les veines du bois pour mettre en perspective l'œil du cheval. La position de la tête, la finesse des coups de ciseau, la proportion exacte des oreilles et des naseaux rappelaient Ti-Gars dans son dernier instant de vie.

Croyait-il, en incrustant ce moment dans le bois, effacer le geste qui nous avait éloignés l'un de l'autre? Malgré la beauté de l'œuvre, mon cœur noirci n'arrivait pas à s'émerveiller.

Je ressortis en regardant autour. Le soleil avait disparu derrière la montagne, ne laissant que ses reflets dans le ciel pour colorer la cime des plus hauts arbres. Je marchai vers la *dam* en espérant ne pas être obligée de l'aider dans sa tâche. À mi-chemin, j'entendis un cri ressemblant au bruit de l'air expulsé des poumons sous l'effort. Je ralentis mon pas, mais le crépitement rassurant de l'eau chutant du barrage reprit son rythme régulier. Je me souviens d'avoir pensé à la soupe chaude qui m'attendait. Puis de m'être demandé, sans plus d'intérêt: «Pourquoi une corde est-elle attachée à la poutre?» Était-ce la fatigue d'une longue journée?

L'émotion causée par la rencontre avec l'ours ? Toujours est-il que je ne compris pas immédiatement pourquoi cette corde bougeait sans arrêt. Je m'avançai sur le passage en bois. Je dus me pencher sur la rampe pour apercevoir le corps d'Aristide gigoter dans le vide, un peu plus bas. Je ressentis un grand blocage de tous mes muscles. Je voyais ses membres battre l'air inutilement et ses jambes être parcourues de spasmes si violents qu'il en perdit une de ses bottes. Ses larges mains se crispaient et retombaient le long de son corps à mesure que le nœud affirmait son emprise sur son cou. Il me suffisait de tirer mon couteau, de traverser la rambarde et d'étendre le bras pour trancher la corde. Je fis le geste à répétition dans mon esprit. J'étais horrifiée. Aucun son ne sortait de ma bouche. Je cherchais par instinct à saisir le manche de mon poignard suspendu à ma ceinture. Ma main tremblait et semblait ne plus m'appartenir. Cela ne pouvait pas se produire. Pas après le sacrifice de Fabi et la mort du chef de police. J'agrippai la rampe et mon couteau cogna le bois pour aller choir au fond du ruisseau. Il était trop tard. Je regardai, avec fascination, les derniers frémissements s'envoler du corps d'Aristide. De ma position en hauteur, je ne pouvais voir l'expression de son visage.

Je me laissai choir mollement sur le bois de la *dam*. Un poids gigantesque me maintenait au sol. J'aurais pu le sauver. J'essayai de pleurer, mais ma seconde peau avait encore durci. Je sentais qu'une autre y était emprisonnée et qu'elle n'en sortirait plus. Elle avait tendu un piège au chef de police et avait affaibli ma main à l'instant. J'en étais persuadée. Elle savait qu'Aristide avait provoqué l'éboulement le soir de l'orage et avait, par le fait même, guidé le geste malheureux de Fabi et peut-être sa mort. Comme moi, elle ne supportait plus de perdre ceux qu'elle aime : Fabi disparue, Francis parti à la guerre, Yvonne à la ville et Ti-Gars exécuté. C'était maintenant au tour de son père de l'abandonner. C'en était trop pour la jeune Héléna, qui se réfugia auprès d'elle.

Je la laissai me prendre par la main et m'accompagner à la maison pour annoncer à ma mère que son mari ne viendrait plus jamais souper.

Résidence Clair de lune, Trois-Rivières, hiver 2002

Huguette Lafrenière attend patiemment que la préposée positionne Héléna. Une odeur d'excrément flotte dans la chambre. La jeune femme travaille avec précision et ne semble pas incommodée. Elle papote à propos de la température et de son auto, qu'elle a dû faire remorquer au petit matin. Un discours qu'elle doit répéter de chambre en chambre comme un automate. Héléna souffre et ne l'écoute pas. Lorsque la corvée est terminée, Huguette s'empresse d'utiliser l'aérosol pour assainir l'air.

— Désolée pour l'odeur. J'ai sonné, mais y sont toujours occupés, dit Héléna pour s'excuser.

— C'est pas grave. Ça sent presque pus.

— J'ai pas bien dormi. Je sais pas si j'ai l'goût de t'entendre.

— J'ai lu un peu de ton livre, hier soir.

— T'es rendue où ?

— Ben, quand ton père…

— Tu pourras sauter ce bout-là, je le sais par cœur. C'est difficile à oublier.

— Ça s'est vraiment passé de même ?

— C'est la faute de l'autre.

— Qui ça ?

— L'autre Héléna. Cette fois-là, sur la *dam*, j'l'ai sentie comme j'te vois. Ses yeux brillants suivaient la corde jusqu'au nœud près du cou. Ça aurait été faisable de la couper. Au lieu de ça, elle m'a obligée à regarder mon père gigoter comme un poisson au bout de sa ligne. On aurait dit qu'elle était satisfaite de le voir mourir. C'est elle qui m'a fait trembler au point d'échapper le couteau.

Huguette est tiraillée par ses émotions. Ne plus bouger est une bonne stratégie. Rester au pied du lit et attendre. Patienter en espérant que le nuage se dissipera de lui-même, que son amie retiendra les larmes qui gonflent ses paupières.

— J'ai vraiment regretté. À cause de ma mère. À cause du Wayagamac que j'ai perdu. Aussi parce qu'avec le temps, j'ai compris que mon père avait rien voulu de tout ça. Il pensait bien faire pour sa famille. Il nous aimait tous à sa façon. C'était pas la meilleure des façons, mais c'était la sienne. C'est comme ça qu'on avait passé au travers des années difficiles. Dans le fond, c'était pas d'une corde qu'il avait besoin ce jour-là, mais d'une main tendue. La mienne m'appartenait déjà pus.

— L'autre, elle va revenir dans ton histoire? demande Huguette avec inquiétude.

— Elle m'a jamais quittée, Huguette. Elle va mourir avec moi !

CHAPITRE 35

Wayagamac, hiver 1940-1941

Décembre avait été impitoyable. Les bordées de neige s'étaient succédé et avaient transformé la vallée du Saint-Maurice en paysage polaire. Le froid ralentissait toutes activités. La route qui reliait La Tuque à Shawinigan devint impraticable. Les autos dérapaient au coin des rues et les citoyens pestaient sur les trottoirs glacés. Tuques, mitaines et parkas s'invitaient comme au beau milieu de l'hiver. Nous n'en étions pourtant qu'au début. Quatre jours nous séparaient de Noël et moins d'une douzaine de notre départ définitif du Wayagamac.

Mon père fut exposé dans la maison de Géraldine. Le curé et le croque-mort se chargèrent d'organiser les funérailles. Deux jours durant, la famille, les amis, les voisins et quelques inconnus défilèrent dans le salon de ma tante. Certains venaient par curiosité, en espérant y voir les traces de la pendaison. Leur déception était visible quand ils apercevaient le visage d'Aristide recouvert d'un suaire opaque. Ils s'en retournaient en se murmurant des messes basses à l'oreille. Même Ovila Desmarais osa pointer le bout de son nez.

Marie-Jeanne le reçut sèchement. Les Brown vinrent nous offrir des condoléances sincères. Matthew semblait abattu et tous savaient que la disparition de Fabi en était la cause principale. Seul Francis manquait à l'appel. Sa garnison avait été affectée au sauvetage des rescapés des bombardements. Nous nous encouragions en pensant qu'il y agissait à titre de brancardier. Il s'occupait de ramasser les blessés parmi les ruines. Au moins, il n'aurait pas à se battre.

Je me souviens de l'odeur bizarre qui flottait dans la pièce, du prie-Dieu et de l'eau bénite avec laquelle chacun simulait le signe de croix en chuchotant une incantation incompréhensible, du chapelet incongru entre les doigts d'Aristide, du drap blanc qui recouvrait les madriers et les chevalets, et de cet écrasant crucifix apporté par le curé et suspendu au mur adjacent au corps.

La grossesse d'Yvonne n'était pas encore apparente. Moins que la douceur de sa voix, qui lui valut de nombreuses remarques. On mit ce changement sur le compte de la tristesse, ce qui n'était pas entièrement faux. Je sentais ma sœur malheureuse de porter ce bébé. Elle refusait de m'en parler. Elle me répétait que nous avions assez de problèmes sans en rajouter.

Ma mère pleurait sans arrêt. De la voir si abattue m'affectait beaucoup. Je savais que notre tristesse était aussi pour Fabi et pour le Wayagamac, que nous allions devoir quitter. Un nouveau gardien de la dam serait nommé pour remplacer Aristide et il n'y avait que notre maison pour l'accueillir. Comme elle appartenait à la Ville, le sort en était jeté. De toute façon, sans mon père et Fabi, la vie près du lac devenait trop exigeante pour deux femmes seules. Mon frère Georges se chargerait de notre déménagement avec l'aide de quelques hommes délégués par Matthew.

De tout le temps que durèrent les funérailles, j'oscillai entre le regret et l'acceptation. Aristide avait choisi la mort de plein gré. Après tout, qui étais-je à ses yeux pour m'opposer à ses décisions ? La dernière de ses filles qu'il voyait trop souvent dans les jupes de sa mère. Une fouineuse qui avait tout fait sauter en dérobant le bâton de dynamite. Je n'avais besoin que du souvenir de la brûlure de sa main sur mon visage, de l'exécution de Ti-Gars et de la perte de Fabi pour demeurer de marbre devant le cercueil qu'on placerait au caveau jusqu'au printemps. Mon cœur s'était refermé pour ne pas se dissoudre dans cette noirceur qui nous enveloppait.

Nous restâmes une journée de plus chez Géraldine avant de retourner au lac. Ce fut un des plus tristes Noëls de ma vie. Mon frère Georges avait organisé le réveillon, mais il y avait trop d'absents pour que la joie s'y invite.

Le retour au Wayagamac fut pénible. Marie-Jeanne était épuisée et le sentier était recouvert d'un bon mètre de neige poudreuse. Nos raquettes s'y enfonçaient mollement et chaque pas demandait un effort qui se décuplait à l'approche de la *dam*. Ma mère me suivait en regardant droit devant elle. À part le bruit feutré de nos raquettes, il n'y avait que le silence. Rien d'autre que la blancheur et notre souffle gelé qui s'accrochait à nos chapeaux en filaments argentés. Il nous fallait passer à proximité de l'endroit où Aristide s'était pendu. Marie-Jeanne se signa à plusieurs reprises. Je craignais moins le fantôme de mon père que la possible découverte du corps de ma sœur blotti contre le grillage rouillé. Je crois que nous n'y aurions pas survécu.

Personne ne nous attendait. Pendant notre absence, un employé du club était venu, deux fois par jour, chauffer la maison. Matthew veillait sur nous, en souvenir de Fabi.

Sitôt entrée et dévêtue, Marie-Jeanne s'enferma dans sa chambre. Je défis les bagages, ravivai le feu et mis à réchauffer le pâté chinois que Géraldine nous avait préparé. Sur l'heure du dîner, monsieur Lavoie, la silhouette gonflée par plusieurs couches de vêtements, apporta un long traîneau tiré par un cheval. Il le laissa près de la galerie et me fit un petit signe de la main avant de repartir. Nous pourrions y déposer nos affaires, qui seraient transportées jusqu'à la voie ferrée. Deux *speeders* nous y attendraient.

Georges nous avait déniché une petite maison sur la rue Roy. Elle était en location, mais son propriétaire songeait à la vendre. Loin d'être spacieuse, elle nous offrait néanmoins un confort qui nous était inconnu au lac. Il y avait l'électricité et l'eau courante, et de l'espace sur le terrain pour un grand jardin. Au fond de la cour, adossée à une ruelle, une écurie désaffectée sentait fort le crottin. Ceinturée d'une clôture décatie, elle avait l'avantage de ne pas être coincée entre deux voisins. Posée sur le coin de la rue, elle avait fière allure. Malgré tout, nous manquions d'enthousiasme. Nous ne connaissions rien de la ville et de son agitation. Qu'allions-nous faire d'un si petit espace alors que nous disposions, près du lac, d'un territoire sans limites? Nous évitions d'en parler, mais chacune de nous craignait ce changement.

Les préparatifs furent difficiles. Nous n'avions pas le cœur à nous séparer du Wayagamac. Sous sa couverture de glace attendait Fabi. Plus les jours passaient, plus nous en étions convaincues. La forêt n'en serait pas venue à bout. Ma sœur la connaissait comme le fond de sa poche. Jamais elle n'y était mal prise. Mais le lac était sans pitié. L'eau froide engourdissait les membres en quelques minutes. Même au cœur de l'été, il ne faisait pas bon y rester trop longtemps.

Matthew vint nous voir à quelques reprises. Il nous apportait des boîtes vides et encourageait Marie-Jeanne. Ma mère avait vieilli de plusieurs années d'un coup. Ses cheveux avaient blanchi et elle marchait en traînant les pieds. Dans les circonstances, je donnais plus d'ordres que j'en recevais de sa part.

Puis vint le jour du départ. Ni elle ni moi ne ver-
sâmes une larme. Nous étions prêtes à notre nouvelle
vie. J'eus un dernier regard pour le lac figé. La lumière
s'y posait avec douceur. Le froid intense soulevait une
brume diaphane, loin en son centre. Un signe qu'il y
avait encore des portions libres de glace. Des trous par
lesquels le Wayagamac respirait. Je ne me résignais
pas à lui faire mes adieux tant qu'il ne m'aurait pas
rendu Fabi.

෧෨

Les lettres de Francis s'étiolaient de plus en plus. À la
fin de décembre 1940, l'Angleterre avait subi les assauts
de l'aviation allemande. Londres était en ruines. Les
morts se comptaient par milliers. Brancardier, mon
frère secourait les blessés et ramenait les cadavres des
décombres. Il parlait du bruit infernal, de la poussière
et du sang dont il était couvert à longueur de journée.
Femmes, enfants, soldats, les hôpitaux débordaient
d'estropiés de toutes sortes. Certains mouraient sous
des bâches de fortune, abandonnés à leurs douleurs
atroces. Francis disait que leurs cris étaient pires que
les bombes. Je relisais ses courtes lettres avec les larmes
aux yeux. Mon frère était en enfer et il ne l'avait pas
mérité.

෧෨

Notre installation dans la petite maison de la rue Roy
fut vite réglée. Avec l'aide de Georges, tout fut mis

en place en une journée. Il nous dénicha un poêle L'Islet usagé, une table de cuisine avec quatre chaises, un Frigidaire et un fauteuil élimé pour le minuscule salon. Marie-Jeanne n'allait jamais s'y asseoir, préférant de loin la berçante qu'Aristide lui avait fabriquée.

Le brouhaha de notre emménagement nous permit de sortir de notre morosité. Ma mère reprit des couleurs. Géraldine nous aida pour le ménage. Même Matthew passa nous voir et resta un peu plus que de coutume. Il voulait une photo de Fabi. Je lui en donnai une où nous étions toutes les deux assises côte à côte sur un rocher. Il me remercia et me complimenta pour mon sourire sur le cliché. Je rougis jusqu'aux oreilles et cela le fit rigoler. Après son départ, je tripotai les photos en me demandant pourquoi j'en avais choisi une où j'étais présente. Un sentiment de culpabilité me tiraille. Fabi m'aurait rabrouée pour un tel sans-gêne. Je ne savais pas pourquoi j'avais agi de la sorte alors que sa disparition était encore fraîche à ma mémoire. Bien sûr, Matthew était un bel homme. Il avait un emploi prestigieux et menait des hommes dont certains avaient l'âge de mon défunt père. Sa famille était riche et nous n'avions pas le sou. En plus, il s'était entiché de ma sœur et en portait le deuil sur son visage. Qu'espérais-je de ce geste ridicule? Qu'en regardant ma sœur, il s'intéresse à moi? J'eus honte de mon comportement et rangeai la boîte de photos près de la fourrure d'hermine toujours enroulée sur elle-même.

Notre vie semblait vouloir se remettre en place. Lentement, nous retrouvions un nouveau rythme. Matthew me proposa un travail à la cantine de l'usine à papier. Serveuse au comptoir, je préparais les cafés et les rôties. De sept heures à onze heures le matin, je m'activais sous les ordres de madame Bouchard, une grosse femme joviale, aux joues écarlates, qui ne cessait de sourire avec béatitude aux taquineries des travailleurs. Je n'avais jamais vu autant d'hommes à la fois. Pas même durant les réparations sur l'aqueduc. Ceux du quart de nuit croisaient ceux du quart de jour. Ils défilaient devant le comptoir, la boîte à lunch dans les mains. Épuisés, pour certains, exubérants pour d'autres, renfrognés ou alertes, jeunes ou vieux, je les servais avec le sourire. Tous savaient mon prénom, qui s'était propagé dans l'usine comme une traînée de poudre. Moi, je ne connaissais qu'Edmond à part Matthew. Un jeune homme toujours aimable avec moi. Il avait le teint rosé et le visage poupin. Ses cheveux noirs étaient gominés sur le crâne. Il me commandait sans y manquer un café sans sucre ni lait. Il le brassait inutilement et, d'un sourire espiègle, me laissait un bon pourboire. J'en perdais mon assurance. La patronne me houspillait avec gentillesse : « C'est pas le temps de roucouler, Héléna, on a de l'ouvrage icitte! Tu feras les yeux doux après ton *shift*!» J'en étais venue rapidement à espérer les matins à l'usine, malgré les odeurs nauséabondes qui s'en dégageaient et la fumée âcre qui se rabattait au sol les jours de grand vent.

De son côté, ma sœur Yvonne dépérissait. Elle ruminait de sombres pensées qu'elle me partageait au compte-gouttes. J'en étais rendue à croire qu'elle suivrait les traces d'Aristide au bout de sa corde. Ses visites s'espaçaient autant que son gros rire tonitruant. J'avais beau insister, elle demeurait muette comme une carpe sur l'identité du père.

La guerre tonnait au loin. Des nouvelles nous arrivaient par les journaux et la radio. Hitler progressait sur tous les fronts. L'Europe était à feu et à sang. Nos cœurs l'étaient tout autant. Nous gardions espoir, même si les échos des vieux pays n'auguraient rien de bon.

Marie-Jeanne avait forci ses prières à Marie mère de Dieu, en ajoutant de gros lampions de part et d'autre de la dernière photo où on voyait mon frère en compagnie de Fabi.

CHAPITRE 36

La Tuque, hiver 1941

L'odeur du pain grillé et du café se mêlait à celle des travailleurs : un mélange de mazout, d'écorce et de sueur. Derrière moi, madame Bouchard maniait le couteau à beurre avec la précision d'un d'Artagnan. Chaque « ordre de *toasts* », *plain*, avec fromage, avec confiture ou avec cretons, était posé à la queue leu leu près de la caisse à pitons. Je servais les clients en appuyant avec force sur les touches. Le tiroir-caisse s'ouvrait dans un cliquetis bruyant, qui se mêlait au brouhaha des discussions, des éclats de rire, des blagues salées et des sacres. Madame Bouchard entendait ce qu'il fallait. Sa mémoire était phénoménale. Elle se souvenait sans problème d'une dizaine de commandes à l'avance, en anglais ou en français. Si un homme rouspétait pour une erreur occasionnelle, elle le rappelait à l'ordre d'un œil torve. Il rentrait dans le rang et payait ce qu'on lui servait sans rechigner.

J'aimais l'atmosphère fébrile de l'usine et son bourdonnement incessant. La vie semblait ne jamais s'y reposer. Les quarts se succédaient en apportant des forces fraîches pour extraire les billots de la rivière

Saint-Maurice ou actionner les grosses machines à fabriquer de la pâte pour le papier. Je voyais défiler des contremaîtres, en majorité anglophones, des réparateurs de toutes sortes, des chauffeurs de camions ou de locomotives, des opérateurs de machinerie, et des ouvriers à tout faire. C'était comme un catalogue Sears rempli d'hommes. Petits ou grands, trapus ou élancés, bedonnants, rachitiques, bruns, blonds, chauves, costauds, « feluettes », blagueurs, airs bêtes, propres ou crottés de la tête aux pieds. Je n'en avais jamais tant vu. Cela me changeait des lisières de forêts, des bouleaux et des épinettes. J'apprenais que les travailleurs d'usine avaient une vie agitée. Je les entendais parler de production à augmenter, d'une machine moribonde qu'il fallait réparer d'urgence, d'un ami blessé à remplacer et du jour de paie qui ne venait jamais assez vite. On discutait aussi de la guerre et de la crainte d'être appelé au combat. Les voix devenaient graves, les visages s'allongeaient, la France et l'Angleterre n'étaient plus qu'à une portée de fusil.

Stoïque, dans ma veste bleu azur, j'encaissais l'argent et rendais la monnaie avec justesse. Je n'étais pas du même bord de la vitrine que tous ces hommes. Ils me voyaient comme une jolie serveuse et une occasion de détente avant de reprendre le boulot. Seul le petit Edmond avait le regard un peu perdu quand venait son tour de payer. J'aurais pu lui demander le double ou le triple sans qu'il s'en aperçoive. Comme moi, il écoutait et observait sans en faire de cas. Il avait l'air d'un étranger parmi la foule de travailleurs. Son rythme n'était pas le leur. Solitaire, il naviguait vers le comptoir en rebondissant sur tout un chacun. J'étais sûre que la patronne enregistrait sa commande sans qu'il ait à l'énoncer. Il payait toujours juste et me laissait quelques sous de pourboire. Puis il disparaissait vers la sortie en rosissant des joues. J'étais certaine qu'il avait le béguin pour moi.

À l'usine, les jours se ressemblaient, sauf le jeudi, où le ton montait d'un cran. Galvanisés par leur paie, les hommes en rajoutaient. Mais parfois, un évènement imprévu venait changer le cours de la routine. Ce matin-là, l'arrivée de Matthew empêcha Edmond de se rendre jusqu'à moi. Il se trouva refoulé sur le côté par les travailleurs, qui s'écartaient au passage du *boss* de l'usine.

Matthew fendait la foule avec assurance. Les conversations se modulaient à son approche. On le saluait avec respect. Il était inhabituel de le voir à la cantine en même temps que tout le monde. En réalité, il n'y venait que rarement. Il s'approcha de ma caisse sans rien commander. Sa haute stature dominait la plupart des travailleurs. Son veston bien coupé tranchait avec les *overall* de ses employés. Son sourire s'élargit quand il se pencha vers moi.

— Bonjour, Héléna. Quand vous aurez terminé, passez à mon bureau. C'est à l'office au deuxième. J'ai à vous parler.

J'acquiesçai, quand même un peu inquiète d'être convoquée par le patron. Je notai qu'il m'avait vouvoyée. Je cherchai à me rassurer auprès de madame Bouchard. Entre deux commandes, elle me fit un sourire malicieux. Un grand échalas me rappela à l'ordre, en agitant sa main au-dessus de la caisse. Je me dépêchai de lui rendre sa monnaie. Lorsque la sonnerie marqua la fin de la pause et chassa tous les hommes de la petite salle, j'entrepris le nettoyage avec madame Bouchard.

— Tu peux laisser faire ça à matin, ma fille. J'vais me débrouiller, me dit-elle en m'ôtant la guenille des mains. Va voir monsieur Brown. Fais-le pas attendre.

— Je me demande ben ce qu'il veut.

— T'as pas à t'inquiéter. Avec la face qu'il avait, ça peut pas être une mauvaise nouvelle.

Elle me piqua un clin d'œil avant de me pousser vers la sortie. Je m'habillai chaudement, car le bâtiment était situé à l'écart, derrière celui où je travaillais. Je traversai trois rangs de rails et ouvris la porte de l'office. Quelques hommes cravatés discutaient en anglais. Une femme austère sous sa blouse blanche leva les yeux vers moi. Ses doigts restèrent suspendus au-dessus du clavier d'une grosse machine à écrire. Sur le devant, on pouvait lire REMINGTON en lettres dorées.

— Vous êtes Héléna Martel? Monsieur Brown vous attend. Montez l'escalier, c'est la première porte à votre gauche.

Je suivis la direction de son index à l'ongle écarlate. J'étais intimidée de me retrouver dans un tel endroit. L'escalier me sembla interminable. La porte du bureau était ouverte à demi. Je reconnaissais la voix de Matthew, même si je ne comprenais rien à ce qu'il disait. Il discutait en anglais avec un autre homme. Après plusieurs secondes d'hésitation, je me risquai à cogner à la porte.

— *Yes ?*

Je poussai le battant avec précaution.

— Ah ! Héléna ! Entrez ! J'avais terminé. *I'll see you later, Franck. Good luck !*

Le dénommé Franck me fit un petit signe de tête avant de quitter la pièce.

— Assis-toi, Héléna. Enlève ton manteau, sinon tu vas crever. Ce bureau est surchauffé. Comment aimes-tu ton travail ?

— J'aime ça. C'est plaisant. Madame Bouchard est gentille. Je fais mon gros possible.

— Ouais. C'est ce qu'elle m'a dit. Elle est très satisfaite de toi. Tu es sa meilleure employée depuis longtemps.

— Merci.

— Mais c'est pas seulement pour te féliciter que je t'ai fait venir. J'ai autre chose à te proposer.

Il se leva de son fauteuil et s'assit sur le coin du bureau en face de moi. Son odeur de tabac et de lotion après-rasage glissa jusqu'à mon nez. D'un gracieux mouvement d'épaule, je déposai mon manteau sur le dossier de ma chaise.

— Voilà. Tu sais peut-être que nous avons une chaîne de montage dédiée à l'effort de guerre. C'est dans le nouvel entrepôt, dans la partie arrière de l'usine. C'est un contrat qui vient du gouvernement du Canada. Le ministère de la Défense doit se préparer à l'éventualité de s'impliquer dans ce qui se passe en Europe. Alors nous assemblons des sacs de survie à l'intention des soldats. Rien de compliqué, on insère dans un étui imperméable du chocolat, des chandelles, un briquet, des cigarettes et quelques autres objets. Il faut juste s'assurer que tout y est. C'est moi qui ai demandé à Allen de prendre ce contrat. Je voulais qu'on donne plus d'ouvrage aux gens de La Tuque. C'est du travail que des femmes peuvent accomplir.

— Oui, je vois.

— Actuellement, on fonctionne au ralenti, mais bientôt, la cadence va augmenter. Par contre, il te faudrait travailler sur un quart de huit heures, parfois de quatre à minuit.

— Ça me dérange pas.

— Tant mieux, parce que je veux que tu deviennes contremaître. Ça me prendra quelqu'un de fiable quand on va augmenter la production.

— Moi, contremaître?

— Avec ce que m'a dit madame Bouchard, je suis certain que tu vas bien faire ça. Tu serais ben mieux payée qu'à la cantine.

Mes yeux s'arrondirent devant cette perspective. Voyant mon émoi, Matthew se pencha vers moi et prit ma main entre les siennes.

— Je serais heureux que tu acceptes, Héléna. En souvenir de Fabi, je veux vous aider. Je sais que nous l'aimions beaucoup tous les deux et qu'elle nous manque terriblement. La vie doit continuer. Je suis sûr que tu vas réussir.

Sa paume frottait le dessus de ma main et je souhaitais qu'elle remonte le long de mon bras. Il devait être merveilleux qu'elle se glisse dans mon dos et qu'elle effleure mon cou près de l'oreille.

Je retardai l'acquiescement jusqu'à la limite du raisonnable. Combien de femmes auraient vendu leur âme pour se retrouver à ma place? Je ne connaissais rien de l'amour, mais je sentais le désir gravir ma peau comme une bête sauvage. Y avait-il dans ce sentiment la volonté de ressembler à ma sœur? De la faire vivre en moi à travers le regard de Matthew? Je n'en savais rien, mais pour rien au monde, je n'aurais retiré ma main.

— J'étais sûr, Héléna, que je pouvais compter sur toi. Et je voulais que tu saches que, toi aussi, tu peux compter sur moi.

Il déposa ma main brûlante sur mes genoux et le gérant de l'usine réintégra le corps de Matthew.

— Tu commenceras lundi prochain à huit heures. Ma secrétaire va te faire remplir les papiers. Ce sera

Josette Gagné qui te montrera le travail. C'est une femme un peu sèche, mais elle est efficace.

— Merci, Matthew.

Je me trouvai fantasque d'avoir osé l'appeler par son prénom. Quand je redescendis l'escalier, je ne sentais plus les marches sous mes pieds.

Résidence Clair de lune, Trois-Rivières, hiver 2002

La chambre est vide. La préposée lisse le dessus du lit du plat de la main. Les oreillers gonflés sont en place et les rideaux grands ouverts. Madame Lafrenière serre le manuscrit sur sa poitrine flétrie. À cette heure, son amie devrait être là à l'attendre.

— Où est-elle?

La préposée lève à peine les yeux. Son pilote automatique est en marche. Répondre à ce genre de question ne semble pas dans ses priorités.

— Sais pas.

— Elle est au bain? demande Huguette de plus en plus inquiète.

— Sais pas.

Huguette commence à paniquer. Elle tourne les talons et se dirige vers le bureau de l'infirmière-chef. Elle y entre sans frapper. La jeune femme blonde est assise et consigne les rapports du quart de nuit. Malgré l'intrusion, elle lève les yeux et offre son plus beau sourire.

— Je crois que la porte était fermée, dit-elle avec douceur.

— C'est pour ça que je l'ai ouverte! Je cherche madame Martel. Vous savez où elle est?

Nathalie Veilleux prend un moment avant de répondre. Elle connaît les deux femmes et le lien qui les unit. Leurs séances de lecture sont devenues un sujet de conversation sur l'étage. La direction encourage ce genre d'activités. Briser l'isolement entraîne souvent une diminution de la médication, sa courte expérience à la résidence le lui a démontré.

— Calmez-vous, madame Lafrenière. Je viens de lire le compte rendu de l'infirmière de nuit.

— Elle est pas morte, toujours?

— Ben non, mais on a dû l'hospitaliser. Sa jambe s'est mise à enfler subitement. C'est écrit que c'était très douloureux. Elle a perdu connaissance. Ça lui prenait des soins à l'hôpital.

— Donnez-moi le numéro de la chambre! exige madame Lafrenière.

— Vous devriez téléphoner pour voir si elle est en état de vous recevoir.

— J'vais m'arranger avec ça!

Tout en souriant, l'infirmière-chef lui tend un papier sur lequel est notée l'information. Huguette le lui arrache presque des mains.

— Oubliez pas de me donner des nouvelles quand vous reviendrez.

Madame Lafrenière quitte le bureau avant même que l'autre ait terminé sa phrase.

CHAPITRE 37

La Tuque, hiver 1941

Depuis notre départ du Wayagamac, aucune journée n'avait été aussi radieuse. La neige étincelait au soleil. Je glissais sur la moindre plaque de glace et souriais à tout le monde. Malgré la morsure cinglante du froid, je m'arrêtai devant la vitrine du grand magasin Spain. Bientôt, je pourrais y entrer et m'acheter une robe et des souliers neufs. Je pourrais même offrir un chapeau à Marie-Jeanne. Je me souviens de l'état de grâce dans lequel je baignais. Matthew en était la source première bien plus que mon nouveau travail. Si je rêvais de me faire belle, ce n'était pas sans raison. Pour moi, ce jour-là, Cendrillon n'était pas un personnage de conte de fées.

Je courus sur une bonne partie de la rue Roy. Je brûlais de raconter la nouvelle à ma mère. En ouvrant la porte, je me rendis compte que je n'étais pas la seule porteuse de nouvelles.

Marie-Jeanne se tenait debout au milieu de la cuisine, vêtue de sa robe du dimanche. Son manteau attendait sur le dossier d'une chaise et son chapeau était posé sur la table. La longueur de son visage n'annonçait rien de bon.

— Vous allez où de même, maman ?

— Ma pauvre p'tite fille. C'est ta sœur, Yvonne. Elle est à l'hôpital ! dit-elle en chevrotant sur les mots.

— Hein ? Qu'est-ce qui est arrivé ?

— C'est Géraldine qui est venue me le dire. Elle est partie se changer, pis elle va revenir me chercher en char, avec Paul.

— Ça me dit pas ce qui est arrivé à Yvonne.

— Elle a fait une hémorragie. Elle est tombée à terre où c'est qu'a travaille. C'est madame Paterson qui s'en est occupée. C'est elle qui a rejoint Géraldine pis… pis le malheur s'abat encore sur nous autres. Fabi, ton père, pis là, Yvonne !

— Pas trop vite, maman. Yvonne est à l'hôpital, elle est pas morte. Je vais y aller avec vous.

Mon bonheur n'aura duré que le temps nécessaire à mon retour à la maison. Pendant que j'enlevais mes vêtements qui sentaient le beurre grillé, je pestais contre le mauvais sort qui nous poursuivait à la trace. Je me doutais que cette nouvelle ne pouvait concerner que le bébé. Yvonne en était malheureuse. J'étais sa seule confidente pour ce secret et je connaissais peu le fond de l'histoire. Je réalisai qu'il y avait bien deux semaines que je ne l'avais pas vue.

Quand le mari de Géraldine klaxonna deux fois devant notre porte, j'étais prête. Je saisis Marie-Jeanne par le bras et nous prîmes place à l'arrière de la Ford grise de mon oncle. Pendant tout le trajet, Géraldine ne dit pas un seul mot, elle qui n'avait pourtant pas la langue dans sa poche. J'y voyais un signe que la situation était grave.

À l'entrée de l'hôpital Saint-Joseph, une religieuse vêtue de blanc nous indiqua le numéro de chambre de ma sœur. Je pris l'ascenseur pour la première fois de ma vie. Ma mère me laboura le bras de ses ongles jusqu'à ce que la porte s'ouvre pour nous laisser sortir.

Une autre nonne nous attendait au beau milieu du couloir. Sa robe noire touchait le sol. Ses mains jointes étaient serrées contre son corps, sous le crucifix, qui pendait sur sa poitrine. J'ai souvenir de son visage comme d'un ovale d'une pâleur mortelle, encerclé dans une coiffe si ajustée qu'elle lui gonflait les joues.

— Madame Martel?

Sa voix était un mince filet, que ses lèvres serrées peinaient à laisser fuir. Ma mère fit un signe de la main et la religieuse s'en empara immédiatement. D'un geste protecteur, elle lui entoura les épaules de son bras. Je dus me résigner à leur emboîter le pas, accompagnée de ma tante. Son mari avait préféré nous attendre à l'entrée. Mon cœur battait la chamade à mesure que je voyais défiler les numéros de porte. La religieuse eut une dernière recommandation pour Marie-Jeanne.

— Soyez forte, le Seigneur est avec vous!

J'entendis Géraldine me murmurer à l'oreille: «Pis nous autres, on est des cotons!» Sa relation avec les religieuses avait toujours été tendue. Elle parlait de ses années d'école comme des pires de sa vie. Elle gardait un souvenir amer de leur enseignement et de leur discipline sévère.

Yvonne était aussi blanche que les draps. Elle ne répondit pas à nos salutations. Pas plus qu'elle ne réagit à nos contacts sur son bras.

— On dirait qu'elle est morte, dit ma mère les larmes aux yeux.

— Ben non, Marie-Jeanne. Tu vois ben qu'a respire.

— C'est vrai, maman, elle a l'air de dormir, dis-je pour m'encourager.

— Pauvre p'tite fille. Qu'est-ce qui s'est passé? Elle avait pourtant une bonne santé. Ça doit être un accident.

Géraldine avait le regard fuyant. Elle en savait déjà trop. Elle cherchait sans doute une façon de lui annoncer la nouvelle sans la traumatiser. Moi, j'espérais que la tâche ne me reviendrait pas.

La porte s'ouvrit et un homme dans la quarantaine, portant un sarrau et un stéthoscope au cou, s'avança vers nous. Il semblait pressé. Ses lunettes étaient de travers sur son nez. Il ouvrit un dossier, qu'il tenait à la main, pour le refermer aussitôt. Il ajusta ses verres et examina ma sœur de près. Quand il eut reposé son stéthoscope, il se rendit compte de notre présence.

— Vous êtes de la famille?

Après les présentations d'usage, le docteur Riberdy s'installa au pied du lit et se croisa les bras. Ma mère retenait son souffle. Il se décida enfin à nous informer.

— On ne peut pas dire que son état s'est amélioré. Je pense qu'elle est entrée en coma.

— Doux Jésus! s'exclama Marie-Jeanne.

— Mais au moins l'hémorragie s'est arrêtée. Perdre un bébé de cette façon n'est pas sans conséquence.

— Un bébé!

Cette fois, c'en était trop pour Marie-Jeanne. Le docteur la rattrapa juste à temps et la dirigea vers un fauteuil. Géraldine l'éventait avec sa sacoche pendant que je pressais la main de ma mère.

— Laissez-lui de l'air! Respirez lentement, madame Martel. C'est un étourdissement. Ça va passer.

Le docteur sortit de sa poche un petit tube de sels, qu'il lui passa sous les narines. Marie-Jeanne reprit des couleurs. Géraldine ne put s'empêcher de réagir.

— Annoncez-vous toujours les nouvelles de même, vous?

— Je croyais qu'elle était au courant.

— Ça a ben d'l'air que non!

— Écoutez, madame Martel. Votre fille était enceinte. Quelqu'un a provoqué son avortement. Je ne sais pas qui a fait ça, mais on peut le qualifier de boucher. Je pense bien qu'elle va s'en tirer si elle sort assez vite du coma. Le malheur, c'est qu'elle ne pourra plus avoir d'enfants.

— Coudonc, arrêtez d'en mettre, vous allez la faire mourir ! s'offusqua ma tante.

Marie-Jeanne fixait le docteur, mais j'étais certaine qu'elle ne saisissait pas un traître mot de ce qu'il lui disait. Moi, je comprenais qu'Yvonne avait trouvé une solution à son problème et qu'elle en sortirait aussi blessée qu'à la suite de son mariage raté au lac Saint-Jean. C'était trop cruel. Je sentais que mon autre moi se révoltait. Elle cherchait à raviver les braises qui s'étaient allumées sur le bord de la falaise et sur la *dam* quand mon père se balançait au bout de sa corde. Je sais aujourd'hui qu'elle se cherchait une place dans ma tête. Un petit coin d'où elle pourrait contrôler le destin. Une faille dans mon esprit dont elle pourrait tirer parti. Mais à ce moment, dans cette chambre d'hôpital, je ne croyais qu'à une chose : que je devais venger ma sœur !

Hôpital de Trois-Rivières, hiver 2002

— Arrête de lire, Huguette. J'comprends pas tout. Pis j'aimais mieux quand j'étais dans le bureau avec Matthew.

— Ça fait-tu mal ?

— Ce serait plus simple si tu me d'mandais où j'ai pas mal.

Huguette baisse les yeux pour la centième fois vers le vide laissé par l'amputation. Devant les risques d'une embolie fatale, on avait pris cette décision alors qu'Héléna était inconsciente. Sa jambe malade avait été sectionnée au-dessus du genou. Madame Lafrenière avait dû patienter trois jours avant d'être autorisée à la visiter. Elle avait repris sa lecture malgré la tristesse qui lui serrait la gorge.

— T'es ben fine d'être venue, Huguette. T'étais pas obligée.

— Arrête de dire des niaiseries. Si j'étais pas là, qui te lirait ton livre? C'est toujours ben pas ton garçon, il vient jamais te voir! Est-ce qu'il le sait que t'es hospitalisée?

— Laisse faire ça, veux-tu? Prépare-toi, les visites sont finies.

— J'vais revenir demain. On m'a dit au poste des infirmières que tu vas rester encore une semaine. Tu devrais sortir le 11 mars. As-tu besoin de quelque chose?

— Oui. Tu me reliras le passage où j'étais dans le bureau de Matthew.

CHAPITRE 38

La Tuque, hiver 1941

L e lendemain, après mon ouvrage, j'arrêtai au bureau de poste pour prendre le courrier. Il y avait une lettre du gouvernement du Canada. Mon cœur sauta quelques battements. Ce ne pouvait être qu'au sujet de Francis. On avait raturé Wayagamac et inscrit notre adresse sur la rue Roy, juste en dessous du nom de mon père. Je l'ouvris en pensant que Marie-Jeanne avait eu son quota de mauvaises nouvelles. Je préférais voir venir plutôt que d'improviser sur ses réactions.

Je dus m'y reprendre à deux ou trois fois avant de saisir que Francis revenait au pays. L'armée le retournait pour cause de « névrose de guerre ». Je n'avais aucune idée de ce que cela signifiait. Je retenais que mon frère était vivant et que je le reverrais au début du printemps. D'ici là, il séjournerait dans une maison de repos située dans le Yorkshire, en Angleterre. Je n'avais pas plus idée de ce dont pouvait avoir l'air le Yorkshire. Je laissai le froid envahir mes poumons. Je touchai la montre à mon poignet. Je revis le train qui s'éloignait et Francis qui me saluait par la fenêtre.

Il revenait comme il l'avait promis, sauf que Fabi ne serait pas là pour lui sauter dans les bras.

— Héléna?

Toute à mes rêveries, je n'entendais rien. Une main m'agrippa le bras et je sursautai vivement.

— Désolé. Je voulais pas te faire peur.

Edmond me regardait avec ce sourire en demi-teinte qui finirait par me faire craquer. Pour l'instant, j'étais sous l'emprise de la nouvelle et j'eus plutôt l'air surprise.

— J'voulais juste te dire bonjour. À la *shop*, on a pas le temps de se parler. Moi, c'est Edmond, dit-il en me tendant sa main.

Je ne pus m'empêcher de pouffer. C'était trop drôle de le voir si maniéré.

— Ben oui, je le sais que tu t'appelles Edmond. Mais je connais pas ton nom de famille.

— Edmond Fournier. C'est vrai, on se voit tous les jours depuis un bout de temps, mais on a pas le temps de se parler.

— Tu l'as déjà dit.

Ses joues prirent une belle couleur rouge accentuée par le froid. Il rajusta son chapeau, qui me sembla une taille trop étroite. Son attitude m'amusait. Cela crevait les yeux que j'étais de son goût.

— Ouais, c'est vrai. La parlotte, c'est pas mon fort. Je me suis trouvé une autre *job*.

— Ah? dis-je en ressentant un peu de déception.

— *Waiter*. J'vais être *waiter* à l'hôtel Royal. J'commence en fin de semaine.

— Moi aussi, j'change de travail à l'usine. À partir de lundi, je serai pus à la cantine. Ça adonne ben, j'aurais pas pu être là pour te servir le café. Ça veut dire qu'on ne se verra pus.

— Pas à la *shop* en tout cas.

— Ni à l'hôtel. Je fréquente pas ces places-là.

— Ouais. Mais le samedi soir, y'a de la danse. Tu pourrais venir voir.

— Peut-être.

— Bon, ben, j'ai d'autres commissions à faire. À la revoyure… Héléna!

N'eût été Matthew, ce petit Edmond aurait comblé mes rêves. J'étais flattée qu'il s'intéresse à moi. Je fis semblant d'examiner mon courrier, mais je l'observais du coin de l'œil. Il se retourna deux fois avant d'atteindre la voie ferrée qui traversait la ville d'un bout à l'autre. Je pliai la lettre et la mis dans ma poche. Il me restait encore une heure avant le dîner. J'avais le temps d'aller chez l'employeur de ma sœur. L'envie de fouiner me démangeait terriblement. D'autant qu'Yvonne gardait plus qu'elle ne jetait. Comme elle était hospitalisée, je n'avais qu'à prétexter vouloir prendre quelques affaires pour elle. J'accélérai le pas devant la perspective de m'adonner à mon plaisir coupable.

Résidence Clair de lune, Trois-Rivières, hiver 2002

— Comme ça, madame Martel va nous revenir demain. J'imagine qu'on aura l'appel de l'hôpital aujourd'hui.

— Héléna m'a dit que le médecin lui donnerait son congé dans l'avant-midi.

L'infirmière-chef décroche le téléphone et engage une conversation sur les effets secondaires d'une médication. Madame Lafrenière patiente en examinant le bureau. Quelques piles de dossiers attendent une mise à jour. Des piluliers aux dimensions impressionnantes sont prêts pour la semaine qui vient. Partout, des stocks de pansements, de seringues, de gants chirurgicaux, de caisses de couches, de thermomètres sont empilés, défiant toute logique. Huguette voit autour d'elle tout l'arsenal nécessaire pour colmater les fissures de la vieillesse.

— Est-ce qu'il y a autre chose, madame Lafrenière ?

— Euh ! Oui. Héléna aimerait avoir l'adresse de son fils. Elle arrive pas à s'en souvenir. Elle veut le contacter.

— Je vais voir au dossier. En principe, c'est confidentiel. Mais je peux la mettre dans une enveloppe cachetée. Vous aurez juste à la lui donner. J'imagine que je peux vous faire confiance.

Nathalie Veilleux fouille dans la paperasse en fronçant les sourcils.

— Vous êtes sûre qu'elle vous a demandé ça? J'ai rien au dossier concernant sa famille. J'ai rien concernant son fils.

Huguette est sonnée par cette réponse. Pourquoi Héléna lui aurait-elle menti? Elle n'a jamais nié l'existence de son fils. Par contre, elle a toujours évité de s'étendre sur le sujet. Personne ne l'accompagnait à son admission. Elle n'a jamais reçu de visite non plus. Ni de cartes, ni de cadeaux, ni rien. Elle a passé Noël et le jour de l'An dans sa chambre, avec pour seules compagnies son manuscrit, la tournée des bénévoles et une visite éclair de ses partenaires de cartes. Que se passe-t-il donc avec son fils pour qu'il ignore sa mère durant les derniers jours de sa vie?

CHAPITRE 39

La Tuque, hiver 1941

L a maison des Paterson était située sur la rue On the Bank, qu'on appelait rue des Anglais. Il fallait traverser la voie ferrée qui menait à l'usine, passer devant la petite église anglicane et son clocher tout blanc, et remonter la rue sur presque toute sa longueur. Plus loin trônait le Community Club, construit à grands frais par la Brown Corporation. Cette magnifique bâtisse, aux sept lucarnes et aux deux galeries superposées, abritait une salle de réception, quatre allées de quilles, une table de billard, un gymnase et même une piscine. On y faisait des fêtes plusieurs fois durant l'année, dont la plus imposante était le bal du jour de l'An. Je savais tout ça grâce aux cancans de l'usine. Je n'avais pas encore eu l'occasion d'y mettre les pieds.

Avant de m'aventurer dans l'allée menant au portique, je vérifiai le numéro de porte à plusieurs reprises. La maison, de style cottage anglais, était majestueuse et intimidait avec ses trois étages et ses volets rouge vif à chaque fenêtre. Recouverte de bardeaux de cèdre vert forêt, entourée d'une clôture à motifs fleur de lys dont l'ombre se découpait joliment sur la neige, elle semblait sortir d'un conte de fées. Ma sœur était chanceuse de travailler dans un endroit comme celui-là. Je cognai à la porte au lieu d'utiliser le heurtoir de bronze.

Une jeune femme endimanchée vint m'ouvrir. Comment pouvait-on s'habiller de la sorte au beau milieu de la semaine? Des bijoux scintillaient à son poignet et à son cou. Sa robe, lisérée de broderies, tombait sur son corps comme une frange de brume qu'elle aurait accrochée au passage. Je restai obnubilée par le fuchsia de son rouge à lèvres et la découpe de ses cils qui battaient l'air comme de petits papillons. Je pensai qu'elle se préparait à sortir pour une réception.

— *Hi! What do you want?* demanda-t-elle le sourcil relevé.

Je souhaitai de tout mon cœur qu'elle parle français. Je comprenais quelques mots en anglais depuis mon arrivée à l'usine, mais j'étais loin de pouvoir soutenir une conversation.

— Je suis la sœur d'Yvonne, Héléna.

— Oh! Yvonne. *Poor dear honey.* Vous, *sister.* Entre! *I am* Irina Paterson. Mon français, *not... bone,* bon.

Derrière le maquillage, les bijoux et la robe se cachait une femme sincère qui m'apparaissait affectée par le sort de ma sœur. Je la trouvai immédiatement sympathique, malgré ses allures bourgeoises.

— Yvonne... *good...* bien? demanda-t-elle avec un accent épouvantable.

— Oui, bien. Mais elle est dans le coma.

— *Coma! Oh! My Lord! It's serious! Poor* Yvonne. Peux-je *help* vous?

— Je suis venue prendre quelques affaires pour elle. Dans sa chambre, si vous voulez bien. Ce sera pas long.

— Oh! oui. *Sure.* Laisse ici, bottes *and coat.* Suivre moi. *Excuse my French.* Je essaye parler, mais *difficult...* comprendre vous... un peu... bien.

Je m'exécutai en vitesse, car elle se dirigeait à grands pas vers l'escalier de chêne. Ses escarpins de cuir brossé claquaient sur le plancher. J'étais impressionnée par la tapisserie à motif floral en relief, par les tableaux, les tentures et les meubles de bois verni. J'avais envie de les toucher. Une odeur d'encaustique flottait dans toute la maison. Les parquets reluisaient et les poignées de porte étaient incrustées de porcelaine. Plus j'avançais et plus je me sentais comme une voleuse. Je n'étais venue que dans le but de découvrir qui était le père de l'enfant de ma sœur. Je n'avais pas réfléchi à ce que je devrais rapporter pour que ma démarche soit crédible. De quoi pouvait avoir besoin quelqu'un qui était dans le coma?

— *Here,* sa *room.* Pas grande, *but comfort.* Je laisse *you.* Je dois... *talking,* parler... *with my... new* bonne. *Like* Yvonne, *understand?*

Madame Paterson accompagnait son baragouinage d'une quantité impressionnante de gestes qui n'aidaient pas vraiment à ma compréhension. Je souriais en hochant la tête et en souhaitant qu'elle ne me questionne pas outre mesure.

Lorsque je me retrouvai seule, je ressentis le doux frisson qui précède le moment où je m'apprête à franchir la ligne qui me sépare de mon vice. Cet instant rempli d'excitation à la pensée que j'allais traverser le miroir. Que j'apprendrais plus que ce que les gens veulent bien nous révéler! Que j'ouvrirais les tiroirs, le garde-robe, les sacoches, que je glisserais mes doigts dans les poches des manteaux, que j'examinerais les vêtements, les souliers et le dessous du matelas.

Je me dépêchai de me mettre à l'œuvre avant le retour de mon hôtesse. La chambre n'avait pas été rangée. La nouvelle femme de ménage n'était pas encore engagée. Madame Paterson y voyait en ce moment même, si j'avais bien compris.

Je tournai sur moi-même au milieu de la pièce, en me demandant quel endroit offrait la meilleure cachette pour ce que je cherchais, bien que je ne sache pas ce que je cherchais. J'ouvris le placard et y pris une petite valise. Je la remplis avec ce qui me tombait sous la main: sous-vêtements, robes, une paire de souliers, du parfum. Cela suffirait à justifier ma présence si madame Paterson me surprenait. Je passai au peigne fin sa commode et un minuscule secrétaire adossé au mur sous la fenêtre. Quelques factures, un exemplaire du catalogue Sears, des photos de famille, un paquet de cigarettes (je ne savais pas que ma sœur fumait), un plat de bonbons durs et un paquet de gomme

Chiclets, des boucles d'oreilles, un magazine de mode, des tickets de cinéma à moitié déchirés, un tube de rouge à lèvres, un paquet de «bobépines», rien que des trucs insignifiants qui ne me renseignaient pas sur l'amant d'Yvonne.

Lorsque j'entendis les souliers de madame Paterson gravir l'escalier, j'en étais à terminer l'examen de tout ce qui avait des poches et qui était suspendu dans le garde-robe. Il ne restait que le matelas. Je m'agenouillai pour en explorer le dessous à l'aide de mes deux bras. Les escarpins martelaient maintenant le palier. Madame Paterson cogna avant d'entrer.

— Vous, *finish,* Héléna? ·

Je refermai la valise et lui fis mon plus beau sourire.

— J'ai tout ce qu'il faut. Merci beaucoup.

Résidence Clair de lune, Trois-Rivières, hiver 2002

Huguette referme la porte derrière elle. Son cœur cogne contre sa cage thoracique. Elle n'éprouve pas la même satisfaction qu'Héléna fouillant la chambre de sa sœur. Pourtant, elle sait qu'elle dispose de quarante-cinq minutes. Bien plus que nécessaire. La période du bain doit se compléter dans ce laps de temps. Trop souvent a-t-elle entendu les préposées s'en plaindre.

Avec d'infinies précautions, elle examine les tiroirs de la commode un à un. Elle trouve le sac à main derrière la valise, dans l'armoire. Elle l'ouvre en tremblant.

Ses doigts osseux déplacent un portefeuille, un tube de rouge à lèvres, un chapelet, une enveloppe, un tube d'aspirine, avant d'entrer en contact avec le trousseau de clefs. Elle le retire et le fourre dans la poche de sa veste. Il ne pèse pas lourd, car il ne contient que trois clefs. Elle remet tout en ordre et entrouvre la porte de la chambre. Elle n'entend que les échos des postes de télévision. Le couloir est désert. Elle s'élance en adoptant une démarche trop décontractée. Pendant un court instant, elle comprend qu'Héléna puisse y trouver du plaisir. La réussite galvanise ses vieux muscles. Tant mieux parce qu'il lui reste un appartement à passer au crible.

CHAPITRE 40

La Tuque, hiver 1941

Je repris la rue des Anglais, la valise à la main. Un vent glacial s'était levé et balayait la vallée latuquoise. J'avançais d'un pas rapide. Je m'arrêtai au restaurant. La serveuse m'apporta un café fumant. Plusieurs clients étaient attablés, mais heureusement, je ne connaissais personne. Je glissai ma main dans la valise et récupérai la lettre froissée que j'y avais cachée en catastrophe, juste avant le retour de madame Paterson. Je la dépliai avec plaisir, sachant qu'elle ne pouvait contenir qu'un secret, puisque Yvonne avait pris soin de la dissimuler sous son matelas.

Dès la première phrase, je sus que c'était une lettre d'amour. Je sautais sur les mots comme une folle gambadant dans un champ fleuri. L'amant était éperdu, ma sœur, sa princesse. Leur étreinte avait la profondeur d'un ciel étoilé et il se morfondait en son absence. Il y avait deux pages du même acabit qui se terminaient par : «*Je sais que mon autre engagement est une barrière à notre amour, mais il faut garder espoir. Je t'en prie, brûle cette lettre. R qui t'aime trop.*»

LA FAMILLE DU LAC

Ma déception n'avait d'égale que ce «R» qui me laissait pantoise. L'autre engagement suggérait un homme marié ou un soldat sur le point d'être appelé.

Je glissai la missive dans la poche de mon manteau, payai mon café et retournai sur la rue Commerciale. La femme dans mon cerveau continua de s'acharner sur la lettre. Elle n'avait aucune envie de lâcher le morceau. Ma sœur était aux portes de la mort à cause d'un amant mystérieux. Cet homme devait rendre des comptes. Durant tout le trajet, je restai avec l'impression que nous étions deux à rentrer à la maison.

Résidence Clair de lune, Trois-Rivières, hiver 2002

Madame Lafrenière s'interrompt sur cette phrase sibylline. Elle a lu lentement à la demande d'Héléna. La morphine endort les facultés de son amie, qui a peine à suivre.

— Tu devrais te reposer un peu. Le bain a l'air de t'avoir ramollie.

— Démolie, tu veux dire. Toute nue, j'suis déjà pas trop regardable. Avec une jambe et demie, j'ai l'air d'une bête de cirque.

— T'exagères.

— Pantoute, Huguette. Pis ça élance comme tu peux pas savoir! Même avec les pilules de codéine. Il va falloir que tu lises plus souvent ou plus vite avant que je perde d'autres morceaux ou que je sois trop droguée pour te suivre.

— Mais on a presque fini, proteste madame Lafrenière en examinant le manuscrit.

— Non. J'ai pas tout apporté. La suite est à mon appartement. Prends mes clefs dans ma sacoche, pis va la chercher. Tu vas la trouver dans le tiroir de ma table de chevet.

Huguette a les lèvres sèches. Les clefs sont actuellement dans la poche de son manteau dans sa propre chambre. Si elle ouvre le sac à main et n'en ressort pas le trousseau, Héléna va paniquer et ameuter l'étage au complet, surtout qu'elle est à moitié groggy par ses médicaments. Le rouge lui monte aux joues. Après cette marque de confiance, elle se sent coupable d'avoir agi comme une voleuse.

— Pas de problème, Héléna. Faut juste que j'aille dans ma chambre. J'avais demandé à madame Gervais de passer me voir à matin. J'ai oublié. Elle doit m'attendre à l'heure qu'il est. Inquiète-toi pas, je reviens tout de suite après. Je m'en occupe.

— Prends ton temps. J'vais pas mourir dans l'heure !

CHAPITRE 41

La Tuque, hiver 1941

Dans les jours qui suivirent, Marie-Jeanne retomba dans les ornières de la morosité. Le coma d'Yvonne était une épreuve divine qu'il fallait affronter par la prière. Elle s'y adonnait donc plusieurs fois par jour et insistait pour unir notre recueillement. L'usine devenait pour moi une sortie d'urgence que j'espérais sitôt rentrée.

J'aimais le travail d'assemblage. J'appris les tâches avec facilité. Je suggérai même quelques améliorations au contrôle de la qualité ainsi qu'à l'empaquetage. Le rythme de la production doubla et Matthew vint en personne nous féliciter. Il ne put s'empêcher de me louanger devant tout le monde. C'est à partir de ce moment-là que le sable se mit à enrayer l'engrenage de mes relations avec Josette, l'actuelle contremaître. Elle me vit, dès lors, comme une rivale sérieuse.

Les nouvelles de la guerre n'étaient pas bonnes. Les armées allemandes menaçaient sur plusieurs fronts. Les discours de Churchill appelaient au courage et galvanisaient la nation anglaise. L'Amérique surveillait la situation et se préparait au pire. À l'usine, les hommes s'inquiétaient de plus en plus d'être appelés au combat. Leurs discussions avaient souvent des allures d'affrontements entre les tenants du statu quo et ceux qui croyaient que l'Europe ne s'en sortirait pas sans nous. Certaines prises de bec tournaient au vinaigre et même au combat pur et simple. Notre groupe de femmes n'était pas exclu de ces enchères verbales. Josette dut en séparer quelques-unes à force de bras. Elle était costaude. J'évitais prudemment ce genre de débat. Je me concentrais sur mes tâches et sur mon adaptation à l'horaire de travail. L'alternance des quarts m'était d'autant difficile que Josette s'ingéniait à les rendre imprévisibles.

À la maison, l'atmosphère s'alourdissait. Entre ses séances de prières, ma mère allait voir Yvonne à l'hôpital. La plupart du temps à pied, une fois sur trois en ma compagnie et celle de Géraldine. L'état de ma sœur restait stable. Rien n'indiquait son retour à la réalité. À part nous, elle reçut la visite de quelques amies et du vicaire de la paroisse, qui l'avait incluse dans sa tournée des malades. Madame Paterson lui envoya des fleurs et un mot d'encouragement à la famille. Il était écrit en anglais et nous dûmes le faire traduire.

Le coma d'Yvonne ajouté à la disparition de Fabi contribua à ma descente aux enfers. Il ne se passait pas un jour sans que le sentiment d'abandon m'écrase de son poids. Je sentais le vide s'installer. Sans mes sœurs ni mon père, l'avenir m'apparaissait incertain.

Je ruminais sur les évènements du lac et je cherchais comment nous aurions pu faire autrement. Mes réflexions étaient vaines. Les jours s'embrochaient les uns derrière les autres et je me blindais par en dedans. C'était d'autant plus facile que l'autre m'y attendait les bras ouverts. J'avais besoin de sa force pour continuer et de sa hargne pour espérer. Ce fut dans cette courte période d'attente que je baissai les bras devant elle et lui permis d'exercer son emprise sur moi. J'en avais besoin pour mon nouveau rôle de soutien auprès de Marie-Jeanne.

Notre vie s'écoulait à contre-courant du rythme de la ville en ébullition et le Wayagamac creusait son écrin dans notre souvenir. Là où le vent nous apportait des nuages floconneux et des odeurs de résine ne subsistait plus qu'un cordon de fumée crachée sans relâche par les cheminées de l'usine. Le chant des engoulevents bois-pourri, qui refermait nos soirées, avait été remplacé par les éclats des voisins, le bruit des voitures et les grognements de l'usine, qui réclamait son lot de forêts pour rassasier son estomac d'acier. Notre consolation était de ne manquer de rien. Notre petite maison nous tenait au chaud, nous mangions à notre faim et mon travail rapportait suffisamment pour combler nos besoins.

À la mi-février, nous reçûmes une seconde lettre de l'armée. Francis arriverait par le train au début du mois d'avril. Ce fut un rayon de soleil qui nous illumina le temps d'une journée. Ma mère profita de cette éclaircie pour me faire une confidence. Sitôt la vaisselle lavée et essuyée, Marie-Jeanne se tira une chaise près de la table et m'en désigna une autre en se raclant la gorge. Je sus que c'était important parce qu'elle joignit les mains devant elle avant de parler.

— J'ai quelque chose à te dire, ma p'tite fille.

— C'est-tu à propos d'Yvonne?

— Non, ta sœur est toujours dans les limbes. Le Bon Dieu va nous la retourner quand il décidera qu'elle a assez payé pour ses folies. C'est à propos de ton père.

— Papa?

— Oui. Aristide m'a laissé ce qui lui appartenait, aussi ben dire pas grand-chose. Je pensais le connaître. Quand le notaire Boudreault a fini de lire le testament, il m'a dit qu'Aristide lui avait demandé de rajouter une clause. Pas longtemps avant qu'il… meure. Le notaire a appelé ça un addenda. Ça donnait l'ordre de me remettre mille piastres en mains propres. Il a sorti une enveloppe d'un p'tit coffre-fort derrière lui. Quand j'ai vu le contenu, j'en ai perdu le souffle, pis quasiment mon dentier. Il pouvait rien me dire sur d'où venait cet argent-là, parce qu'Aristide avait rien dit de plusse. La vente de notre terre nous a rapporté des pinottes. Il reste même pas quarante piastres au fond de mon p'tit coffre à bijoux. Le sais-tu, toé, comment ton père a pu avoir autant d'argent?

Je demeurai sans voix à la regarder. Ses yeux scrutaient mon visage. Je sentais qu'elle avait longuement tricoté les fils qui unissaient le contenu de cette enveloppe à ce qui s'était passé au Wayagamac. Malgré son manque d'instruction, ma mère savait lire. Tous les romans, récités à son mari, à la lueur de la lampe, lui avaient fourni un imaginaire foisonnant. Elle y puisait nombre d'effets et de rebondissements qui pimentaient les histoires qu'elle nous racontait. J'étais certaine qu'elle avait son idée pour l'argent. Une somme pareille ne tombe pas du ciel.

— Je te demande ça, Héléna, parce que je sais que t'es pas mal senteuse. T'étais toute petite, pis tu fouillais dans mes tiroirs, pis dans mes papiers. T'as pas beaucoup changé, ça fait que peut-être que t'as une idée là-dessus?

— Je sais rien, maman. C'est beaucoup, mille piastres. Peut-être que papa rendait service quand y descendait à La Tuque?

— Aristide allait à La Tuque pour boire, pas pour travailler. Ça sent pas bon, cet argent-là. En tout cas, j'ai caché l'enveloppe. Tant que j'saurai pas le fond de l'histoire, elle va rester là! J'suis tannée d'être la dernière à apprendre les malheurs!

Si j'avais le moindre doute qu'Aristide était responsable de l'explosion qui avait saccagé l'aqueduc, il s'effaçait avec cette enveloppe contenant mille dollars en argent comptant. Mon père avait accepté un pot-de-vin du maire. C'était l'évidence même et j'en avais été témoin, cachée derrière les planches disjointes de notre écurie. Était-ce pour nous qu'il avait osé cette magouille? Pour que nous sortions enfin de notre petite misère? Était-ce pour la politique? Son pacte avec le diable aura mal tourné. Tout était allé de travers. L'argent n'avait servi à rien d'autre qu'à nous attirer le malheur.

Résidence Clair de lune, Trois-Rivières, hiver 2002

L'appartement d'Héléna est situé au rez-de-chaussée d'un immeuble de six logements. En arrivant, madame Lafrenière commence par faire un tour de reconnaissance. Une odeur de vanille et de renfermé flotte dans l'air. Elle s'empresse d'aérer en ouvrant deux fenêtres. Le mobilier est de qualité et le moindre objet semble à sa place. Tout indique qu'Héléna a pris soin de tout ranger, mais qu'elle espérait quand même un retour. Malheureusement, son petit univers a été floué et n'a plus d'avenir. Il attend d'être démantelé sous une fine couche de poussière.

Huguette cherche des indices du passé. La porte du frigo affiche quelques vieilles notes, une pour des médicaments à acheter, d'autres pour le numéro de téléphone du CLSC, pour celui d'une compagnie de taxi locale et pour corriger la température de cuisson dans une recette de gâteau aux épices. À part des poteries, des bibelots et des livres, il n'y a pas grand-chose. Aucune photo au salon ni à la chambre à coucher. Les trois pièces sont vierges de souvenirs. Sur les murs, quatre tableaux montrent forêts et jardins fleuris. Les lieux représentés sont indéfinissables et intemporels.

Dans le garde-robe, il y a les vêtements d'une femme coquette. Huguette s'attarde sur les motifs et les dentelles. Ses doigts caressent les épaulettes et flattent les tailles, déplacent les jupes et réalignent le tout par catégories. Elle grimpe sur une chaise pour examiner la tablette du haut. Rien d'autre que trois chapeaux et des chandails d'hiver. Huguette replace la chaise contre le mur avec un pincement au cœur. Comme elle aurait aimé voir son amie porter ne serait-ce qu'un de ces vêtements.

Les commodes sont inspectées. Jupons, pyjamas, dessous, chandails, bas se retrouveront sur les présentoirs d'une friperie. Rien de remarquable, à part la suite du manuscrit rangée au fond du tiroir de la table de chevet, comme Héléna l'avait mentionné. Madame Lafrenière continue à tourner en rond, repassant là où elle a déjà regardé. Réfrigérateur, armoires, salle de bain, salon ou chambre à coucher n'offrent rien de ce qu'elle cherche. Pas de lettres, pas de photos, pas de papiers importants. On dirait qu'Héléna a effacé sa vie pour la mettre dans un livre. Que feraient des enquêteurs dans de pareils cas? Huguette repasse des bouts de films dans sa tête. Toujours, à la dernière minute, le héros voit le détail que personne n'a remarqué, mais qui est pourtant évident. Elle pense au coffre-fort dissimulé derrière un cadre. Par souci de ne rien négliger, elle jette un coup d'œil, puis rit d'elle-même pour avoir eu une telle pensée.

Dépitée, elle décide de quitter les lieux en emportant le manuscrit dans un grand sac. C'est en ressortant qu'elle se rend compte qu'elle tient son indice à la main : le trousseau de clefs. Une pour la porte principale, une pour la boîte postale et la dernière pour quoi ? Pour l'espace de rangement, dont la majorité des logements sont pourvus ! Triomphante, elle contourne la bâtisse et entre par l'arrière. Sur sa gauche, elle repère un placard portant le même numéro que l'appartement. Après avoir introduit la clef, elle ouvre l'interrupteur. L'intérieur est aux trois quarts rempli par des chaises de jardin, des décorations de Noël, une balayeuse, un seau et une vadrouille, plusieurs contenants de peinture et quelques boîtes de carton. Elle agrippe celle du dessus, qui est en meilleur état que les autres. Un coup d'œil lui confirme qu'elle a trouvé ce qu'elle cherchait.

Huguette utilise les minutes suivantes pour l'examiner. Passent entre ses doigts fébriles une sculpture représentant une tête de cheval, un peigne de bois recourbé, une fourrure d'hermine, un poignard à lame courte, un béret kaki portant l'insigne du 29e régiment de Valcartier, un paquet de lettres affranchies avec des timbres du Royaume-Uni, des photos où on voit un militaire posant avec différentes personnes, d'autres prises près d'un lac ou sur un petit barrage, d'autres encore, plus récentes, où on aperçoit Héléna avec un enfant et un homme qui semble être son père ou elle, seule en compagnie d'un jeune homme en uniforme de pompier.

Madame Lafrenière est étourdie par sa découverte. La plupart des objets ont été décrits dans le roman d'Héléna. Si elle avait le moindre doute sur la véracité de l'histoire d'Héléna, il vient d'être anéanti par le contenu de cette boîte.

Elle glisse la peau d'hermine dans son sac, contre la deuxième partie du manuscrit, puis elle remet tout en place.

Sur le chemin du retour, elle vide la boîte aux lettres située plus loin sur la rue. Elle garde ce qui n'est pas une publicité, au total trois enveloppes avec des en-têtes de compagnies. Rien pour la renseigner sur le fils.

慘

Ses vieilles jambes ont été mises à l'épreuve. Elle a raté le repas du soir. Elle se contente d'un restant de soupe et d'un sandwich. Puis elle se présente, comme d'habitude, à son heure de lecture. Héléna est heureuse d'avoir son manuscrit. Après avoir jeté un coup d'œil aux trois lettres que lui tend madame Lafrenière, elle pointe la corbeille du doigt.

— C'était pas nécessaire de passer à la « malle ». C'est du vieux courrier. Tout m'arrive icitte asteure. Faudrait retourner la clef au bureau de poste, ils vont avoir besoin du casier.

— Je peux m'en occuper si tu veux.

— Merci, Huguette. Il y avait rien d'autre de spécial? demande Héléna, pour qui le malaise de son amie est palpable.

— Non… J'ai aéré un peu l'appartement. J'ai trouvé ton manuscrit là où tu me l'avais dit. Tout était correct.

— As-tu *checké* mon casier?

— Pour quoi faire? dit Huguette en rougissant.

— Parce que si j'avais été à ta place, je l'aurais fait!

Madame Lafrenière est trop fatiguée pour se défiler. Elle voit qu'à la télé, un homme brandit un pistolet sous le nez d'une femme en larmes. Malgré l'absence du son, elle comprend qu'il veut la faire avouer. À qui Huguette doit-elle s'identifier? Ses yeux passent de l'un à l'autre jusqu'à ce qu'un autre homme ne s'interpose et désarme le premier. Un dénouement que, de toute évidence, elle ne peut espérer.

— C'était barré. Tes affaires avaient l'air d'être là.

— Avant de partir, j'ai mis tous mes souvenirs dans une boîte de carton. Je l'avais déposée sur le dessus de la pile.

— J'ai bien vu des boîtes empilées, dit Huguette en se tortillant sur sa chaise.

— T'sais, Huguette. Quand je fouinais, ma mère le savait toujours. J'avais beau avoir l'air innocente, elle lisait dans ma face comme dans un rapport de police. Des fois, elle me chicanait, mais la plupart du temps, elle passait l'éponge. Elle avait pour son dire que si j'avais trouvé quelque chose que j'avais pas besoin de savoir, ben c'était ben bon pour moi. Ça risquait de me retomber sur le nez.

— Le couvercle de la boîte du dessus était ouvert. J'ai vu la tête de cheval en bois, pis un paquet de lettres avec des timbres de l'Angleterre. J'ai vu aussi un bout de la fourrure blanche. Celle dont tu parles dans ton livre. Aurais-tu aimé ça que je te rapporte quelque chose là-dedans?

— Non. J'avais juste besoin de mon manuscrit. Tout est écrit. Finis ta lecture. On commencera l'autre demain.

— Je peux-tu te demander quelque chose?

— T'es ben partie.

— Il reste où ton gars?

— J'le sais pas. Mais on devrait le savoir bientôt.

CHAPITRE 42

La Tuque, hiver 1941

C'est avec ce nuage en tête que je me rendis à l'usine ce soir-là. Loin de s'améliorer, mon humeur chuta de plusieurs crans à la découverte de mes chaussures de travail remplies d'une bonne quantité de mélasse. C'était le genre de blagues prisées par les gars de l'usine. À la cantine, ils se les racontaient en se tapant sur les cuisses. C'était à qui réussirait la meilleure. De notre côté, les femmes préféraient cancaner. Les bouches s'activaient plus que le geste. J'étais donc surprise par cette facétie stupide. Je courus aux toilettes et rinçai mes chaussures à grande eau. Bien entendu, je me présentai à mon poste de travail en retard. Josette se réjouit de m'annoncer qu'elle devrait me couper une demi-heure sur ma paie pour avoir retardé la production. Ce qui était faux, car elle m'avait remplacée par quelqu'un d'autre. Poursuivant sa guérilla, elle m'envoya vérifier l'inventaire dans la section de l'entrepôt qui était maintenu à une température glaciale. Avec mes chaussures mouillées et collantes, j'ai eu les pieds gelés toute la soirée. J'ai quitté mon quart de travail sans saluer personne. Marcher jusqu'à la maison a été un martyr. J'entendais murmurer l'autre femme à mon oreille. Je tentais de la raisonner.

Je me fis une bassine d'eau chaude et y trempai les pieds. Même les hivers les plus rudes au Wayagamac ne m'avaient jamais congelée à ce point. Il me semblait que le froid avait remplacé mon sang et que je devrais le purger pour retrouver la chaleur. C'est alors que je repensai à la peau d'hermine. À son contact, je sentis immédiatement le réconfort sur mes doigts. Je déliai les lanières de cuir que Miko, la métisse, avait nouées soigneusement. La peau se déroula et un objet tomba sur le sol avec un bruit sec. Je le ramassai. J'avais au creux de la main le peigne de bois recourbé avec lequel Fabi maintenait ses cheveux en place. Je cessai de respirer pendant un instant. Comment pouvait-il se retrouver là? Qu'est-ce que cela signifiait? Pourquoi l'Indienne n'avait-elle rien dit? Les questions rebondissaient sur les murs de ma chambre. Je ne sentais plus le froid. J'étais debout dans ma bassine et j'essayais seulement de comprendre le sens de ma découverte. Miko n'avait peut-être pas croisé mon chemin par hasard. Et si ma sœur lui avait demandé de me remettre son peigne? C'est qu'elle serait encore vivante! Il me fallait absolument parler à cette métisse. Je me glissai sous les couvertures, les yeux grands ouverts. Je pressais le peigne contre ma bouche. Une infime odeur s'en dégageait, celle de Fabi, que le Wayagamac enveloppait de la sienne.

Résidence Clair de lune, Trois-Rivières, hiver 2002

Madame Lafrenière caresse la fourrure d'hermine. Dehors, le mois de mars s'agite en projetant des volées de grésil contre la vitre. Assise sur le rebord de son lit, elle ressent le froid. Il n'est pas dans ses pieds ni dans ses mains. Il vient du dedans, pareil à celui d'Héléna. Il souffle sur les braises de son attirance pour cette vieille femme en train de mourir. Elle vient de la quitter et de refermer la première partie de son manuscrit. Son amie s'est endormie le visage serein. Comment en faire autant? Après avoir déroulé la peau d'hermine, comme Héléna l'avait fait jadis sur la rue Roy, Huguette voit tomber sur le sol deux objets. Elle ramasse une médaille décernée en 1970 pour un acte de bravoure et une montre à la vitre fêlée dont le bracelet est calciné. L'heure indique 8 h 16. Elle comprend que c'est la montre qu'Héléna a reçue de son frère le matin où le train l'emportait vers son destin. En quoi ces objets sont-ils liés alors que trente ans les séparent? Expliquent-ils l'absence du fils auprès de sa mère?

Huguette les retourne entre ses doigts, puis les pose sur la peau d'hermine. Son émoi n'est pas le même que celui d'Héléna découvrant le peigne. Il relève plus d'une inquiétude pour ce qui va suivre. Si Fabi est toujours vivante, pardonnera-t-elle à Héléna d'avoir courtisé son amoureux? Jusqu'où son amie suivra-t-elle l'autre femme qui s'est installée dans son cœur comme un ver dans la pomme? Se nourrira-t-il du coma d'Yvonne et de cette mystérieuse névrose de guerre dont souffre Francis? Est-il encore présent aujourd'hui, tortillé sur lui-même, en attente du retour du fils pour reprendre du service?

Le froid est maintenant bien réel. Huguette a les mains glacées. Comme l'héroïne des films qu'elle adore, au moment où celle-ci se rend compte que le prédateur est tout près d'elle et que la conclusion lui est incertaine...

À suivre...

LISTE DES PERSONNAGES

Noyau familial

Martel, Aristide, homme engagé pour l'entretien de la *dam*
Martel, Fabi, guide au club de chasse et pêche du lac
Martel, Francis, travaille à la laiterie et s'enrôle ensuite dans l'armée
Martel, Georges, voit à peine d'un œil, il travaille à la *shop*
Martel, Héléna, travaille à la cantine et sur la chaîne d'assemblage à l'usine des Brown
Martel, Marie-Jeanne, femme au foyer
Martel, Yvonne, femme de ménage chez les Paterson

Noyau à la résidence

Anita, préposée
Blais, Gérard, curé retraité
Gaétane, préposée
Gendron, Madame
Gervais, Rolande
Lacoste, Roméo
Lafrenière, Huguette

Tremblay, Madame
Veillette, Madame
Veilleux, Nathalie, infirmière en chef

Autres personnages

Bélanger, Pierre
Bertrand, Monsieur, épicier
Bouchard, Madame, travaille à la cantine
Boudreault, notaire
Brown, Allen, fils aîné et grand patron de la Brown
  Corporation
Brown, Matthew, gère l'usine de La Tuque (et le club
  avec son frère)
Caron, curé
Corbeil, curé
Delisle, Mikona, métisse
Desmarais, Ovila, maire de La Tuque
Dionne, Robert, vicaire de La Tuque
Duplessis, Maurice, politicien
Fournier, Edmond, travaille à la *shop* et ensuite
  à l'hôtel
Froment, le bonhomme, offre du transport en
  carriole vers La Tuque lorsqu'il n'est pas occupé à
  boire à l'hôtel
Gagné, Josette, contremaître
Géraldine, sœur de Marie-Jeanne, a trois enfants :
  Alain, Louise, Carmen

Germain, ami de Francis qui s'engage aussi dans
l'armée
Jeffrey, partenaire d'affaires de la famille Brown
Lachance, Amédée, travaille pour la voirie,
contremaître
Lavoie, Monsieur, le gardien du club
Pâquerette, sœur
Paterson, Irina, patronne d'Yvonne
Paul, mari de Géraldine
Pelletier, Monsieur, laitier
Pettigrew, Albert, partenaire d'affaires de la famille
Brown
Picard, Omer, chef de police de La Tuque
Pitre, Jos, ancien guide tombé malade
Riberdy, docteur
Scalzo, Monsieur, cireur de chaussures
La secrétaire de Monsieur Brown

Animaux

L'ours
Ti-Gars, le cheval des Martel

DU MÊME AUTEUR POUR LA JEUNESSE :

Le Don de Béatrice 3, La révolte de Gaïa,
illustrations, Mylène Villeneuve, Éditions de la Paix, 2013.

Journal d'un extraterrestre,
illustrations, Félix LeBlanc, Éditions de la Paix, 2013.

Fantôme cherche logis,
illustrations, Normand Thibeault, Éditions de la Paix, 2012.

La pierre tombée du ciel,
illustrations, Paul Roux, Éditions Vents d'Ouest, 2011.

Le Don de Béatrice 2, Le Songe du Rêveur,
illustrations, Jean-Guy Bégin, Éditions de la Paix, 2011.

Le Don de Béatrice tome 1,
illustrations, Jean-Guy Bégin, Éditions de la Paix, 2010.

Cœur académie,
illustrations, Guadalupe Trejo, Éditions du Phœnix, 2007.

OGM et « chant » de maïs,
illustrations, Jean-Guy Bégin, Éditions de la Paix, 2004.

Le violon dingue,
illustrations, Fil et Julie, Éditions de la Paix, 2003.

Sorcier aux trousses,
illustrations, Fil et Julie, Éditions de la Paix, 2002.

Libérez les fantômes,
illustrations, Marc-Étienne Paquin, Éditions de la Paix, 2001.

MARQUIS

Québec, Canada

Achevé d'imprimer le 25 janvier 2017

RECYCLÉ
Papier fait à partir
de matériaux recyclés
FSC® C103567

Imprimé sur du Rolland Enviro,
contenant 100% de fibres postconsommation,
fabriqué à partir d'énergie biogaz et certifié FSC®,
ÉCOLOGO, Procédé sans chlore et Garant des forêts intactes.

PERMANENT

100%

Garant
des forêts
intactes^MC